iPhone & iPad
Aplicaciones 5 estrellas

Glenn Fleishman

iPhone & iPad Aplicaciones 5 estrellas

TÍTULO ESPECIAL

Título de la obra original:
Five-Star Apps. The best iPhone and iPad apps for work and play.

Responsable Editorial:
Eugenio Tuya Feijoó

Traductor:
Vanesa Casanova Fernández

Edición española:

© EDICIONES ANAYA MULTIMEDIA (GRUPO ANAYA, S.A.), 2011
Juan Ignacio Luca de Tena, 15. 28027 Madrid
Depósito legal: M. 37.754-2011
ISBN: 978-84-415-3033-1
Printed in Spain
Impreso en: Varoprinter, S.A.

Para Ben, Lynn y Rex, quienes han hecho de casa un hogar.

AGRADECIMIENTOS

No habría podido escribir este libro sin la ayuda y los ánimos de muchas otras personas.

Mi padre, Charles Fleishman, fue mi primer editor y ha actuado desde el principio como mi mejor crítico. Es propietario, desde hace relativamente poco, de un iPhone 4 y usuario de Mac desde hace muchos años. Lex Friedman, a quien conocí en Twitter a través de mis compañeros de trabajo, ha contribuido con sus conocimientos editoriales y su última revisión.

Mi esposa, Lynn Warner, me ha ofrecido sus conejos a la hora de planificar el libro y garantizar que fuera comprensible. Mis hijos, Ben y Rex, han soportado estoicamente mis ausencias durante buena parte de la creación de este libro.

En la oficina que comparto con otras personas, mi colega Jeff Carlson (que a su vez estaba terminando dos libros mientras yo preparaba el mío) me ayudó a mantener la cordura y el sentido del humor. Mi viejo amigo David Blatner me auxilió con todo lo relacionado con InDesign CS5.

En Peachpit, Tracey Croom consiguió que el proceso de edición marchara sobre ruedas. Mi editor Cliff Colby es todo un especialista a la hora de realizar esas llamadas telefónicas que tanto me tranquilizaban y animaban.

Deseo también dar las gracias a las cientos de personas que me han sugerido diversas aplicaciones para el libro y que se han tomado algún tiempo en explicarme por qué les gustaba ese programa.

Este libro ha contado con la inspiración de Glenn Gould, The Police y They Might Be Giants.

Me encantaría conocer la opinión de mis lectores. Escríbame, si lo desea, a `glenn@5str.us` o sígame a través de mi cuenta de Twitter `@glennf`.

Índice de contenidos

3. Audio y música 59

4. Fotografía 73

5. Videojuegos 97

6. Juegos de estrategia 125

7. Juegos de palabras 141

8. Aplicaciones para niños 149

9. Vídeo 161

10. Mensajería instantánea y voz 167

11. Viajar y navegar 175

12. Dónde comer 189

13. Notas e ideas 195

14. Información 207

15. Noticias y deportes 221

16. Escritura y pintura 227

17. Naturaleza 237

18. Acceso remoto 249

19. Utilidades 261

Índice alfabético 285

Introducción

¿Cómo se define una aplicación estrella? Para recibir tal calificativo, un programa debe ser interesante, incluso si la tarea que realiza es rutinaria. Observe diversas aplicaciones que compartan un mismo objetivo a la hora de informar, entretener o ser de utilidad al usuario: las aplicaciones estrella tienen ese "algo" especial que las diferencia del resto.

Tras leer miles de recomendaciones, haber probado cientos de aplicaciones y haber seleccionado la colección que, finalmente, recoge este libro, puedo afirmar que las mejores aplicaciones son aquellas que lograron sorprenderme o fascinarme, hasta para realizar tareas consideradas de lo más rutinario.

Un buen ejemplo es Ocarina, una aplicación para iPhone que sigue siendo un superventas en los más de dos años que han transcurrido desde su llegada a Apple Store.

Cualquiera podría haber inventado un programa rudimentario para tocar la ocarina y que permitiera crear una simulación de este antiguo instrumento musical, incluyendo varios botones en la pantalla para controlar la posición de los dedos.

Ge Wang y su equipo en Smule aportaron a Ocarina profundidad, encanto y una sensación de constante descubrimiento y pertenencia a una comunidad. Cuanto más utilice el programa, mejor intérprete será. Basta con adentrarse en las "tripas" del programa y utilizar una clave distinta o hacer clic en un icono global para poder ver (¡e incluso escuchar!) a otras personas interpretando música con este programa en todo el mundo. Además, puede conectarse a Internet y buscar partituras transcritas en notación para Ocarina que podrá interpretar usted mismo.

No es sólo una aplicación, es un pequeño universo en sí mismo.

No todas las aplicaciones son como Ocarina, pero todos los programas que hemos incluido en este libro poseen una combinación de cualidades estelares: una presentación extraordinaria (interfaz, gráficos y acciones del programa), utilidad (para realizar una tarea concreta, divertirse, facilitar la creatividad o el aprendizaje) y persistencia.

Hay un último aspecto clave que queremos comentar. En el caso de las aplicaciones estrella, los desarrolladores no dejan de perfeccionar y actualizar sus programas: añaden nuevas funcionalidades y solucionan los pequeños problemas que puedan ir apareciendo con el paso del tiempo. Normalmente, se intenta aportar algo más de lo que demandan los usuarios y se piensa en elementos que convertirán el programa en una aplicación atractiva para nuevos consumidores.

El segundo aspecto de mi exploración personal de las aplicaciones estrella es que rara vez reciben una calificación superior a las 3 o 4 estrellas según el sistema de calificación de la App Store de Apple. Es algo que me sorprendió negativamente al iniciar mi investigación para este libro. Programas fabulosos, que habían recibido reseñas muy positivas en revistas y portales Web especializados, y que en mi experiencia funcionaban correctamente, recibían comentarios poco entusiastas de los usuarios.

En parte, es culpa de los responsables de las reseñas y, en parte, consecuencia del sistema de Apple. Cinco estrellas son muchas estrellas; tres o cuatro pueden parecer una calificación más ajustada a la realidad. Antes de la aparición de iOS 4, Apple solía pedir una calificación cada vez que un usuario borraba una aplicación (no puede decirse que sea el mejor momento para solicitar su opinión). Además, no era difícil confundirse y dar a la aplicación en cuestión una nota de una estrella. Las personas que expresaban su opinión solían quejarse, después de haber adquirido su dispositivo, del coste de las aplicaciones. En mi caso, he utilizado el factor calidad y no el precio a la hora de seleccionar las que más me han gustado.

En ese libro he concedido cinco estrellas a las aplicaciones presentadas, para lo cual he utilizado un criterio completamente personal. Espero que el lector esté de acuerdo conmigo y quiera compartir sus propias aplicaciones estrellas.

Glenn Fleishman

Seattle, Washington

LAS APLICACIONES EN IOS

Utilizar un iPhone, iPad o iPod touch es lo más sencillo del mundo; pero a nadie puede perjudicarle contar con algo de información previa sobre aplicaciones y el sistema operativo iOS. ¿Qué es esa aplicación Game Center que puede ver en su pantalla de bienvenida? ¿Cómo se transfieren archivos desde y hacia un ordenador? ¡Siga leyendo!

¿Qué es iOS?

iOS es el sistema operativo que gestiona todas las transacciones y el control del hardware en un iPhone, iPad y iPod touch. iOS fue inicialmente bautizado como iPhone OS, antes del lanzamiento del iPad, aunque también funcionaba en iPod touch.

Apple decidió evitar la confusión y, para ello, abrevió el nombre. iOS no es una abreviatura, es puro marketing. En el momento en el que este libro se pone a la venta, la versión 4.2 de iOS acaba de lanzarse al mercado para los tres dispositivos.

Compatibilidad

No todas las aplicaciones se ejecutan igual en todos los dispositivos basados en iOS. La compatibilidad de éstas aparece reseñada en la página de la aplicación de iTunes Store.

Entre en la página de cualquier aplicación. Podrá ver el precio, la fecha de actualización y datos adicionales relativos a la misma. Bajo el encabezamiento de "Requisitos" verá unas líneas de texto con información adicional:

Requisitos: Compatible con iPhone, iPod touch y iPad. Requiere iOS 4.0 o posterior.

Estas líneas de texto pueden dar pie a la confusión, dado que Apple utiliza versiones muy diferentes. Consulte la descripción para saber si una aplicación funcionará correctamente o no en un dispositivo iOS determinado, así como para saber cuál es la versión mínima del sistema iOS exigida.

Todas las aplicaciones incluidas en este libro funcionan con iOS 4. Algunas podrían no funcionar correctamente con versiones anteriores debido a la presencia de algunas características especiales.

A lo largo de esta obra verá una serie de iconos que le permitirán conocer la compatibilidad de las aplicaciones con ciertos dispositivos. El icono de la izquierda, de mayor tamaño, representa un iPad. El más pequeño, un iPhone o iPod touch. Los iconos de color rojo indican la incompatibilidad de la aplicación; los verdes hacen referencia a aquellas aplicaciones pensadas para un dispositivo concreto, y el color azul significa una compatibilidad especial.

- Compatible con iPhone, iPod touch y iPad: estas aplicaciones han sido diseñadas para ofrecer un rendimiento óptimo en la pantalla de un iPhone o iPod, pero pueden funcionar en uno de los modos especiales del iPad. En este último, la pantalla de la aplicación aparece centrada con el tamaño que tiene en iPhone/iPod, pero basta con tocar el botón de ampliación 2x de la esquina para duplicar su tamaño. No es una solución ideal, ya que los gráficos aparecerán pixelados y no permitirá una precisión absoluta en los juegos.

Truco: A lo largo del libro se incluirán diversos consejos sobre el correcto uso de las aplicaciones, tales como modos ocultos, trucos para evitar la pérdida de tiempo o consejos útiles relativos a la aplicación.

- Compatible con iPad: Estas aplicaciones están pensadas para funcionar en un iPad y no pueden instalarse en un iPhone o iPad touch. Muchas de ellas, especialmente los juegos, ofrecen dos versiones: una pensada para iPhone/iPod touch y, otra, como versión exclusiva para iPad; esta segunda suele incluir en el nombre la referencia HD.

- Esta aplicación está diseñada tanto para iPhone como para iPad: Se trata de programas capaces de aprovechar las ventajas que ofrecen ambos tamaños de pantalla. Muestran una interfaz e imágenes adecuadas al dispositivo en el que se hayan instalado. Pese a venir etiquetadas como aplicaciones para el iPhone, funcionan correctamente en un iPod touch. Nos referimos a este tipo de compatibilidad como universal. En la tienda iTunes Store, dentro de la página de información de la aplicación, verá un icono (signo +) junto al precio, así como una segunda etiqueta, además de la información sobre los requisitos de la aplicación.

En algunos casos, las aplicaciones tienen una condiciones estrictas. Algunas únicamente pueden ejecutarse si el dispositivo está equipado con una cámara (iPhone o iPod touch de cuarta generación). Otras no funcionan en modelos de iPhone posteriores al modelo 3GS (2009). Algunos programas dependen del sistema de flash de LED, que actualmente sólo está disponible para iPhone 4.

Otras aplicaciones exigen un procesador rápido, lo que implica la necesidad de disponer de un iPad, iPhone 4 o iPod touch de cuarta generación para que funcionen correctamente. Estos requisitos suelen indicarse en letra pequeña.

Cuando las aplicaciones presenten problemas de compatibilidad, se indicará pertinentemente.

Links y precios

Todas las aplicaciones muestran una etiqueta con su precio, pero, según mi experiencia, los precios cambian constantemente por motivos de ventas y competitividad. Junto al precio, se muestran los enlaces de las páginas de descarga de cada aplicación desde iTunes Store.

Fondo

iOS 4 ha permitido que las aplicaciones sigan ejecutándose, aunque de forma limitada cuando cambiamos a otro programa, respondemos una llamada de teléfono o pulsamos el botón de inicio.

Existen tres tiempos de tareas que pueden realizarse en segundo plano:

- Audio: Podrá seguir reproduciendo en segundo plano una pieza musical, podcast o cualquier otro fragmento de audio.
- Ubicación: Los navegadores GPS y otras aplicaciones de geolocalización pueden seguir actualizando su localización en el mapa interno aun cuando no puedan mostrar su posición actualizada. Podrá continuar manejando la navegación activada a través de la voz y pulsar en las notificaciones al recibir una llamada telefónica.
- VoIP: Las llamadas telefónicas a través de Internet pueden continuar sin interrupción. Además, podrá recibirlas hasta cuando la aplicación no está en primer plano o si la pantalla del dispositivo está bloqueada, incluidos Skype y Line2.

En el caso de aplicaciones de audio, navegación y VoIP, se explicarán las funcionalidades concretas que pueden seguir funcionando en segundo plano.

Sólo aquellos dispositivos iOS aparecidos a partir de 2009 permiten a las aplicaciones ejecutar tareas en segundo plano. Hablamos del iPhone 3GS, los iPod touch de tercera y cuarta generación, y todos los modelos de iPad.

Game Center

Game Center para iOS 4.1 apareció mientras este libro estaba en proceso de preparación. Muchos de los juegos y otros programas en los que existen listas de amigos tenían que ser actualizados para poder ofrecer soporte a esta nueva funcionalidad.

Game Center le permite conectarse con sus amigos. Es una red social, aunque lamentablemente hasta ahora no está conectada a Facebook y Twitter (ni siquiera a Ping, la red social de Apple). Puede encontrar a sus amigos, aunque tendrá que conocer su identificador. Sigue habiendo aspectos mejorables.

No obstante, Game Center es una aplicación curiosa que permite comparar puntuaciones y jugar en vivo con varios jugadores a través de Internet. Creo que muchos juegos se vincularán en el futuro a Game Center, ya que esta aplicación evita a los desarrolladores tener que construir sus propias plataformas para juegos.

Para aquellos que cuentan con componentes de software en escritorios de Mac y Windows, en sitios Web y en otras plataformas móviles, es probable que veamos una opción para Game Center y un enlace a las propias redes de dichos programas.

Instalar las aplicaciones

Puede instalar aplicaciones en un dispositivo basado en iOS de dos maneras: a través de iTunes o del programa de App Store del dispositivo.

En ambos casos es imprescindible disponer de una cuenta en iTunes Store, aspecto éste ya exigido a la hora de configurar el dispositivo iOS. De todas formas, puede crear una cuenta nueva con el único propósito de comprar y actualizar aplicaciones. La cuenta de iTunes debe ir asociada a un método de pago.

App Store le mostrará el precio y el tamaño de la descarga del programa. Algunos son muy pequeños y apenas llegan a un par de megabytes; otros pueden alcanzar los 2 gigabytes (GB) de tamaño, como por ejemplo el software de navegación.

Apple únicamente le permitirá descargar aplicaciones de hasta 20 megabytes (MB) a través de una red 3G. No obstante, tenga en cuenta que esos fragmentos van sumando. Si dispone de un plan de datos limitado (200 MB), es recomendable evitar las descargas de aplicaciones, salvo cuando esté conectado a una red Wi-Fi.

Truco: Puede invitar a sus amigos a participar en un juego, pero no es necesario que espere a que acepten su invitación. Tras haberla cursado, podrá salir de la aplicación. Si éstos aceptan, se mostrará una aplicación solicitando permiso para reiniciar el juego y comenzar a participar.

Las compras que se realizan dentro de una aplicación determinada son funcionalidades añadidas o "add-ons"de un programa que se adquieren tras la instalación del software. En ocasiones, estas compras están disponibles dentro de los ajustes de configuración y, en otras, se mostrará una ventana desplegable que le sugerirá una adquisición.Cabe destacar elementos tales como la compra de munición para un juego, suscripciones a algún servicio o una cuota para eliminar la publicidad, dependiendo del software. Para realizarlo, utilice su cuenta de iTunes Store.

iTunes en el escritorio

Debe elegir un único equipo en el que sincronizar sus aplicaciones, películas, música, etc. Esa es la copia de iTunes a través de la cual podrá comprar aplicaciones. Es también el lugar donde las aplicaciones se guardarán la próxima vez que sincronice su dispositivo tras la adquisición de algún programa para iPhone, iPad o iPod touch.

Puede comprar u obtener aplicaciones gratuitas a través de iTunes sin necesidad de conectar un dispositivo iOS. Haga clic en el icono de iTunes Store de la barra lateral izquierda, bajo la etiqueta Store. Puede utilizar el campo de búsqueda de la esquina superior derecha para encontrar aplicaciones por nombre o explorar por categoría, novedades o favoritos.

Para adquirir una aplicación de pago o descargar una gratuita, haga clic en la etiqueta del precio o App Gratuita. Si hace tiempo que no ha iniciado sesión de iTunes, el programa le pedirá su contraseña.

La aplicación se descargará a una carpeta en su equipo que podrá sincronizar con cualquier dispositivo iOS vinculado a la misma cuenta de iTunes operativa para dicho equipo (es posible vincular un número ilimitado de dispositivos iOS a la misma cuenta).

Asimismo, podrá configurar su dispositivo iOS para añadir cualquier programa de software que haya adquirido, si bien es posible que se le vaya de las manos si ha adquirido demasiadas aplicaciones (mi propia biblioteca personal contiene cientos de aplicaciones, y lo cierto es que no quiero que ocupen espacio en todos mis dispositivos).

Además, podrá seleccionar aplicaciones independientes y agregarlas a la línea de aplicaciones de un dispositivo determinado. iTunes permite reorganizar las aplicaciones en las pantallas de bienvenida, archivarlas en carpetas y desplazar codumentos desde y hacia algunas aplicaciones (véase la opción de compartir archivos).

Una vez conectado un dispositivo, selecciónelo pulsando el nombre que aparece en la barra lateral izquierda, en Dispositivos. A continuación, haga clic en la pestaña Apps de la ventana principal de iTunes. Active la opción de sincronización de aplicaciones de la parte superior para activar o desactivar la opción de sincronización automática de nuevas aplicaciones.

Con la opción de sincronización de nuevas aplicaciones desactivada, active la casilla contigua a cualquiera de las aplicaciones del listado para añadirla al dispositivo, o bien desactívela para eliminar la aplicación del mismo. Puede, además, arrastrar las aplicaciones de una pantalla a otra y eliminarlas o arrastrarlas hacia una pantalla.

Haga clic en Sincronizar para terminar.

App de App Store

En lugar de utilizar iTunes en un ordenador, puede utilizar la aplicación App Store que viene preinstalada en su dispositivo iOS para comprar software, siempre que esté conectado a una red activa.

Haga clic en algún vínculo en Mobile Safari o abra la aplicación directamente. Pulse la pestaña de búsqueda de App Store y escriba el nombre del programa que desea buscar. Seleccione la aplicación y pulse el botón Gratuita o el indicador de precio. El botón le mostrará la opción Instalar, que tendrá que volver a pulsar para finalizar la transacción. iOS le pedirá que vuelva a introducir su contraseña de iTunes Store.

Si está conectado a una red Wi-Fi o si el archivo pesa menos de 20 MB y está utilizando un dispositivo 3G, la aplicación comenzará a descargarse. Es posible adquirir aplicaciones de mayor tamaño a través de dispositivos 3G, pero la descarga no se iniciará hasta que esté conectado a una red Wi-Fi.

Advertencia: Una vez haya introducido su contraseña de iTunes Store, el dispositivo permanecerá conectado durante varios minutos. Esto puede suponer un problema si presta este dispositivo a otra persona (por ejemplo, un niño), ya que que puede realizar inintencionadamente alguna compra. Los foros de Internet están repletos de quejas de usuarios sobre aplicaciones "gratuitas" que incluyen compras posteriores de funcionalidades adicionales.Cierre la sesión para evitar este tipo de compras por error.

Localización de los ajustes de configuración

Los ajustes de configuración de las aplicaciones pueden encontrarse en dos lugares principales, aunque en ocasiones están algo escondidos (lo cual puede resultar muy frustrante).

- Dentro de la aplicación: Muchas aplicaciones que ofrecer diversos ajustes de configuración (por ejemplo la introducción del nombre de usuario y contraseña, o la posibilidad de activar o desactivar la música de fondo) utilizan un icono para permitir el acceso a los ajustes de configuración. Pulse el icono y modifíquelos.
- En la aplicación Ajustes: Abra la aplicación Ajustes (Ajustes de configuración), donde encontrará todas aquellas aplicaciones que optan por depender de esta aplicación para la configuración de sus opciones. Pulse el nombre de ésta para realizar los cambios deseados.

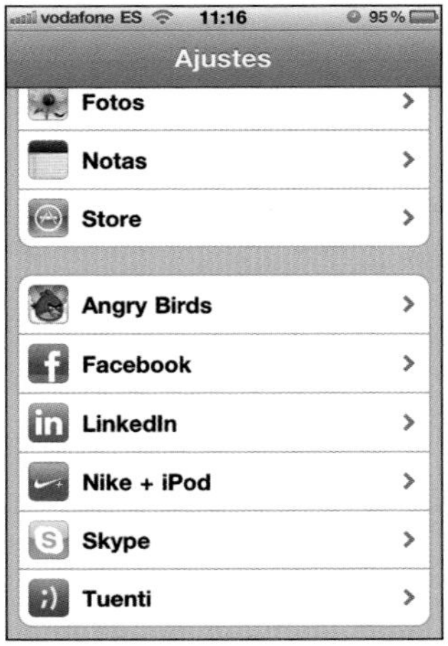

Desafortunadamente, muchas aplicaciones tienen opciones para los ajustes de configuración en ambos. En estos casos, la aplicación Ajustes suele contener únicamente una opción para la resolución de problemas o restablecimiento de la configuración original.

- Otras localizaciones: Algunas aplicaciones tienen sus ajustes de configuración ocultos en otros lugares, como por ejemplo en el botón Opciones o en cualquier otra etiqueta visible.

Compartir archivos en iTunes

iTunes es algo más que un simple conducto para la sincronización de aplicaciones y dispositivos iOS. Permite, además, gestionar los archivos asociados a aplicaciones tales como GoodReader, Air Sharing, ComicZeal y muchas otras.

Para agregar, eliminar o descargar archivos, siga estos pasos:

1. Conecte su dispositivo móvil a un ordenador equipado con iTunes. Abra iTunes.

> **Truco:** Puede utilizar la opción Ajustes > General > Restricciones para definir un código que impida el uso de determinadas características del sistema iOS, incluida la denegación de compras desde las propias aplicaciones.

2. Seleccione el dispositivo del listado de Dispositivos en la barra lateral de iTunes.
3. Haga clic en la pestaña Aplicaciones.
4. Localice la opción Compartir archivos.

A la izquierda, el listado de aplicaciones mostrará todos los programas cuyos archivos pueden moverse. Seleccione una aplicación y el listado de documentos le mostrará todos los documentos almacenados en dicho programa.

- Haga clic en Agregar para seleccionar los archivos del cuadro de diálogo de selección. También puede arrastrarlos desde el escritorio hasta el listado de documentos.
- Seleccione un archivo o carpeta, y pulse Eliminar para borrar los elementos seleccionados.
- Seleccione un archivo o carpeta, y haga clic en Guardar en para almacenar una copia en su disco duro.

Desafortunadamente, no es posible navegar a través de las carpetas del listado para recuperar, agregar o borrar elementos desde las mismas.

Compartir archivos a través de WebDAV

Varias aplicaciones utilizan WebDAV para permitir a otros equipos y dispositivos conectados a la misma red el acceso a archivos y carpetas. Tanto Mac OS X como Windows tiene integrado el acceso a través de WebDAV.

WebDAV funciona a través de una red local con otros ordenadores conectados a la red. Ello quiere decir que su dispositivo iOS debe estar conectado a la red a través de una conexión Wi-Fi y que cualquier equipo que quiera acceder a él tendrá que hacer lo mismo o, también, mediante Ethernet. WebDAV no permite que los dispositivos iOS compartan sus archivos a través de redes 3G.

Para utilizar WebDAV, debe abrir el software para compartir archivos de su dispositivo iOS en cualquiera de las aplicaciones que esté utilizando. Algunas mantienen WebDAV mientras el programa se está ejecutando en primera plano, como por ejemplo Air Sharing Pro. Otras, como GoodReader, exigen pulsar un botón para iniciar el servicio WebDAV.

Las aplicaciones le mostrará nuna dirección numérica o cualquier otro nombre que le permita acceder a su dispositivo iOS. Será una dirección similar a ésta: 10.0.1.25:8080. No olvide este número.

Los servidores de WebDAV únicamente se ejecutan mientras el programa está activo. En algunas aplicaciones, bastará con pulsar Cerrar o utilizar los desplegables del menú para detener el servidor. En otras, el servidor se desconectará al salir del programa. No obstante, en todos esos casos la información que se haya compartido no estará disponible de forma inmediata. Es recomendable descargar un volumen desde un Mac o asegurarse de que las transferencias de archivos han finalizado en Windows antes de desactivar el servidor WebDAV. Veamos a continuación cómo conectar un dispositivo desde Mac OS X y Windows:

Desde Mac

1. En el Finder, seleccione Ir>Conectarse al servidor (Comando-K). Escriba la dirección `http://10.0.1.10:8080` y sustituya la dirección que le ofrece la aplicación. El punto y el número adicional señalan la existencia de un puerto que permite que varios servidores funcionen simultáneamente en un mismo dispositivo.
2. Haga clic en Conectar.
3. Se le solicitará su nombre de usuario y contraseña. Escriba la información solicitada o haga clic en Aceptar.

Los archivos compartidos de la aplicación aparecerán como cualquier otro disco duro en su escritorio. Haga doble clic sobre el mismo para abrir la unidad. Ahora, podrá copiar archivos desde y hacia la unidad, así como eliminarlos. Para desmontar la unidad de su escritorio, selecciónela y, a continuación, elija Expulsar en el menú Archivo.

Desde Windows (XP, Vista y 7)

Siga estos pasos para montar un servidor WebDAV que permita el acceso a los archivos:

1. Haga clic con el botón derecho en el icono Equipo de su escritorio y seleccione Conectar a unidad de red (si el icono de equipo no está en su escritorio, haga clic con el botón derecho en el botón de Windows y seleccione Abrir el Explorador de Windows).
2. Haga clic en el enlace Conectarse a un sitio Web para usarlo como almacén de documentos e imágenes. Se abrirá el asistente para agregar ubicaciones de red. Haga clic en Siguiente.
3. Haga clic en Elegir una ubicación de red predeterminada y, a continuación, en Siguiente.
4. Escriba la dirección del servidor WebDav de la aplicación, como por ejemplo: http://10.0.1.25:8080 y haga clic en Siguiente. Quizá deba esperar unos instantes antes de completar la acción.
5. Escriba un nombre que identifique al servidor de la aplicación, como por ejemplo Servidor iPad. Haga clic en Siguiente. Haga clic en Finalizar.

Se abrirá una ventana en el escritorio para verificar que funcionará exactamente igual que un disco duro.

A Windows no le afecta la desconexión de las unidades WebDAV y no existe ninguna vía para expulsar o desconectar un volumen montado. Asegúrese de no abrir ningún archivo directamente desde la carpeta del servidor, cópielo antes en su equipo.

Formatos de archivo con soporte iOS

Existe un amplísimo listado de formatos de archivo de imagen, audio, documentos o vídeo que iOS puede leer de forma nativa. El sistema operativo incluye todo el soporte de fábrica necesario para mostrar o reproducir los archivos tal y como fueron pensados por sus creadores.

Cualquier aplicación diseñada para mostrar documentos o imágenes, o para reproducir archivos de sonido, puede utilizar dichos formatos sin que ello suponga ningún esfuerzo adicional para el programador.

Entre los formatos para los que el sistema iOS ofrece soporte se encuentran PDF y Microsoft Word, así como diversos estándares de vídeo y audio no tan conocidos.

Resulta muy difícil saber a priori cuáles de los archivos a los que se pretende acceder funcionarán o no correctamente bajo el entorno iOS. En la sección de este libro dedicada a los vídeos, analizaremos dos aplicaciones pensadas para convertir y reproducir prácticamente todos los archivos de audio y vídeo disponibles, y sortear ,así, las limitaciones existentes.

1. Lectura

El iPad ha sido diseñado para leer libros y otros materiales de lectura de gran extensión. La pantalla Retina Display del iPhone 4 y de los iPod touch de cuarta generación tienen las mismas dificultades a la hora de mostrar texto. En este capítulo, veremos cuáles son las mejores aplicaciones para la lectura de libros, feeds de noticias, documentos y cómics.

IBOOKS

GRATUITA / **Apple**

http://itunes.apple.com/es/app/ibooks/id364709193?mt=8

Cómo leer y comprar libros electrónicos y leer documentos PDF como si fueran un libro

iBooks supone la entrada de Apple en el abarrotado mercado de aplicaciones para libros electrónicos. Pensada en primera instancia para el iPad y, posteriormente, trasladada al ámbito del iPhone e iPod touch, iBooks intenta plasmar de manera fiel la naturaleza del libro, al tiempo que facilita las tareas de hojear, marcar páginas y realizar anotaciones y búsquedas.

Puede adquirir libros de tres maneras. En primer lugar, podrá utilizar la tienda online de Apple, iBookstore. En estos instantes esta tienda mantiene una presencia modesta comparada con otros servicios. Apple incluye libros gratuitos del Proyecto Gutenberg y otras fuentes, así como obras de ficción y no ficción comerciales. Para acceder a este sitio, es imprescindible contar con un dispositivo iOS.

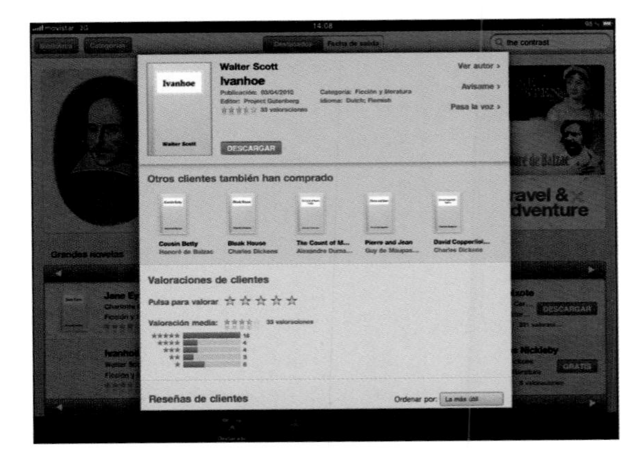

También podrá importar archivos EPUB sin proteger. EPUB es un estándar de la industria editorial que permite la edición de libros en los que es posible modificar el tamaño de la fuente de letra y el formato sin perder las imágenes vinculadas a diferentes partes del libro. Es necesario copiar los archivos a iBooks a través de iTunes, en lugar de abrirlos en iOS.

Por último, iBooks puede almacenar y leer archivos PDF, que pueden copiarse desde diferentes aplicaciones gracias a la opción Abrir con, o bien gestionarse a través de iTunes. Existen lectores de PDF de mejor calidad que iBooks, por ejemplo GoodReader y Air Sharing, pero, aun así, iBooks es un buen lector.

Los libros y los documentos PDF se muestran en una estantería virtual. Las pestañas para ambos aparecen únicamente si existe algún documento PDF. Pulse el icono de un libro para abrirlo. Si no ve alguna de las libros que ha comprado u obtenido gratuitamente de la tienda de iBooks, pulse el botón Tienda y, a continuación, pulse el icono de Compras de la esquina inferior izquierda para descargar los elementos que faltan.

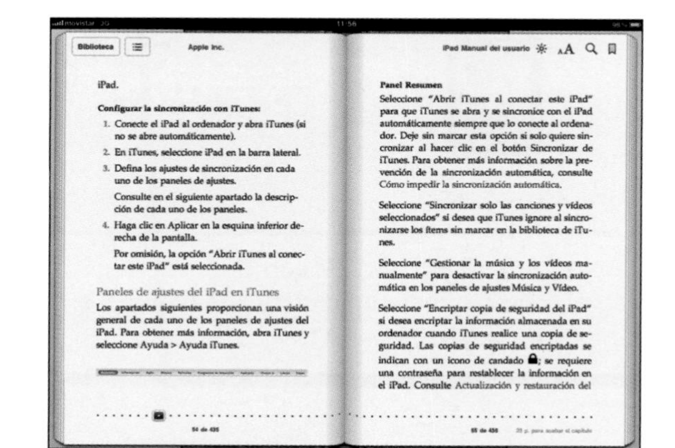

iPad.

Configurar la sincronización con iTunes:

1. Conecte el iPad al ordenador y abra iTunes (si no se abre automáticamente).
2. En iTunes, seleccione iPad en la barra lateral.
3. Defina los ajustes de sincronización en cada uno de los paneles de ajustes.

   Consulte en el siguiente apartado la descripción de cada uno de los paneles.
4. Haga clic en Aplicar en la esquina inferior derecha de la pantalla.

   Por omisión, la opción "Abrir iTunes al conectar este iPad" está seleccionada.

Paneles de ajustes del iPad en iTunes

Los apartados siguientes proporcionan una visión general de cada uno de los paneles de ajustes del iPad. Para obtener más información, abra iTunes y seleccione Ayuda > Ayuda iTunes.

Panel Resumen

Seleccione "Abrir iTunes al conectar este iPad" para que iTunes se abra y se sincronice con el iPad automáticamente siempre que lo conecte al ordenador. Deje sin marcar esta opción si solo quiere sincronizar al hacer clic en el botón Sincronizar de iTunes. Para obtener más información sobre la prevención de la sincronización automática, consulte Cómo impedir la sincronización automática.

Seleccione "Sincronizar solo las canciones y vídeos seleccionados" si desea que iTunes ignore al sincronizarse los ítems sin marcar en la biblioteca de iTunes.

Seleccione "Gestionar la música y los vídeos manualmente" para desactivar la sincronización automática en los paneles de ajustes Música y Vídeo.

Seleccione "Encriptar copia de seguridad del iPad" si desea encriptar la información almacenada en su ordenador cuando iTunes realice una copia de seguridad. Las copias de seguridad encriptadas se indican con un icono de candado; se requiere una contraseña para restablecer la información en el iPad. Consulte Actualización y restauración del

Advertencia: Debe disponer de una cuenta gratuita de iTunes Store para poder comprar o descargarse libros gratis desde la tienda de iBooks, así como para sincronizar entre sí los elementos de lectura entre dispositivos.

iBooks permite leer documentos en cualquier orientación; el libro se posicionará solo. En un iPad, la modalidad de lectura en horizontal divide el libro en una pantalla a doble página.

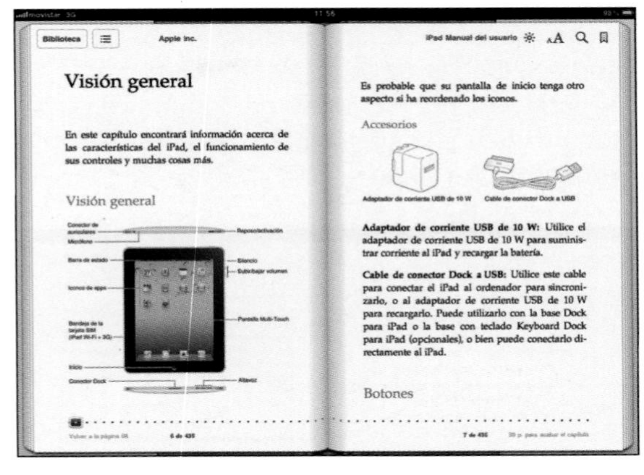

iBooks permite modificar los atributos de la página, como por ejemplo el tipo de fuente y el tamaño de la letra.

Además, puede ajustar el brillo directamente en la propia aplicación, marcar páginas como referencia para su uso posterior, subrayar fragmentos de texto e imágenes, y realizar anotaciones en los márgenes.

También puede realizar búsquedas por palabras clave; el mismo panel en el que se muestran los resultados de la búsqueda permite realizar consultas en Google y Wikipedia a través de Mobile Safari.

Utilice su cuenta de iTunes Store para gestionar la propiedad de los libros que haya adquirido, así como para sincronizar notas, marcapáginas y fragmentos subrayados en todos sus dispositivos iOS con una misma cuenta.

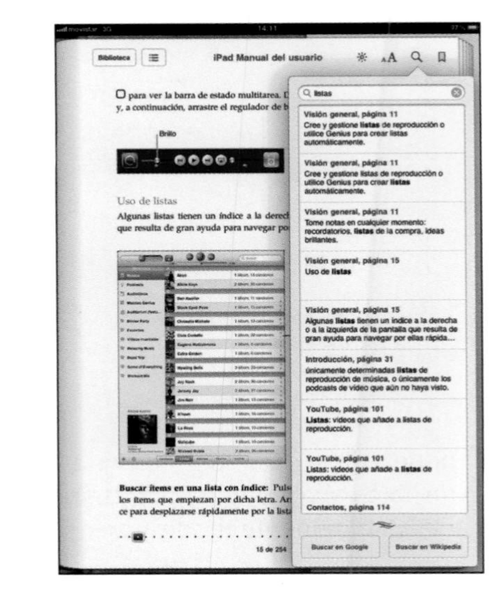

KINDLE

GRATUITA / Amazon.com

`http://itunes.apple.com/es/app/kindle/id302584613?mt=8`

Un lector de libros electrónico que permite acceder a todo un universo de libros antiguos, novedosos y modernos

¿Por qué comprar un libro que sólo puede leerse en un único lugar? La respuesta de Amazon es: las cosas no tienen por qué ser así. Kindle forma parte de todo un ecosistema.

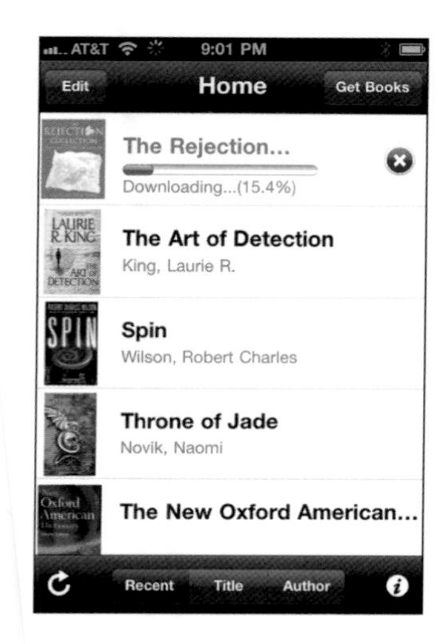

Amazon pone a disposición del lector cientos de miles de libros que pueden comprarse o descargarse gratuitamente desde Kindle Store a una aplicación iOS, así como a un dispositivo de Kindle (por ejemplo el Kindle de menores dimensiones o el dispositivo de mayor tamaño, Kindle DX). También pueden descargarse aplicaciones para otros dispositivos móviles y escritorios.

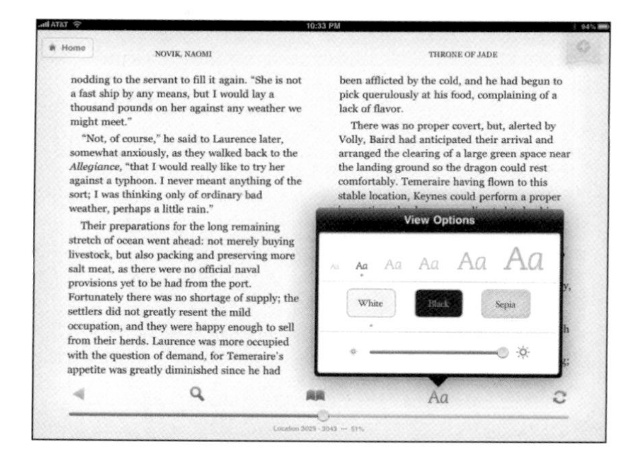

Debido a las limitaciones que Apple impone en las transacciones comerciales desde las propias aplicaciones, será dirigido al sitio Web de Amazon para comprar o descargar libros gratuitos. Posteriormente, puede enviar estas obras a aplicaciones o dispositivos de hardware de Kindle. La próxima vez que abra éste en un iPhone, o en cualquier otro dispositivo iOS, se iniciará la descarga del libro.

Leer en esta aplicación es una delicia, ya que podemos seleccionar diferentes ajustes preestablecidos para el tipo y tamaño de letra, o el color de fondo.

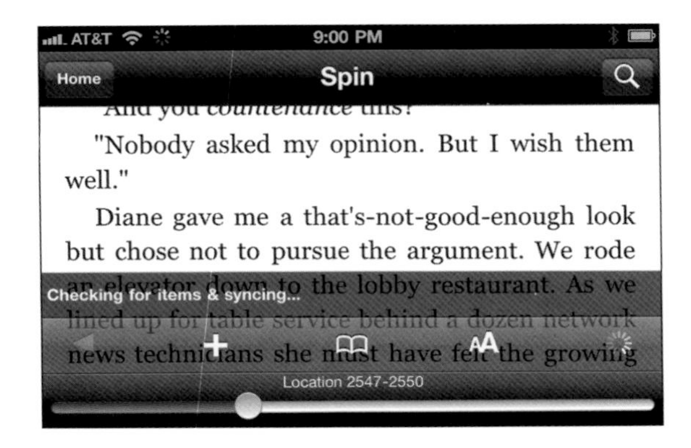

Para pasar la página, basta con tocar la pantalla. Siga el mismo procedimiento para crear notas o marcapáginas como referencia futura.

Truco: Pulse el icono de la esquina inferior derecha y active la opción Popular Highlights para ver lo que otros lectores han resaltado en el mismo libro. Una funcionalidad tan interesante como molesta.

La aplicaciones registran continuamente su posición de lectura y sincroniza las notas y marcapáginas con los servidores centrales de Amazon, lo cual le permitirá reanudar su lectura allí donde la haya dejado en cualquier otra aplicación o dispositivo de Kindle.

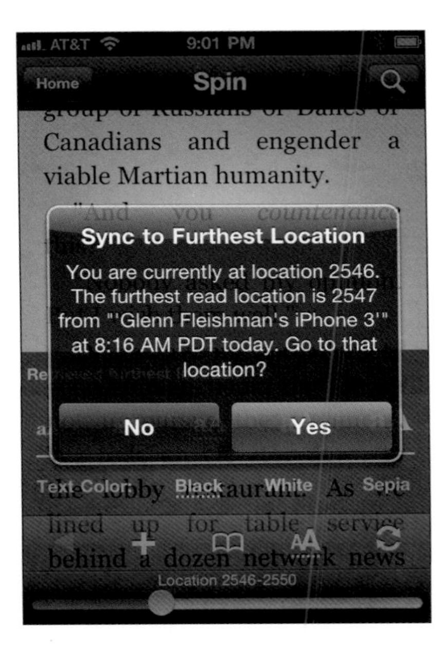

REEDER

2,39 € / Silvio Rizzi

http://itunes.apple.com/es/app/reeder/id325502379?mt=8

Presentación clara y reenvío sencillo de feeds

Reader presenta una interfaz muy sencilla que permite acceder a feeds RSS y otras noticias a las que esté suscrito a través de Google Reader, el cual actúa como repositorio sincronizado y centralizado para Reeder y otros programas móviles y de escritorio para la lectura de noticias.

Si bien existen otras aplicaciones incluidas en este mismo capítulo que permiten dar un nuevo formato a los feeds de noticias RSS con un formato más atractivo, Reeder es la herramienta ideal para todas aquellas personas que necesiten la información en el formato más sencillo posible.

Reeder
Unread in Wi-Fi Blogs and news
Techdirt Corporate Intelligence: Techdirt Wireless
Tuesday, August 31, 2010 3:31 PM
An Open iPhone App Market That Doesn't Require Jailbreaking... And Which Apple Can't Stop
In all of the fuss, hype and obsession over the iPhone/iPad app...
Tuesday, August 31, 2010 3:31 PM
UK Gov't Review Says Google WiFi Sniffing Didn't Sniff Anything Significant
It's been funny watching the usual anti-Google forces try to make...
Tuesday, August 31, 2010 3:31 PM
Surprising New DMCA Exceptions: Jailbreaking Smartphones, Noncommercial Videos Somewhat Allo...

Reeder extrae las actualizaciones directamente de Google Reader a petición del usuario. La interfaz principal utiliza una estrella, un círculo y un conjunto de tres líneas horizontales para indicar aquellos elementos marcados como favoritos, no leídos y todo tipo de feeds.

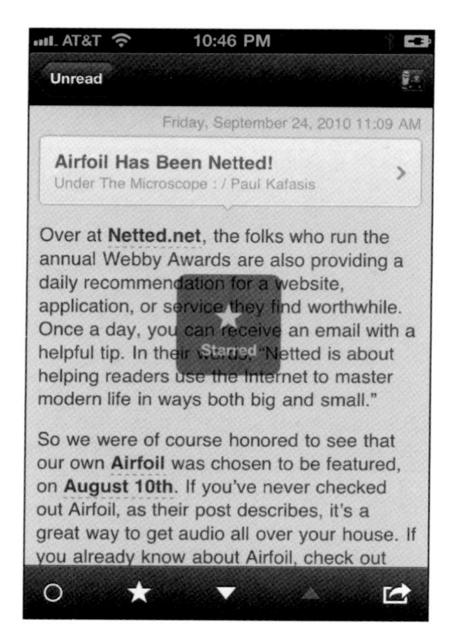

Personalmente, suelo utilizar el modo en forma de círculo y pulso el enlace de no leído (Unread) en la parte superior. Así, se muestran los feeds en orden, empezando por los recibidos más recientemente, lo cual se indica mediante el icono de un reloj en la esquina inferior izquierda. Pulse el icono del feed para mostrar los elementos no leídos divididos por feed.

El punto fuerte de Reeder, más allá de su sencillez, radica en la facilidad con la que permite compartir lo que estamos leyendo. Podrá compartir, transferir o participar en servicios y programas tales como Instapaper, Mobile Safari, Delicious, Twitter, su cuenta de correo electrónico y muchas más. Los servicios activos pueden configurarse a través de la aplicación Ajustes.

Una vez instalado, Reader funciona únicamente a través de Wi-Fi, a menos que modifique las opciones en Ajustes>Reeder.

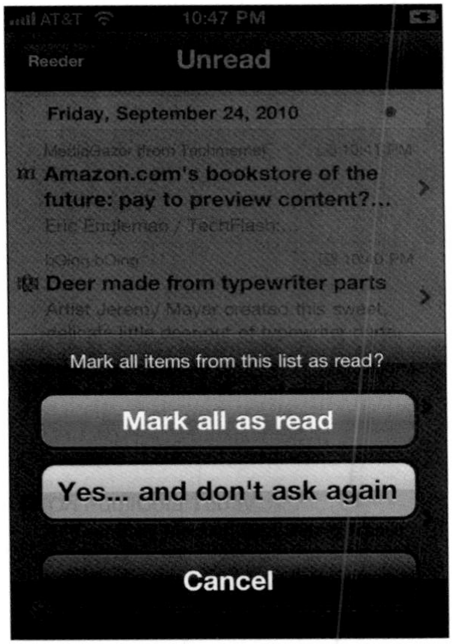

Advertencia: Reeder también está disponible en una edición para iPad, con una vista en la que los elementos aparecen representados como montones de papel. Se exige tener una cuenta de Google Reader.

INSTAPAPER

3,99 € / Marco Arment

http://itunes.apple.com/es/app/instapaper/id288545208?mt=8

¡No desespere si no puede leer una página Web al instante! Léala más tarde

Instapaper da respuesta a la pregunta de qué hacer cuando nos topamos con algo en la Web que nos interesa recordar y leer con posterioridad. En mi caso, si hubiera leído inmediatamente todas y cada una de las cosas que me interesaban o que otras personas me reenviaban, jamás habría dispuesto de suficiente tiempo para escribir este libro.

Antaño, la respuesta nos la daban los marcapáginas. Si hay algún testigo en la sala con más de cien marcapáginas que luego nadie consultaba, ¡que levante la mano! (me incluyo).

AT&T 3:27 PM

Warning: This Is a Long Column

What follows are lots of letters from viewers, some of whom wrote about the program and funding issue after the mailbag was posted, and others who wrote a bit later after a blog posting on Sept. 7 by Dr. Joseph Romm, the editor of Climate Progress which is "dedicated to providing the progressive perspective on climate science, climate solutions and climate science." His online bio notes that, last year, *Time* magazine named him one of the "Heroes of the Environment" and "the Web's most influential climate-

Instapaper funciona en la Web, ya sea a través de un explorador de escritorio o de Mobile Safari, yofrece la función de marcapáginas Read Later (Leer más tarde). Una vez creada su cuenta y tras haber iniciado sesión, instale este enlace y estará listo para empezar a guardar referencias. La instalación en Mobile Safari es algo complicada, pero la documentación le orientará.

Cuando se encuentre en una página Web y pulse o haga clic en Read Later, una pequeña aplicación de JavaScript oculta copia la URL en su cuenta de Instapaper. El texto de la página se almacena para su lectura posterior.

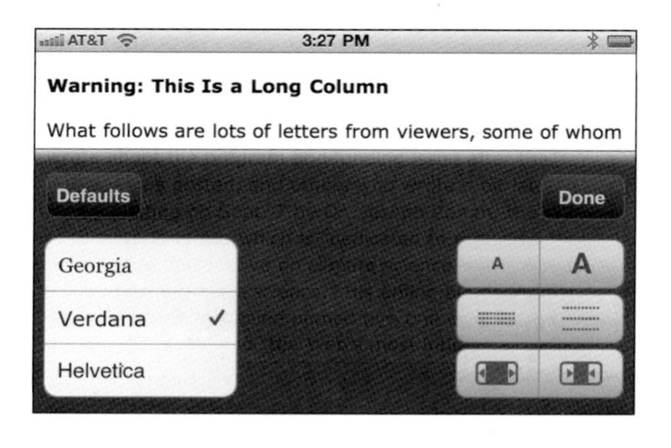

Inicie la aplicación Instapaper y, con la información de su cuenta, todos los artículos y páginas marcados para su lectura posterior se sincronizarán con todas las carpetas destinadas a la clasificación de dichas páginas.

Al seleccionar un elemento para su lectura, se le mostrará el formato reducido, en primer lugar, almacenado en su dispositivo. Podrá leer artículos y otras páginas Web mientras está desconectado de la red. Pulse el botón que muestra una flecha en el interior de un rectángulo en la esquina inferior izquierda para archivar el elemento, moverlo a una carpeta y compartirlo a través del correo electrónico, Twitter, etc. Además podrá abrirlo en el explorador Web de la aplicación para ver el original HTML completo.

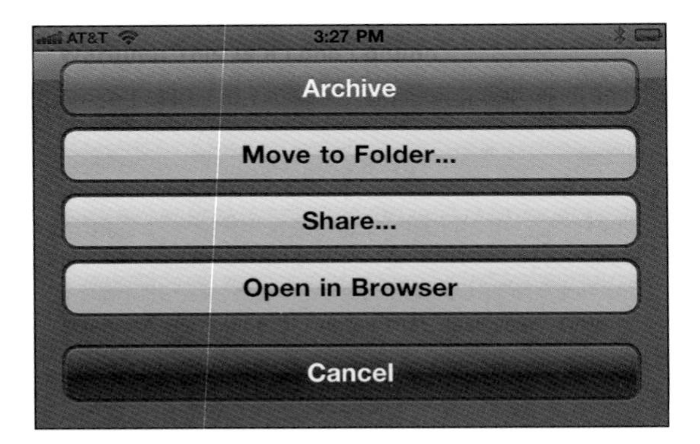

Nota: Existe una versión gratuita con publicidad compatible para iPhone e iPod touch, pero únicamente puede almacenar diez artículos y no cuenta con todas las funcionalidades de la versión de pago.

FLIPBOARD

GRATUITA / Flipboard

`http://ax.itunes.apple.com/us/app/flipboard/id358801284?mt=8`

Presentación de feeds, Twitter, Facebook y otros en formato revista

Flipboard se alimenta de diversas fuentes realmente interesantes y actualizadas con regularidad para presentar resultados parecidos a una revista. La aplicación toma enlaces, fotografías y vídeos de feeds RSS, Twitter o Facebook, y ofrece una presentación en la que resulta difícil creer que no haya habido intervención humana para recrearla. Es un periódico automatizado.

Puede agregar feeds prefabricados a partir del listado que ofrece Flipboard, incluidos diversos portales de noticias, independientes y de fotografías. Además, podrá agregar feeds desde Facebook y Twitter, por nombre y listado.

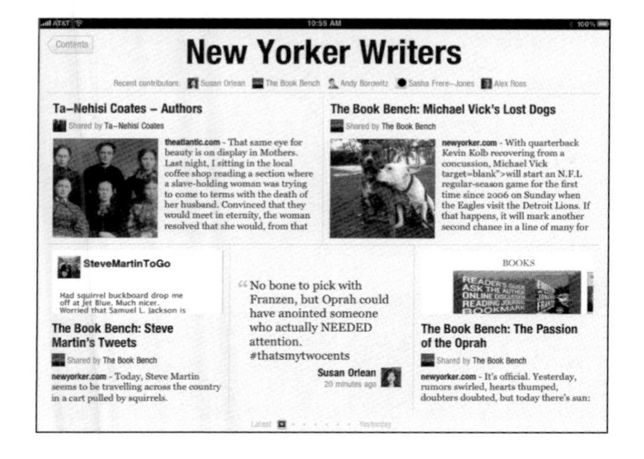

Cada vez que abra la aplicación, la pantalla quedará ocupada por una imagen extraída de algún feed. Las imágenes van rotando como si de un pase de diapositivas se tratara. Si gira la disposición desde la esquina derecha hacia la izquierda, la tabla de contenidos se mostrará a nueve cuadros por página. Si gira hacia la izquierda, se añadirán más elementos. Cada uno de los elementos del contenido muestra una imagen adecuada extraída del feed.

Pulse uno de los cuadrados y los feeds RSS, tweets o actualización de Facebook se mostrarán en diferentes tamaños, dependiendo de su longitud y del contexto. Las fotografías y los vídeos se extraen a partir de enlaces y, por lo general, aparecen a mayor tamaño. Los artículos enlazados o contenidos en el feed RSS ofrecen una vista previa. Pulse cualquiera de los elementos para obtener más información. Normalmente, se incluye un enlace que permite cargar la página Web dentro de la propia aplicación.

Flipboard transforma una corriente de actualizaciones idiferenciadas en algo compacto, comprensible y bello, fácilmente digerible, pero sin perder todo su sabor. Sería ideal poder añadir cualquier RSS o feed, pero en el lado positivo debemos reseñar su sencillez. Flipboard no es un lector de noticias, sino un medio.

PULP FOR IPAD

3,99 € / Acrylic Software

http://itunes.apple.com/us/app/pulp/id378710277?mt=8

Un novedoso lector RSS que presenta feeds en forma de sucedáneo de periódico

Pulp crea periódicos a partir de feeds RSS, incluso a partir de feeds de periódicos. Los lectores RSS tradicionales (si la palabra "tradicional" tiene sentido en el mundo de la tecnología) organizan los elementos procedentes de los feeds como titulares. En la mayor parte de los casos, los titulares se muestran en forma de encabezamientos de correo electrónico.

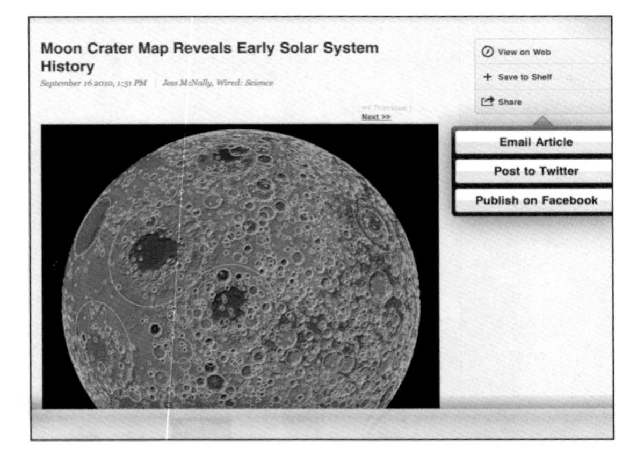

Pulp adopta un enfoque completamente diferente. ¿Por qué no hacer que las noticias parezcan noticias? Si bien la aplicación incluye por defecto varios feeds predeterminados para no obligar al lector a ver una página vacía, permite, además, añadir todos los feeds que queramos (la búsqueda de feeds no es ningún secreto a estas alturas, pero dejaremos que sea el lector quien se ocupe de esta parte).

Los feeds se muestran divididos en columnas cuya altura y anchura pueden modificarse. Los elementos incluidos en cada uno, incluidas las imágenes, pueden mostrarse como un listado de titulares, una serie de imágenes o en diversas combinaciones a partir de un conjunto de opciones de visualización en pantalla. La aplicación incluye algunas categorías predefinidas, por ejemplo Tecnología o Ciencia, pero son fácilmente modificables.

Puede navegar por las columnas, así como arrastrar la pantalla hacia la izquierda o la derecha en busca de nuevas columnas.

Al pulsar un elemento, se abre un marco navegable muy similar a una página de periódico.

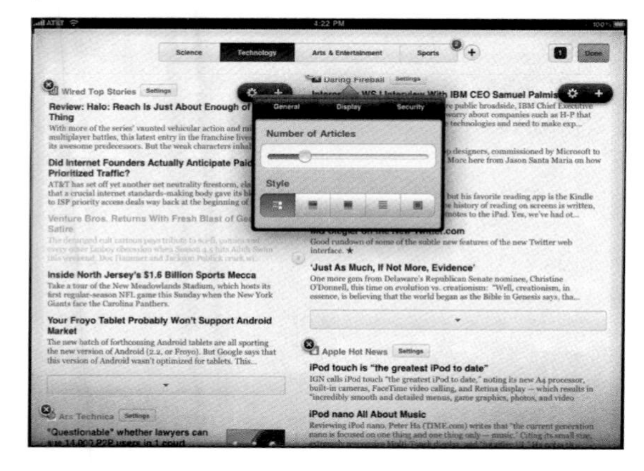

En la vista horizontal se pueden añadir elementos a una estantería que se muestra en la parte superior de la página virtual, como una especie de marcapáginas. Además, podrá visualizar los elementos en un explorador interno y podrá compartir las noticias a través del correo electrónico, Twitter y Facebook.

Pulp altera el flujo de información procedente de feeds de toda la Web, reconvirtiéndolo en algo comprensible a la par que atractivo.

Truco: Para ver más columnas de feeds, amplíe una sección más allá de la anchura de la pantalla y siga desplazándose hacia la derecha.

GOODREADER PARA IPAD

3,99 € / Good.iWare

http://itunes.apple.com/es/app/goodreader-for-ipad/id363448914?mt=8

¿Necesita recuperar un archivo desde otra ubicación, almacenarlo y leerlo?

GoodReader es el eslabón perdido en la gestión y transferencia de archivos en iOS. Un dispositivo iOS puede visualizar documentos adjuntos en un correo electrónico, o muchos formatos de archivos vinculados a una página Web a través de Mobile Safari. Pero, por sí mismo, iOS no permite ni almacenar documentos en una ubicación común, ni recuperar archivos de ningún servicio de almacenaje de archivos

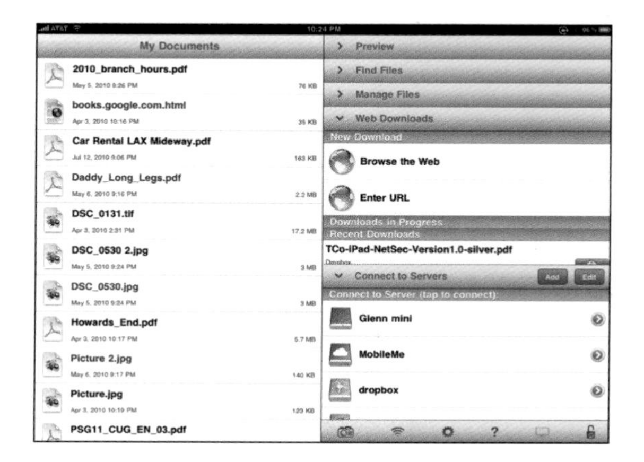

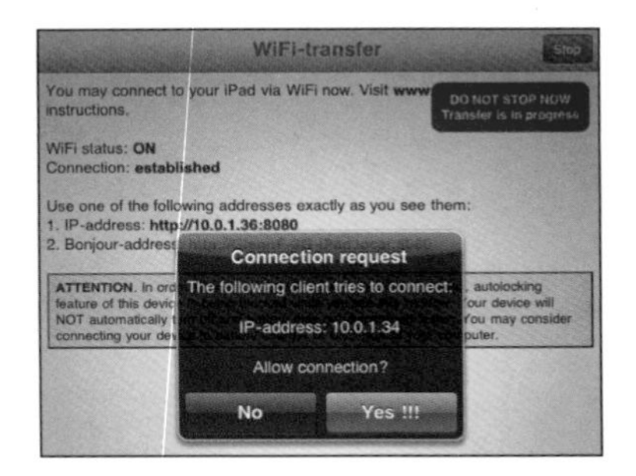

en Internet. GoodReader hace todo eso y más. Como principal ventaja, GoodReader puede conectarse con muchos servicios de almacenamiento en Internet utilizando el estándar WebDAV. Contiene entradas especiales para Dropbox y MobileMe iDisk, así como ajustes de configuración preinstalados para otros proveedores de servicios. Además, pueden agregarse imágenes de la biblioteca de imágenes. Cualquier archivo abierto se almacena localmente, pero no se actualizará de forma automática en caso de que la copia remota se modifique.

10.0.1.36

Name	Date Modified	Size	Kind
2010_branch_hours.pdf	May 5, 2010 9:26 PM	78 KB	Portab... (PDF)
books.google.com.html	Apr 3, 2010 10:16 PM	35 KB	HTML ...ument
Car Rental LAX Mideway.pdf	Jul 12, 2010 9:06 PM	166 KB	Portab... (PDF)
Daddy_Long_Legs.pdf	May 6, 2010 9:16 PM	2.3 MB	Portab... (PDF)
DSC_0131.tif	Apr 3, 2010 2:31 PM	18.1 MB	TIFF image
DSC_0530 2.jpg	May 5, 2010 9:24 PM	3.2 MB	JPEG image
DSC_0530.jpg	May 5, 2010 9:24 PM	3.2 MB	JPEG image
Howards_End.pdf	Apr 3, 2010 10:17 PM	6 MB	Portab... (PDF)
Picture 2.jpg	May 6, 2010 9:17 PM	143 KB	JPEG image
Picture 3.jpg	Today, 10:24 PM	737 KB	JPEG image
Picture.jpg	Apr 3, 2010 10:19 PM	126 KB	JPEG image
PSG11_CUG_EN_03.pdf	Apr 3, 2010 2:31 PM	5.9 MB	Portab... (PDF)
Tales_of_three_hemispheres.pdf	Apr 4, 2010 11:29 AM	2.2 MB	Portab... (PDF)
TCo-iPad-NetSec-Version1.0-silver.pdf	May 30, 2010 7:48 PM	11.3 MB	Portab... (PDF)
TCoScreenSharingInSnowLeopard-1.0.pdf	Apr 3, 2010 1:41 PM	3.8 MB	Portab... (PDF)
turkey_res.jpg	Apr 3, 2010 2:30 PM	52 KB	JPEG image

10.0.1.36

16 items, 12.14 GB available

Tres compras separadas, cada una de ellas por 99 céntimos, permiten añadir diversas opciones para la apertura de archivos: correo electrónico (que deja abrir mensajes

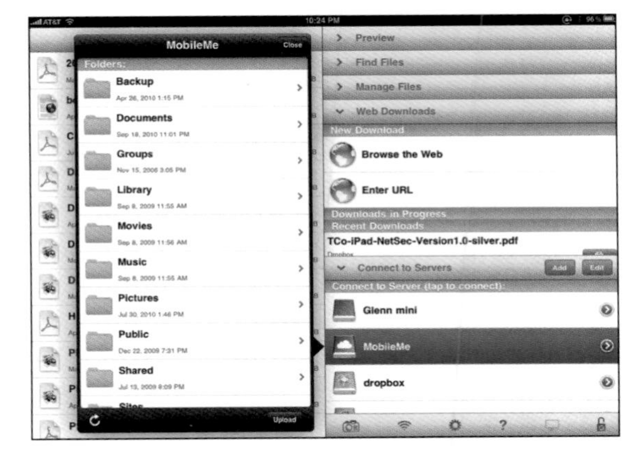

o adjuntos), FTP (tanto para el FTP normal como Secure FTP) y Google Docs (esto también es cierto para la versión para iPhone e iPod). Pueden agregarse archivos a través de la funcionalidad para compartir archivos de iTunes, así como mover archivos por toda la red. GoodReader incluye un servidor WebDAV de fábrica que permite acceder remotamente a la misma red Wi-FI desde Mac OS X, Windows y aplicaciones en ejecución desde otros dispositivos iOS, incluida GoodReader. El servidor WebDAV copia, borra, renombra y agrega documentos al almacén de archivos de GoodReader.

El servidor puede configurarse para que cuando un usuario intente acceder a éstos, se le pida autorización. La funcionalidad de gestión de archivos (Manage Files) permite marcar un archivo una vez ha sido almacenado en GoodReader.

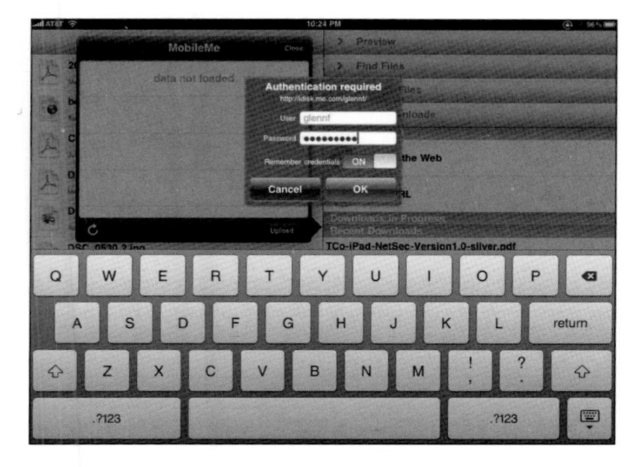

Nota: GoodReader ofrece dos versiones para iPhone/iPod touch: GoodReader para iPhone y GoodReader Lite para iPhone. La versión Lite únicamente permite almacenar cinco documentos.

Puede indicarlo como favorito, abrirlo en otra aplicación, renombrarlo o crear un ZIP comprimido de los elementos seleccionados. En cuanto a sus funcionalidades de lectura, GoodReader trabaja correctamente con todos los formatos incluidos de fábrica en el sistema iOS, incluida la reproducción de archivos de audio y vídeo para los que iOS ofrece soporte. GoodReader sobresale a la hora de gestionar los archivos en formato PDF mucho mejor que la funcionalidad por defecto del sistema iOS. Asimismo, incluye la navegación basada en zonas, lo que supone que al tocar la pantalla en diferentes áreas podemos desplazarnos hacia atrás o hacia adelante, o iniciar nuevas actividades. Además, pueden realizar búsquedas en documentos PDF, utilizar los marcapáginas y la tabla de contenidos para tareas de navegación, ver las anotaciones realizadas en Acrobat y otros programas y agregar notas a páginas en PDF. La opción PDF Reflow extrae el texto de una página en formato PDF para facilitar su lectura en línea. También permite copiar y transferir el texto a través del correo electrónico.

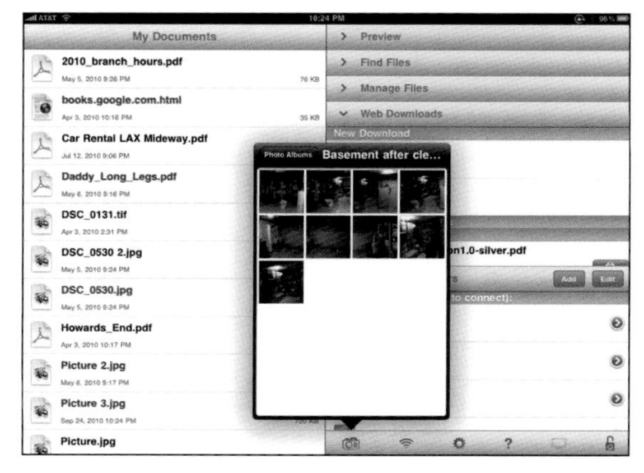

AT&T 10:29 PM

My Documents PSG11_CUG_EN_03.pdf Help

15 of 196

Approximate Number of Shots That Can Be Taken

Number of shots	LCD Monitor On	390
	LCD Monitor Off	1000
Playback Time (Hours)		7

- The number of shots that can be taken is based on the Camera & Imaging Products Association (CIPA) measurement standard.
- Under some shooting conditions, the number of shots that can be taken may be less than mentioned above.

Battery Charge Indicator

An icon or message will appear on the screen indicating the battery's charge state.

Display	Summary
	Good.
	Slightly depleted, but sufficient.
(Blinking red)	Nearly depleted.
"Change the battery pack."	Depleted. Recharge the battery.

Using the battery and charger effectively

- Charge the battery on the day, or the day before, it will be used.
Charged batteries continue to discharge naturally even if they are not used.

Attach the cover to a charged battery so that the ▲ mark is visible.

- How to store the battery for long periods.
Deplete and remove the battery from the camera. Attach the terminal cover and store the battery. Storing a battery for long periods of time (about a year) without depleting it may shorten its life span or affect its performance.
- The battery charger can also be used when abroad.
The charger can be used in regions that have 100 – 240 V (50/60 Hz) AC power. ... commercially available plug adapter. Do ...ign travel as they will cause damage.

...battery and does not indicate a problem. ...point where it will no longer fit into the ...tomer Support Help Desk. ...after charging, it has reached the end of its

Cancel Turn All Pages

Original Orientation

Turn Page Right

Turn Page Left

Turn Page Upside-Down

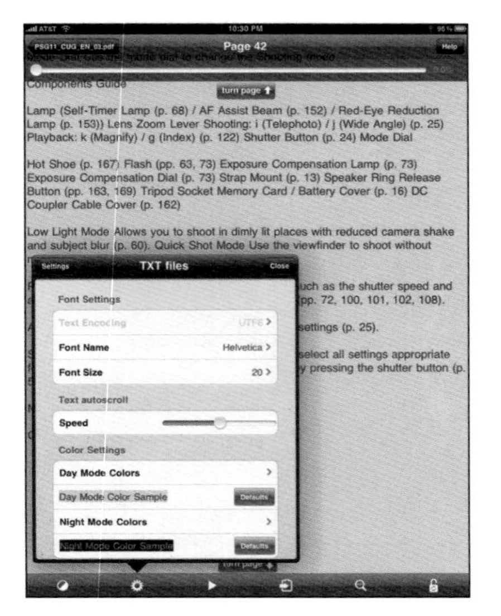

AIR SHARING PRO

5,49 € / Avatron Software

http://itunes.apple.com/es/app/air-sharing/id289943355?mt=8

Almacenar, visualizar, recuperar, imprimir y enviar archivos por correo electrónico a destinos remotos o a través de un dispositivo iOS

El principal problema de la movilidad es que el archivo que necesitamos está siempre en otro lugar. Air Sharing Pro elimina esta dificultad y, además, nos ofrece otras funciones. El programa cuenta con tres elementos que lo diferencian, cada uno de ellos con una utilidad.

Primero, recupera archivos de cualquier localización en la que los hayamos guardado. La aplicación ofrece soporte para acceder a diversos servidores de archivo y sistemas de almacenamiento remoto, entre los que se incluyen MobileMe iDisk, DropBox, cualquier servidor que use el protocolo WebDAV para acceder a los archivos y Secure FTP.

Al introducir la información de inicio de sesión correspondiente a la cuenta de correo electrónico, el programa permite extraer adjuntos a partir de mensajes de correo. Air Sharing puede utilizar la red Bonjour para localizar servidores WebDAV en la misma red Wi-Fi que esté utilizando su dispositivo.

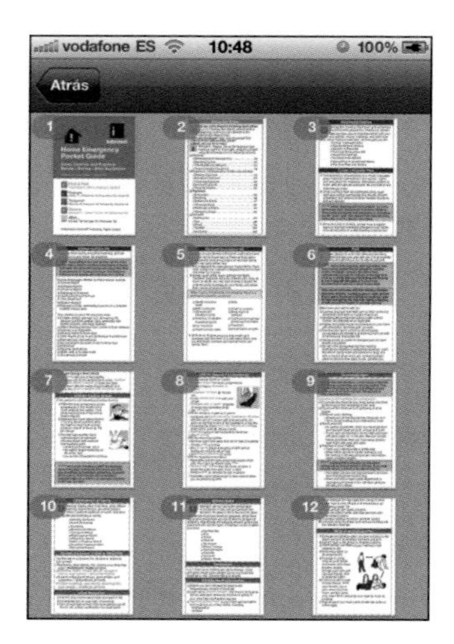

En segundo lugar, puede ver o copiar un archivo desde cualquier directorio o carpeta. Podrá realizar búsquedas en archivos PDF y utilizar miniaturas PDF, marcapáginas y entradas en tablas de contenidos para la navegación.

También pueden enviarse archivos para imprimir a través de una red Wi-Fi. Es preciso que su impresora ofrezca conexión a la red Bonjour, opción disponible en la mayor parte de los dispositivos actuales. La opción de impresión aparece al pulsar el botón de acción ubicado en la parte inferior izquierda de un documento. Verá un listado con las impresoras disponibles. Una vez haya seleccionado una impresora, podrá seleccionar el rango de páginas y tipo de papel, además de modificar las opciones de impresión, como el tamaño o el tipo del papel.

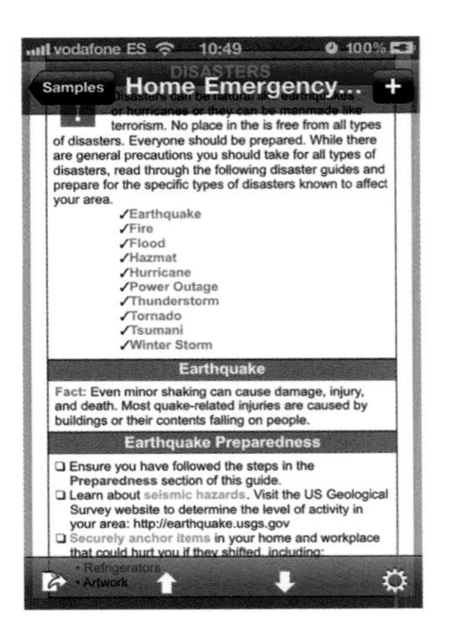

En tercer, y último lugar, Air Sharing Pro incluye su propio servidor de archivos. Ha leído bien, su dispositivo iOS puede aparecer en el listado de su red Wi-Fi local como servidor para que otros dispositivos lo utilicen como tal (con la posibilidad de cifrado y protección con contraseña opcional) para abrir, agregar o intercambiar archivos.

Nota: Air Sharing ofrece la posibilidad de actualizarse a Air Sharing Pro, con todas las funcionalidades activas. Existe una versión para iPad llamada Air Sharing HD.

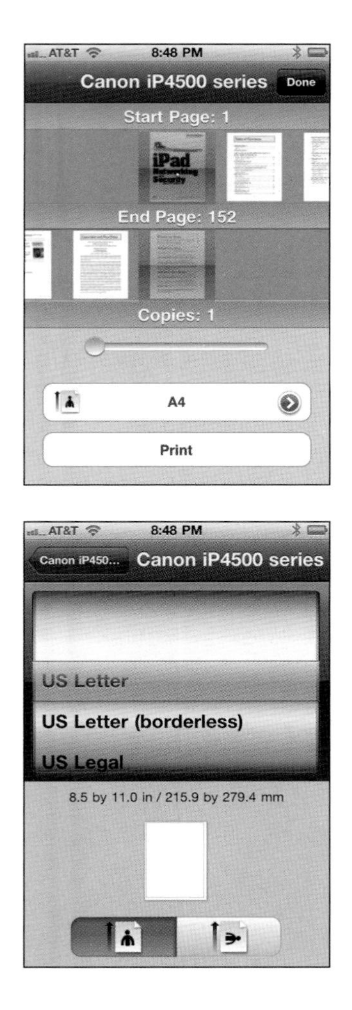

Air Sharing también ofrece diversas herramientas para la gestión de archivos en cualquier modalidad de vista del documento.

Pulse Edit, seleccione varios archivos y pulse el icono que aparece en la esquina inferior derecha. La aplicación comprimirá los archivos en un archivo ZIP, que podrá renombrar o borrar. Además, permite copiar archivo. En la opción de copa, se mostrará un icono con forma de clip en la esquina superior derecha. Diríjase hasta cualquier otro servidor o a la carpeta de documentos para copiar sus archivos a dicha ubicación. También podrá mover los documentos, que quedan borrados una vez realizada la copia.

Avatron ofrece una versión con menos funcionalidades de Air Sharing, aunque algo más económica. Quedan excluidas las funcionalidades de WebDAV, impresión, archivo y visualización avanzada de archivos PDF, pero puede actualizar a su versión Pro.

DOCUMENTS TO GO PREMIUM

13,99 € / DataViz

http://itunes.apple.com/es/app/documents-to-go-premium-office/id317107309?mt=8

Edite sus documentos de Office donde quiera

Para que un dispositivo iOS resulte de utilidad a un profesional del mundo de los negocios, debe permitir trabajar con los formatos más utilizados en el mundo de los procesadores de texto, las hojas de cálculo y los programas de presentación de Microsoft: Word, Excel y PowerPoint.

Si bien es cierto que cualquier aplicación iOS que permita visualizar archivos le mostrará los contenidos de este tipo de documentos, son escasas las aplicaciones que dejan realizar cambios en los mismos o crear nuevos archivos en dichos formatos. Aquí es donde Documents To Go Premium (Office Suite) entra en acción.

La aplicación puede crear y editar cualquiera de estos formatos, así como ver otros formatos nativos al sistema iOS. Funciona tanto en pantalla pequeña como en iPad, y ofrece un resultado óptimo cuando se utiliza con un teclado externo.

Seleccione un documento de cualquiera de las pestañas de ubicación de archivos para abrirlo en la ventana de edición. Si el documento aún no está almacenado en el dispositivo, DocsToGo lo descargará previamente. Además puede crear un documento pulsando el icono de suma ubicado en la esquina inferior desde cualquier vista de ubicación de archivos.

Pulse en el texto o las celdas de un documento Word o Excel para comenzar a editar el documento. Los botones Deshacer y Repetir de la esquina superior derecha le permitirán corregir sus errores. DocsToGo ofrece opciones algo más limitadas para la edición de presentaciones PowerPoint, y resulta algo complicado al principio. Pulse el icono de flecha arriba/debajo de la parte inferior de una presentación y, a continuación, pulse el icono de visualización. Así, podrá acceder a la plantilla del documento, pero las funcionalidades de formato son limitadas.

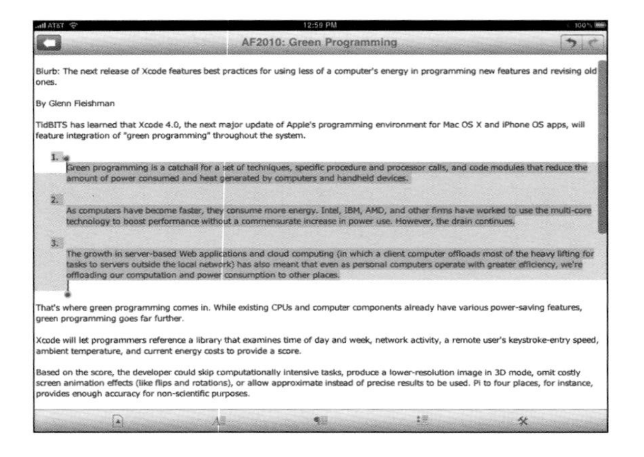
AF2010: Green Programming

Blurb: The next release of Xcode features best practices for using less of a computer's energy in programming new features and revising old ones.

By Glenn Fleishman

TidBITS has learned that Xcode 4.0, the next major update of Apple's programming environment for Mac OS X and iPhone OS apps, will feature integration of "green programming" throughout the system.

1. Green programming is a catchall for a set of techniques, specific procedure and processor calls, and code modules that reduce the amount of power consumed and heat generated by computers and handheld devices.
2. As computers have become faster, they consume more energy. Intel, IBM, AMD, and other firms have worked to use the multi-core technology to boost performance without a commensurate increase in power use. However, the drain continues.
3. The growth in server-based Web applications and cloud computing (in which a client computer offloads most of the heavy lifting for tasks to servers outside the local network) has also meant that even as personal computers operate with greater efficiency, we're offloading our computation and power consumption to other places.

That's where green programming comes in. While existing CPUs and computer components already have various power-saving features, green programming goes far further.

Xcode will let programmers reference a library that examines time of day and week, network activity, a remote user's keystroke-entry speed, ambient temperature, and current energy costs to provide a score.

Based on the score, the developer could skip computationally intensive tasks, produce a lower-resolution image in 3D mode, omit costly screen animation effects (like flips and rotations), or allow approximate instead of precise results to be used. Pi to four places, for instance, provides enough accuracy for non-scientific purposes.

DocsToGo también funciona como una central de recolección de datos a partir de los diversos servicios y servidores en los que puedan hallarse dispersos sus archivos. Podrá copiar archivos a través de iTunes directamente en el programa y recuperarlos mediante la pestaña Local. Los archivos creados dentro de la aplicación se almacenan también dentro de la pestaña Local.

La pestaña Escritorio permite acceder a archivos a través de la red Wi-Fi local para sincronizarse con las carpetas de sus equipos locales. Con este fin, deberá instalar un programa gratuito para Max OS X y Windows, en lugar de utilizar el método WebDAV que utilizan las demás aplicaciones de lectura y edición de documentos. El programa de escritorio no ofrece muchos puntos fuertes y funciona con lentitud en Mac.

Nota: La versión no Premium excluye Exchange, Dropbox, Box.net, SugarSync y MobileMe iDisk, así como la creación y edición de presentaciones PowerPoint.

La vista Online le permitirá conectarse a diversos servicios de almacenamiento, incluidos Google Docs, Dropbox, SugarSync y MobileMe iDisk. Esta opción queda excluida de la no Premium, más económica. Es poco probable que le interese adquirir esta versión; puedo garantizarle que querrá acceder remotamente a documentos que pueda editar y almacenar.

DocsToGo permite importar y exportar documentos desde y hacia otras aplicaciones iOS. Se mostrará como opción en el menú Abrir en, disponible en muchos otros programas para todos los formatos que tengan soporte.Además, podrá abrir un documento de DocsToGo en otra aplicación que pueda leer el formato de archivo utilizado.

La aplicación cuenta con una sección de ayuda, muy útil para un programa con tantas opciones.

COMICS

GRATUITA / comiXology

`http://itunes.apple.com/es/app/comics-libros-de-comics/id303491945?mt=8`

Una herramienta muy potente para la lectura de cómics

Nuestros amigos de comiXology nos ofrecen la posibilidad de leer cómics en el sistema iOS con tanta fuerza que no basta con una sola compañía para controlar su aplicación, Comics.

Este programa puede descargarse directamente y de forma gratuita desde comiXology. Es la misma herramienta que utilizan aplicaciones como Marvel Comics, DC Comics y Scott Pilgrm. Una vez registrados con una cuenta de comiXology podremos leer libros de DC Comics y Scott Pilgrim en nuestra aplicación Comics. Marvel cuenta con su propio sistema de registro.

Hay una razón para comprar lo que de otro modo serían aplicaciones idénticas: la posibilidad de acceder a nuevos contenidos. La tienda de Comics suele tardar un par de años en ofrecer algunos libros. Los comics se organizan en tres pestañas: My Comics, para cómics gratuitos y de pago que hayamos descargado o que puedan descargarse en nuestro dispositivo; Store, que muestra cómics gratuitos y de pago, y Settings. Existe un buen número de cómics que puede descargarse gratuitamente; los primeros números de las ediciones especiales suelen ofrecerse gratuitamente como parte de una promoción o un nuevo lanzamiento.

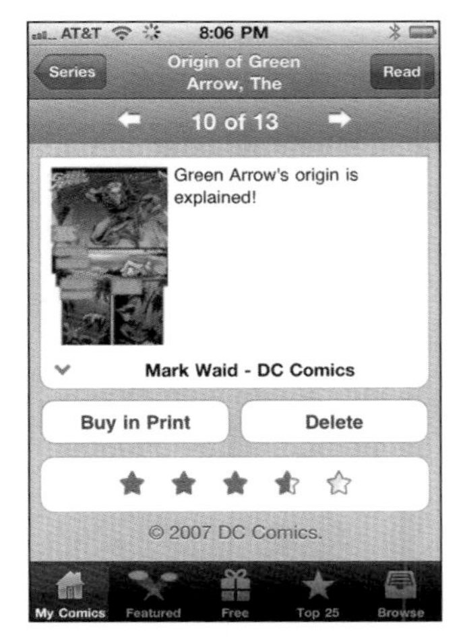

Tanto las vistas MyComics como Store ofrecen un botón de búsqueda (Browse) en la esquina superior derecha para explorar la colección o diferentes libros disponibles a través de identificadores tales como la serie o el editor. La aplicación puede descargar aquellos cómics que hayamos comprado pero que aún no se hayan descargado; basta con tocar el botón rojo para que aparezca el libro en cuestión. Pero el verdadero punto fuerte de comiXology es que permite la lectura viñeta a viñeta. Haga clic sobre una viñeta y vuelva a pulsarla para seguir avanzando. En el caso de presentaciones complicadas, el lector le mostrará parte de la vista. El paso de una viñeta a otra puede implicar algún que otro salto, además de movimientos de zoom a medida que vamos avanzando. En un iPad, podrá, además, leer a pantalla completa, pellizcar y utilizar otros gestos para poder leer determinadas viñetas con más atención.

MARVEL COMICS

GRATUITA / Marvel Entertainment

`http://itunes.apple.com/es/app/marvel-comics/id350027738?mt=8`

Metahumanos, mutantes, Iron Man y más

Los héroes del universo Marvel tienden a lo mágico, los rayos cósmicos y las mutaciones, y además nos encantan: X-Men, Spiderman, Los Cuatro Fantásticos, Hulk y muchos más.

DC COMICS

GRATUITA / DC Comics

http://itunes.apple.com/us/app/dc-comics/id378080432

Superhéroes unidos en una página digital

DC Comics cuenta con la saga más importante de superhéroes clásicos, entre los que se incluyen Superman, Green Lantern, Wonder Woman, Flash, Batman y miles más. DC Comics ofrece, asimismo, su línea de cómics para adultos, pero que únicamente están disponibles desde la aplicación Comics, y no desde esta aplicación.

SCOTT PILGRIM

GRATUITA / Bryan Lee O'Malley

http://itunes.apple.com/es/app/scott-pilgrim/id382303945?mt=8

Enfréntate a siete contraseñas malditas para conseguir tus libros

Scott Pilgrim contra el mundo se convirtió en una de las obras por entregas más importantes del mundo del cómic. Tras el lanzamiento simultáneo de la película y la sexta y última entrega de la serie, apareció la aplicación. Scott Pilgrim permite comprar los seis libros como elementos dentro de la aplicación. Una vez adquiridos, tendrá que utilizar su cuenta de comiXology para leer las historietas, bien sea en esta aplicación, bien sea en Comics.

COMICZEAL

5,99 € / Biolithic

`http://itunes.apple.com/us/app/comic-zeal-comic-reader/id363990983?mt=8`

Una estantería virtual de cómics

¿Echa de menos la sensación del papel entre los dedos al leer un comic? Cierto, pero... qué duda cabe que la posibilidad que nos ofrecen los libros electrónicos de tener todos nuestros libros perfectamente ordenados y a nuestra disposición también tiene su encanto. ComicZeal es un lector de cómics que acepta diversos formatos para el empaquetamiento de archivos digitales en forma de colecciones, incluso los formatos `cbr`, `cbz`, `rar`, `zip` y `PDF`. ComicZeal funciona además como lector PDF para todo tipo de documentos, no sólo cómics.

Una de las versiones anteriores en iOS 3 precisaba de sincronización Wi-Fi para poder mover archivos de un sitio a otro. Con esta nueva versión, podrá utilizar la funcionalidad para compartir archivos de iTunes y copiar archivos a través de un dispositivo USB. También le resultará útil la opción de Guardar En.

Además, puede utilizar DropBox o cualquier otro programa que abra archivos de forma remota para seleccionar un formato de archivo y, posteriormente, abrirlo en ComicZeal. Safari también funciona: escriba una URL o abra un vínculo determinado y ComicZeal le permitirá leer la información.

Los cómics pueden organizarse en colecciones o series. La aplicación es lo suficientemente inteligente como para leer los patrones de nombres de archivo de forma consistente y clasificar a los recién llegados en la colección correcta, siempre que estén bien etiquetados. Las colecciones cuentan además con un interesante icono para la estantería.

> **Nota:** Existe una versión compatible para iPhone e iPod touch.

Para leer un cómic, púlselo y aparecerá en pantalla. En la parte inferior verá una función de bloqueo de la orientación para la visualización en formato vertical u horizontal. Así, evitará que el cómic se gire inesperadamente mientras se está leyendo. Utilice los botones para pasar las páginas.

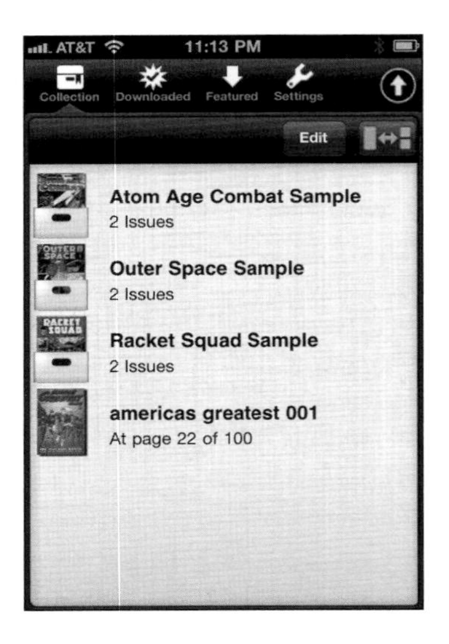

Pulse a izquierda o derecha para desplazarse por el cómic sin necesidad de utilizar botones. Puede pellizcar, ampliar o centrar la imagen para ver con más detalle las viñetas.

Existe un modo de zoom experimental que intenta adivinar dónde recaerán los bordes de las viñetas a medida que vayamos avanzando.

Pulse el icono de ajustes de la parte superior para activar el zoom asistido. Se le ofrecerán numerosas opciones. No puede decir que ComicZeal no le ofrece la posibilidad de personalizar al máximo su experiencia lectora, ¡a su gusto! Podrá configurar un fondo diferente o limpiar y ordenar las barras inferior y superior de navegación.

En cuanto a cómo encontrar cómics para este formato, busque en las fuentes de nuevos cómics gratuitos o de pago que ya están apareciendo por toda la Web. ComicZeal incluye algunas de ellas y ofrece enlaces para descargar muchos más.

2. Redes sociales

Dondequiera que esté, llévese a sus amigos consigo. Las aplicaciones para redes sociales le permiten saber en qué andan metidos sus amigos y dónde están. Además, son un medio ideal para comunicarse con ellos.

TWITTER

GRATUITA / Twitter

http://itunes.apple.com/es/app/twitter/id333903271?mt=8

Una aplicación potente… y distinta

¿Acaso es sorprendente que los creadores de Twitter hayan lanzado al mercado una fantástica aplicación para Twitter? ¡En absoluto! Lo sorprendente en esta aplicación gratuita que permite adentrarse en las abarrotadas entrañas del universo Twitter es lo diferente que es de todas las demás. Más fascinante aún resulta lo diferente que es la versión para iPhone/iPod touch de la de iPad, aun cuando en realidad se trate de una aplicación universal (tengo que decir que personalmente, prefiero la segunda).

Ambas versiones permiten al usuario configurar una o más cuentas de Twitter para seguir las actualizaciones más recientes, las menciones de su nombre de usuario de Twitter y los mensajes directos, entre otras utilidades.

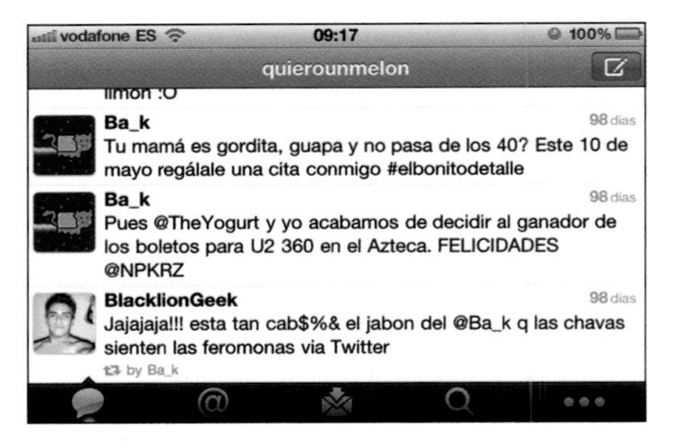

En iPhone y iPod touch, Twitter funciona como cualquier otra aplicación, con vistas separadas para cada cuenta, divididas en tweets, menciones y mensajes directos. Tendrá que pulsar varias veces la pantalla hasta llegar al hilo de una conversación, pero es manejable. Sin embargo, la versión para iPad destaca por la gestión de la información. Al principio, parece una simple vista a doble página, con las categorías a la izquierda y los tweets a la derecha. Basta con pulsar un tweet para que el panel de la derecha desaparezca y quede cubierto por un nuevo panel donde se mostrarán las conversaciones.

Ese nuevo panel le permitirá navegar en busca de la información del perfil. Pulse en una URL en la línea cronológica o en el panel del perfil y a la derecha aparecerá la vista Web. Cuando quiera eliminar la vista Web, pulse o hágala retroceder hacia la derecha.

Para recuperarla, arrastre hacia la izquierda. Haga lo propio para los paneles restantes, cuya anchura se ajustará en función de las necesidades de la pantalla.

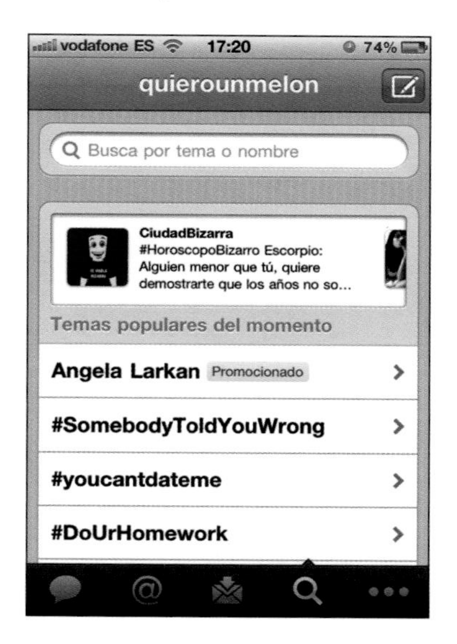

Merece la pena considerar otras aplicaciones para Twitter en iPhone, pero lo cierto es que Twitter para iPad es la mejor aplicación para este dispositivo.

Nota: Esta aplicación funciona con una o más cuentas de Twitter, pero además puede utilizarse sin cuenta alguna para la lectura de tweets públicos y la cronología pública.

TWITTERIFIC PARA TWITTER

GRATUITA / The Iconfactory

http://itunes.apple.com/es/app/twitterrific-for-twitter/id359914600?mt=8

Muestra los elementos de varias cuentas de Twitter, apta para todos los dispositivos

Twitterific fue un excelente cliente pionero de Mac OS X para Twitter que desde su aparición ha sufrido tres grandes transformaciones bajo el sistema iOS, hasta llegar a su formato actual.

Toda aplicación de calidad para Twitter tiene un enfoque distinto. Twitterific se centra en ofrecer al usuario una visión simplificada de sus tweets personales y de las respuestas de otros usuarios.

La vista principal muestra una línea cronológica. Los mensajes directos y las respuestas aparecen resaltados en otro color. Sus tweets personales se muestran en color verde; en naranja, las menciones en las que aparezca su ID, y en gris, los demás mensajes.

Pulse en los nombres para obtener más información sobre otros usuarios y seguir hilos, y, así, mantenerse al tanto de las conversaciones.

La versión para iPad emplea cuadros de diálogo desplegables para mostrar información adicional al pulsar un elemento, pero funciona mejor en el modo paisaje, donde el lado izquierdo de la pantalla nos ofrece más información que la versión para iPhone.

Además de escribir tweets, un iPhone permite tomar imágenes, grabar vídeo o seleccionar un elemento de la biblioteca de imágenes. Twitterific ofrece soporte para varios servicios de alojamiento de imagen y vídeo.

Frente a lo que ocurre con la aplicación de Twitter, personalmente prefiero la versión de Twitterific para iPhone y iPod touch. La edición para iPad me resulta demasiado recargada.

Nota: Es necesario tener una cuenta de Twitter.

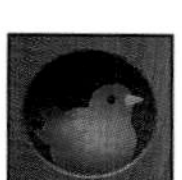

BIRDHOUSE

1,59 € / Sandwich Dynamics

`http://itunes.apple.com/es/app/birdhouse/id309827985?mt=8`

Composición y edición de tweets perfectos para su publicación posterior

Birdhouse aporta a Twitter cierto sentido de la previsión, puesto que permite al usuario componer y editar sus tweets sin necesidad de tener que publicarlos inmediatamente. Si bien algunos clientes para Twitter permiten actualmente almacenar borradores, Birdhouse está íntegramente diseñado para buscar la frase perfecta, razón por la que en los tweets de muchos usuarios considerados divertidos o inteligentes, no es infrecuente ver la etiqueta de cliente de Birdhouse. Las etiquetas se muestran en letra pequeña en `Twitter.com` y en otros programas de software para Twitter.

Birdhouse cuenta con una hoja muy sencilla donde poder escribir un tweet. El número de caracteres disponibles aparece en la esquina inferior derecha. Puede agregar varias cuentas de Birdhouse y seleccionar aquella cuenta desde la que quiere publicar sus tweets. Además, puede redactar mensajes mientras está desconectado y no disponga de acceso a Internet.

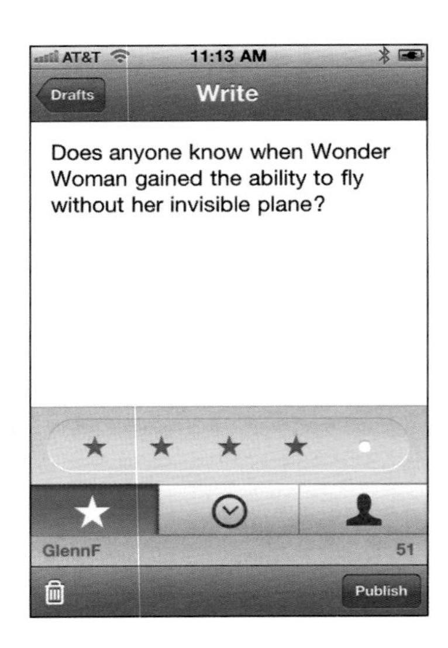

Pulse el icono para componer de la esquina superior derecha y empiece a escribir. Puede clasificar sus propios tweets (de cero a cinco estrellas) en la parte inferior. El ranking se mostrará en el listado de resumen para recordarle lo estupendo que es un tweet comparado con otro. La pestaña con estrellas de la vista de listado le permitirá enumerar los tweets por clasificación.

GlennF Does anyone know when Wonder Woman gained the ability to fly without her invisible plane?
less than a minute ago via Birdhouse

Publicar y eliminar un tweet también exige tomar decisiones. Para publicar algo en su Twitter, puede pulsar la opción de publicar (Publish), pero, a continuación, es necesario volver a pulsar el mismo botón por segunda vez para evitar que el post se publique prematuramente, en caso de haberlo pulsado por error la primera vez.

Para eliminar un tweet pulse Unpublish. A continuación, púlselo de nuevo. El tweet se borrará de Twitter y volverá a su estatus de borrador en Birdhouse.

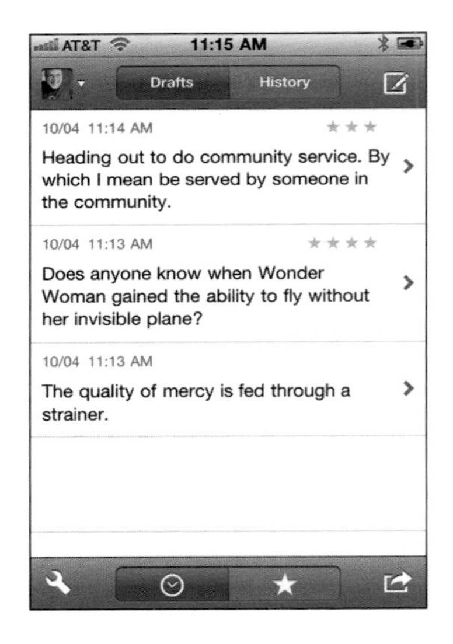

Nota: Es necesario contar con una cuenta de Twitter.

FACEBOOK

GRATUITA / Facebook

`http://itunes.apple.com/es/app/facebook/id284882215?mt=8`

Por si no tuviera bastante con su Facebook de mesa... ¡aquí está la versión móvil

Quinientos millones de personas utilizan Facebook, pero ¿y si no puede acceder a su cuenta en este preciso instante? ¡Todo está perdido, para siempre! La aplicación oficial de Facebook le permitirá leer y actualizar su estado, visualizar fotografías y permanecer en contacto con sus amigos, todo ello en un formato adecuado y útil.

La pantalla principal ofrece nuevos enlaces para actividades frecuentes, como la actualización de feeds de noticias de la esquina superior izquierda. Asimismo, puede acceder a fotografías, su perfil, su listado de amigos y muchos más. La segunda página contiene un único enlace. Podrá agregar enlaces (pulse el signo +) de su listado de amigos o desde cualquier otra página de Facebook. Puede escribir comentarios, hacer clic en Me gusta y utilizar la funcionalidad de Check in en locales cercanos. La funcionalidad Lugares le ayudará a encontrar los lugares de interés más cercanos utilizando su posición. Además, podrá aprobar solicitudes de amigos, realizar nuevas solicitudes y chatear.

La principal ventaja (a la par que desventaja) de esta aplicación móvil es la ausencia de todos los extras que pueblan la Web de Facebook. No verá ningún anuncio ni se mostrarán los recordatorios de amigos con los que hace tiempo que no está en contacto, sugerencias o lugares con los que interactuar.

Tampoco es posible acceder a las aplicaciones de Facebook. Estas aplicaciones para Web no están pensadas aún para ejecutarse en el mundo móvil, y algunas precisan de Flash. Pero quién sabe si un universo limitado no será algo bueno...

Nota: Es necesario contar con una cuenta de Facebook.

TUMBLR

GRATUITA / Tumblr

http://itunes.apple.com/es/app/tumblr/id305343404?mt=8

Consulte su cronología y agregue comentarios y fotografías con facilidad

A los usuarios de Tumblr les encantar postear todo tipo de cosas: audio, vídeo, enlaces, texto, etc. La aplicación cumple sobradamente con lo que éstos esperan de ella. El programa apuesta por la sencillez, con dos únicas pestañas: Post y Dashboard. La primera permite añadir rápidamente fotografías, vídeo, texto y otros contenidos. Además, puede grabar un nuevo fragmento de audio o vídeo, tomar una instantánea o subir material ya existente.

La pestaña Dashboard muestra la información más reciente en su cronología de Tumblr: una colección de todos los elementos posteados por usted y cualquier usuario del que sea seguidor. La línea cronológica permite editar los posts propios, repostear o señalar como favorito uno ajeno.

Además, puede escribir y ver posts desde diversas cuentas.

WORDPRESS

GRATUITA / Automatic

http://itunes.apple.com/es/app/wordpress/id335703880?mt=8

Escriba entradas en un blog de Wordpress

La aplicación de WordPress ofrece acceso a las funciones más comunes en la creación de blogs. En lugar de cargar la aplicación con los miles de funciones a las que podemos acceder desde el escritorio de WordPress, este programa permite postear, editar páginas estáticas y ver y moderar comentarios. La aplicación permite geolocalizar un post utilizando sus coordenadas, así como incluir fotografías almacenadas en el dispositivo o tomar fotos. Además, puede cargar vídeo desde un iPhone o desde el modelo más reciente de iPod touch.

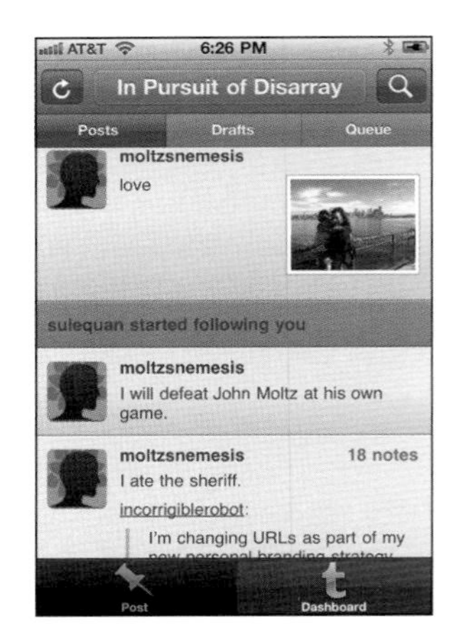

3. Audio y música

Los dispositivos móviles nos permiten escuchar música donde y cuando queramos, ya esté almacenada en la memoria del mismo o gracias al streaming a través de una red Wi-Fi o móvil. Además, puede crear sus propias composiciones. Las aplicaciones que presentamos en este capítulo permiten escuchar música vía streaming, compartir, conectar con otros usuarios… e incluso cantar.

RADIO ESPAÑA BY TUNIN.FM

3,99 € / Mobilaria

http://itunes.apple.com/es/app/radio-espana-by-tunin.fm/id353860867?mt=8

Escuche todas las cadenas... ¡sin cambiar de frecuencia!

La aplicación Tunin.FM Radio España le permitirá escuchar todas las cadenas de la radio española mientras viaja. Ya no será necesario cambiar de frecuencia mientras viajamos por la Península y cruzamos diferentes zonas de cobertura radiofónica.

Además, la aplicación nos permite escuchar emisoras de radio por Internet y emisoras de ámbito local en calidad digital. La aplicación no necesita conexión WiFi y puede escuchar sus emisoras preferidas con calidad incluso a través de una conexión móvil.

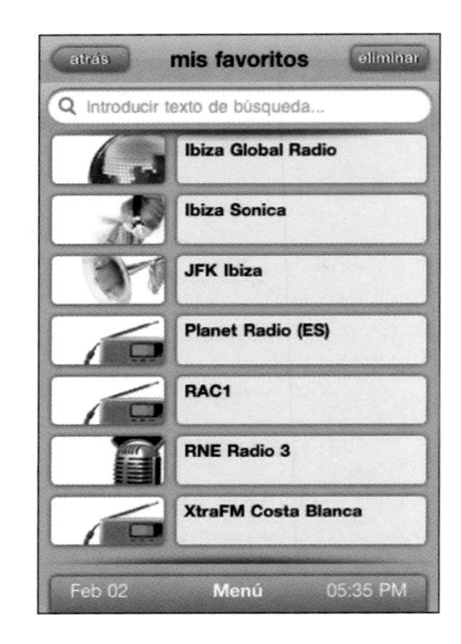

Asimimo, permite guardar las cadenas de radio en un listado de favoritos, de tal manera que al iniciar la aplicación, se mostrará un registro automático de las emisoras de radio escuchadas recientemente.

Si su emisora de radio no está disponible en Tunin.FM, puede rellenar un formulario de solicitud dentro de la aplicación para que dicho canal se incluya.

OOTUNES RADIO

3,99 € / OOgli

http://itunes.apple.com/app/ootunes-radio-recording-alarm/id302782364?mt=8

Todas las estaciones de radio vía streaming del mundo en sus manos

ooTunes permite acceder a un amplísimo número de estaciones de radio vía streaming, disponibles en todo el mundo. La aplicación, que ofrece soporte para audio en iOS 4, facilita diversas herramientas que le permitirán explorar y encontrar estaciones de radio adecuadas a su gusto musical.

El listado incluye tanto estaciones generalistas con feeds de streaming como estaciones que únicamente emiten a través de Internet. La tasa de transferencia de bits se muestra junto a cada estación (es decir, la cantidad de datos enviados; cuanto más baja, mejor funcionará la aplicación en conexiones lentas y menos ancho de banda consumirá). Podrá marcar sus estaciones favoritas para encontrarlas fácilmente la próxima vez que inicie sesión.

El programa permite, además, introducir información de cuentas para las versiones de streaming por Internet de Sirius Radio y XM Radio, así como la cuenta VIP de live365 (una versión de pago libre de publicidad del mismo servicio).

RADIO

0,79 € / Intersect World LLC

http://itunes.apple.com/us/app/radio/id294952511?l=es&mt=8

¡Escuche más de 40.000 emisoras de radio de todo el mundo!

La aplicación Radio incluye el software gratuito SHOUTcast Radio, uno de los mayores directorios de estaciones de radio de todo mundo, recomendable para todos los aficionados a la música pop o indie.

Además, de su función de reproducción, la aplicación permite conectar con Twitter, Facebook y MySpace para saber qué música están escuchando sus amigos. Se incluyen todas las emisoras favoritas de iTunes y Icecast. Seleccione su emisora favorita o cree un listado de emisoras. También podrá compartir enlaces de iTunes y Radio, además de enviar sus enlaces favoritos directamente a su cuenta de Twitter.

Incluye todas sus emisoras iTunes favoritas. El directorio dinámico permite añadir nuevos directorios y emisoras desde los servidores del creador sin necesidad de instalar una nueva apicación. La aplicación sigue funcionando en segundo plano mientras se utilizan otras aplicaciones como Facebook o el correo electrónico.

Pulse dos veces el botón de inicio y se mostrará la interfaz multitarea para detener o reanudar la reproducción en curso. Además, puede bloquear el dispositivo. Una advertencia: todas estas funciones únicamente están disponibles en dispositivos con capacidad multitarea con iOS 4.

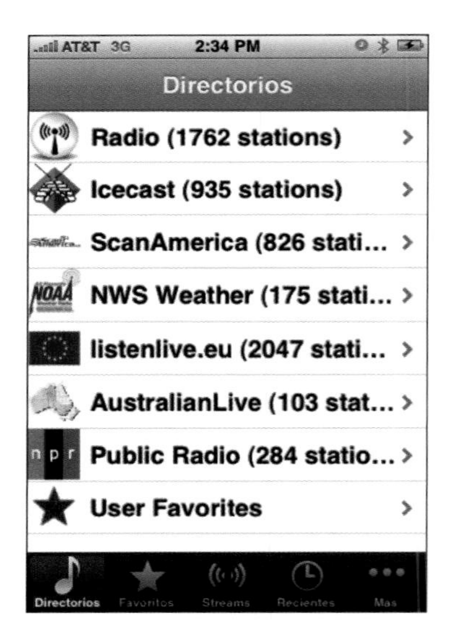

ONCUE 3.0

0,79 € / Dan Pourhadi

http://itunes.apple.com/mx/app/oncue-3-0/id389764676?mt=8

Gestione un listado activo de música en reproducción directa o aleatoria

No sabrá que necesita esta aplicación hasta haberla utilizado. El programa ofrece un control extremadamente preciso y refinado sobre la creación y gestión de listas de reproducción de música, y llena un vacío existente en la aplicación para iPad.

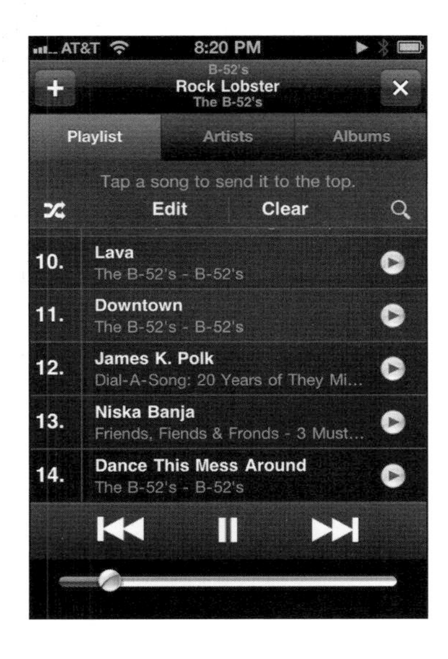

Este programa funciona como una gran lista de reproducción. Deberá seleccionar la música que desea agregar a la lista desde un listado en el que se mostrará toda su biblioteca de audio (excluidos los podcasts), divididos en listas de reproducción (Playlists), álbumes (Albums), intérpretes (Artists) y canciones (Songs). La vista More permite añadir compilaciones (Compilations), compositores (Composers) y géneros musicales (Genres).

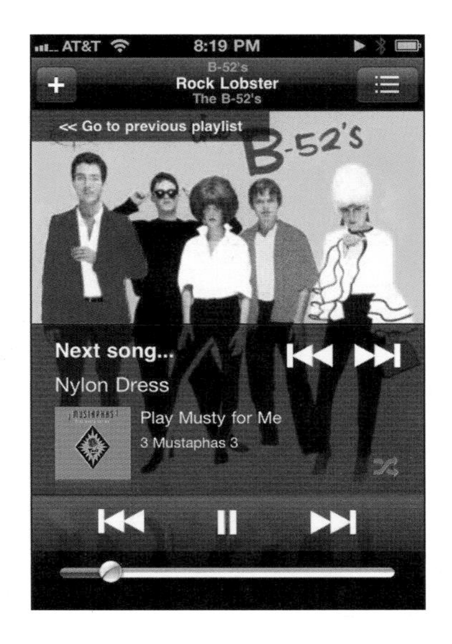

Desde cualquier vista, diríjase hasta la canción o el álbum que desee incluir en la lista, pulse el signo + ubicado junto a Add All Songs, o pulse el signo + junto a un tema concreto para añadirlo.

Pulse el botón Done para finalizar. La vista de reproducción muestra la carátula del álbum (siempre que esté disponible), que ocupará toda la pantalla. En la parte inferior de la pantalla se ofrece una vista previa del siguiente tema en la lista que incluye la carátula del álbum, el título de la canción, el nombre del álbum y el intérprete.

Puede avanzar o retroceder para seleccionar el tema deseado. Además, podrá activar el modo de reproducción aleatoria desde esta vista.

Pulse el icono del listado que aparece en la esquina superior derecha para repasar y editar las canciones seleccionadas. Pulse sobre un tema para desplazarlo a la cola sin interrumpir la reproducción en curso. Al pulsar el botón Shuffle, podrá ver el listado completo y los resultados.

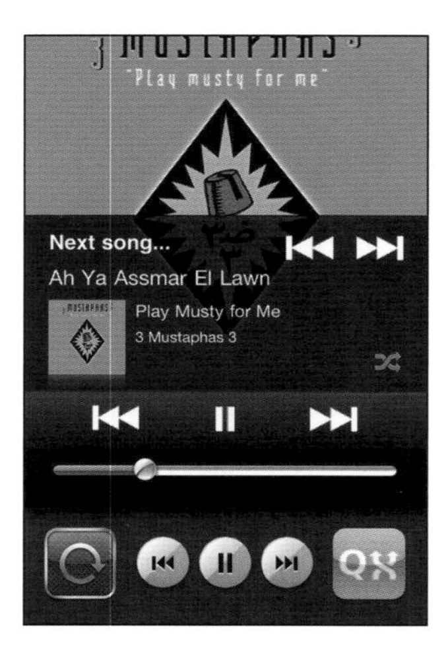

La vista de listado le permite ver, además, un resumen de intérpretes y álbumes, así como realizar búsquedas entre los elementos incluidos en la lista de reproducción.

El único defecto que cabe achacar a este software es la imposibilidad de guardar listas de reproducción personalizadas para su reproducción posterior.

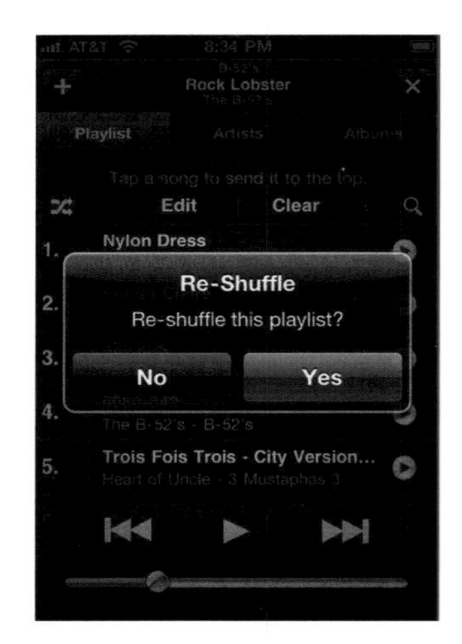

Advertencia: Esta aplicación no puede reproducir archivos de música protegidos con DRM, es decir, todos los archivos de audio adquiridos en iTunes Store antes de que Apple dejara de vender álbumes y temas protegidos.

AIRFOIL SPEAKERS TOUCH

GRATUITA / Rogue Amoeba Software

`http://itunes.apple.com/es/app/airfoil-speakers-touch/id311357351?mt=8`

Airfoil permite trasladar archivos de audio desde un ordenador a un dispositivo iOS

Airfoil Speakers Touch convierte un dispositivo iOS en una especie de altavoz portátil. La aplicación funciona con el software comercial de Airfoil de Rogue Amoeba para Mac OS X y Windows. Airfoil captura y redirige el audio que se está reproduciendo en un ordenador hacia todo tipo de dispositivos: otros ordenadores, AirPort Express, Apple TV y hardware móvil con esta aplicación en funcionamiento.

Para que Airfoil Speakers Touch funcione, su dispositivo iOS debe estar conectado a la misma red Wi-Fi que el ordenador desde el que vaya a retransmitir el audio.

La configuración es muy sencilla. Instale Airfoil en un ordenador en red, abra la aplicación Airfoil Speakers Touch y seleccione el dispositivo de destino desde la propia aplicación de software del ordenador.

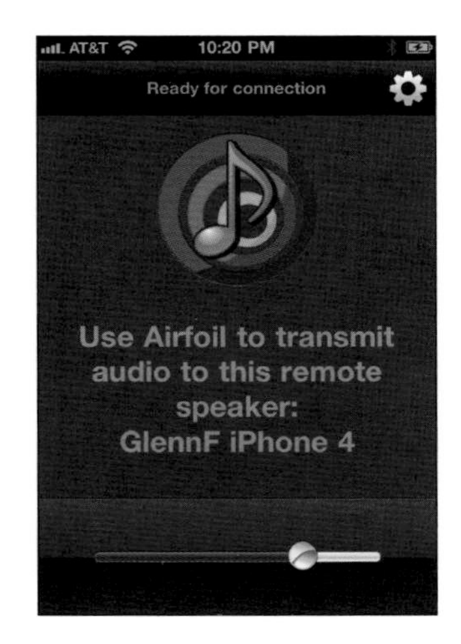

Dado que la aplicación ofrece soporte para la reproducción de audio en segundo plano, podrá seguir reproduciendo música incluso si cambia a otro programa. Si está trabajando en una red compartida, puede seguir escuchando música sin miedo a que otras personas también la escuchen (quién sabe, quizá no le interese que los demás sepan que no deja de escuchar a Depeche Mode).

Para ello, basta con configurar una contraseña en Settings, dentro de la propia aplicación. Airfoil Speakers Touch funciona como el complemento perfecto para controlar otras aplicaciones de manera remota.

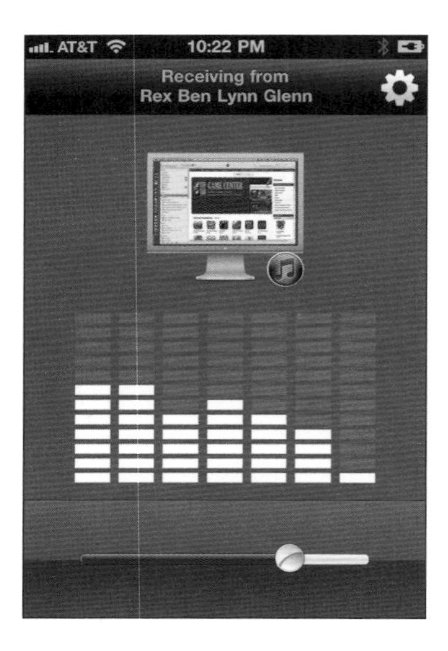

Gracias a la aplicación gratuita Remote de Apple, podrá controlar iTunes en el mismo ordenador desde el que se esté emitiendo el audio de Airfoil a su dispositivo iOS. Además, podrá utilizar la aplicación para crear auriculares remotos. Puede ver una película de vídeo desde el otro lado de la habitación y conectar sus auriculares a su dispositivo iOS.

Advertencia: El software de escritorio de pago debe instalarse en la misma red. Existe una versión demo del software para escritorio, que funciona durante unos instantes cada sesión.

OCARINA

€0,79 / Smule

http://itunes.apple.com/es/app/ocarina/id293053479?mt=8

Música celestial

Ocarina, una creación del profesor de la Stanford University Ge Wang, fue una de las primeras aplicaciones para iPhone en atraer la atención de los usuarios después de que Apple pusiera a disposición de desarrolladores externos su sistema operativo. Basta con soplar por el micrófono como si de un instrumento de viento se tratara para recrear su sonido, en este caso, el de una ocarina.

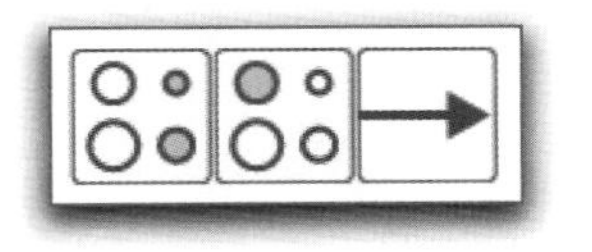

Al soplar, se abren y cierran diferentes combinaciones de cuatro agujeros virtuales en la pantalla del dispositivo. A pesar de la sencillez del instrumento, pueden interpretarse piezas complejas. Un consejo: la aplicación funciona mejor sin funda.

Es posible configurar Ocarina en diferentes claves musicales a través de los ajustes, así como en diferentes modos griegos, como el jónico. La aplicación incluye un pequeño guiño a los seguidores de La leyenda de Zelda (The Legend of Zelda), ya que incluye un modo zeldariano.

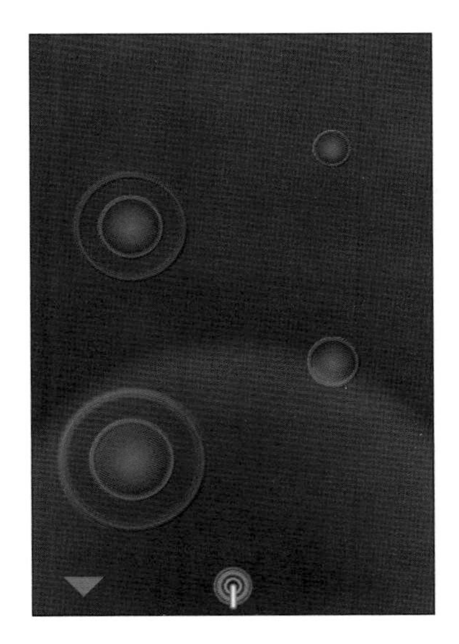

Puede optar por no utilizar ni el micrófono ni los auriculares, seleccionando la opción On para Touch Mode. Todos los tonos se emitirán con la misma intensidad, en lugar de responder a la respiración del usuario (ésta es la única opción disponible en iPod touch).

Todo el software de Smule (o SonicMule) incluye, además, funcionalidades propias de las redes sociales.

En el caso de Ocarina, basta con pulsar el icono en forma de globo terráqueo para escuchar las interpretaciones de usuarios del mundo entero, algunos de ellos verdaderos virtuosos.

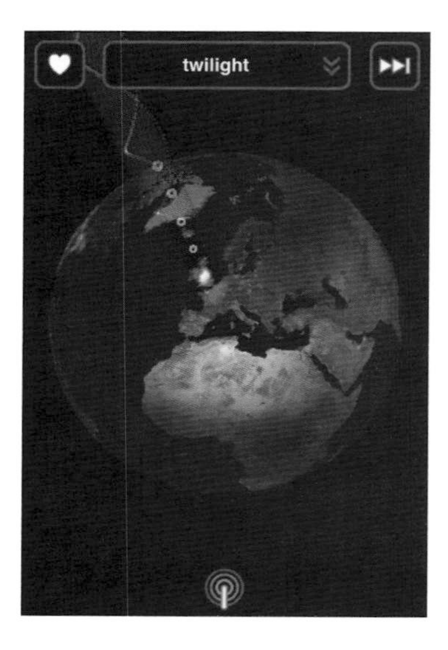

Pulse en el icono con forma de corazón para que la melodía de un usuario se incluya en la lista de mejores melodías, así como para añadir la pieza a sus interpretaciones predilectas. Quizá se pregunte cómo puede aprender a interpretar melodías en la Ocarina.

Encontrará la respuesta en el sitio Web de SonicMule, donde podrá descargar partituras transcritas exclusivamente para ser interpretadas con esta aplicación.

Nota: Es una buena idea conectar los auriculares mientras practica con su Ocarina.

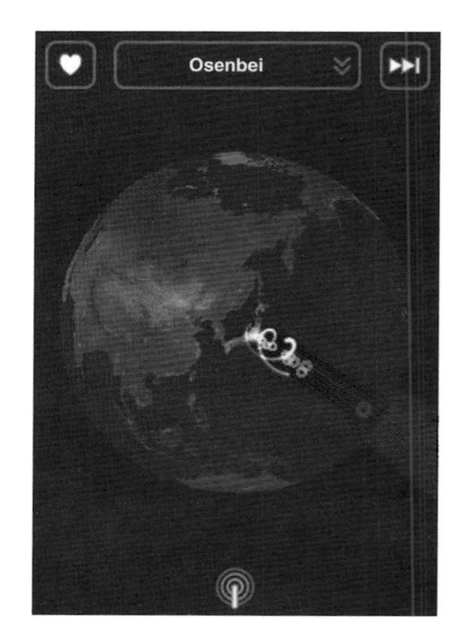

GLEE

€0,79 / Smule

http://itunes.apple.com/es/app/glee-karaoke/id360736774?mt=8

Si le gusta cantar en la ducha, no tiene por qué ser fan de Glee para hacerse fan de esta aplicación

Piense en el Guitar Hero original mezclado con un karaoke y el resultado es la aplicación de Glee, creada por Smule. A medida que vaya cantando acompañado por la versión instrumental de los temas de la serie, la pantalla se irá llenando de pequeñas explosiones de estrellitas y se mostrará el tono aproximado de la nota, para que pueda ir ajustando su entonación.

Si falla en alguna nota, puede configurar la aplicación para que el tono se ajuste automáticamente a su voz.

Acumule polvo de estrellas (es decir, puntos) y compita con otros fans de Glee, o disfrute a su aire de la aplicación.

Podrá grabar sus interpretaciones y escuchar su voz. Además, puede enviar una copia de la canción a otros usuarios a través del correo electrónico o subirla a Facebook, twittearla o subirla a MySpace.

La aplicación incluye un par de canciones gratuitas. Posteriormente, podrá comprar canciones por 99 céntimos. Le recomiendo Bohemian Rhapsody y Dream On.

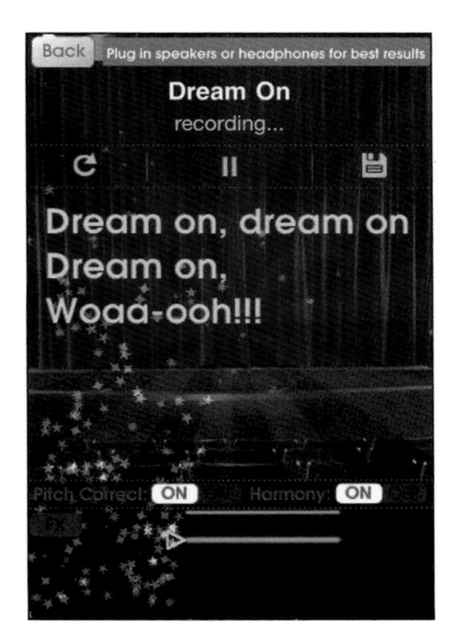

Además, podrá retransmitir sus temas o subirlos al repositorio central de Glee, para lo cual es preciso contar con una cuenta gratuita.

Las aplicaciones de Smule tienen una intención claramente social y Glee se ha convertido en un fenómeno global. Pulse el botón Listen de la pantalla de bienvenida y escuche las interpretaciones de otros usuarios del mundo entero; participe como un intérprete más en una canción o invite a desconocidos o amigos a cantar con usted.

La aplicación incluye los puntos más interesantes de un karaoke (incluida la posibilidad de leer la letra) junto con la corrección tonal. Mejor aún, gracias a las ventajas del anonimato, puede dar rienda suelta a su espíritu cantarín sin sentir vergüenza. ¡Qué empiece la función! (Trataremos de ser indulgentes….)

Truco: Utilice auriculares y un micrófono incorporado para disfrutar al máximo de la aplicación.

Advertencia: Escuchar su propia voz puede ser una experiencia realmente humillante. Esta aplicación le enseñará a cantar mejor.

MAGIC PIANO

2,39 € / Smule

http://itunes.apple.com/es/app/magic-piano/id421254504?mt=8

Un piano… ¡sin teclas!

Magic Piano es más parecido a un piano de mentirijillas que a un piano en el sentido literal del término. La aplicación le permitirá descubrir notas y melodías, pero no se la recomiendo si lo que quiere es interpretar una pieza musical íntegra.

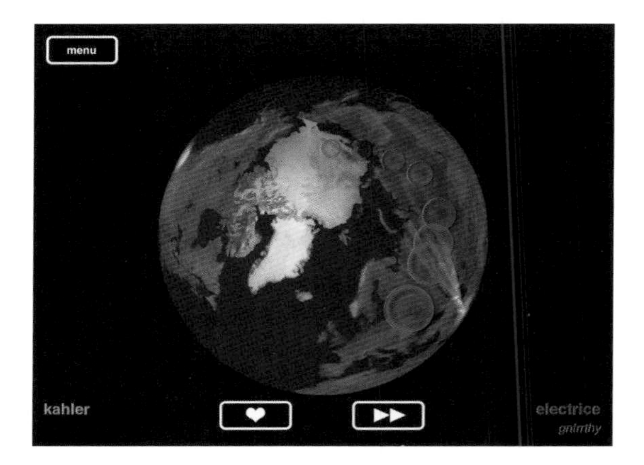

El programa incluye cuatro teclados distintos, todos ellos algo peculiares, aunque interesantes. Pulse el icono de teclas circulares de la esquina superior derecha para ver todos los teclados disponiblesLos modelos son: una espiral, una línea recta sin ondulaciones, un círculo y un teclado invisible.

En cada una de estas modalidades, puede pulsar varias teclas al mismo tiempo para tocar un acorde. En los modos de teclado en forma de círculo o en línea recta, puede expandir el teclado para modificar tanto la anchura como el número de teclas que aparece en pantalla. Gire el dispositivo a la izquierda o la derecha para mover el teclado arriba o abajo.

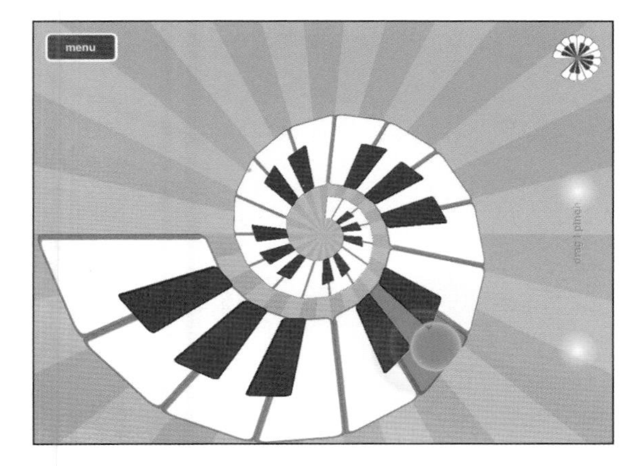

El menú principal ofrece otras opciones interesantes, por ejemplo, Songbook. La aplicación descargará la partitura de una pieza seleccionada a partir de un listado, como Cuadros de una exposición.

Las notas aparecen en sentido descendente. Pulse sobre cada uno de los puntos en el orden de descenso para interpretar la pieza en cuestión.

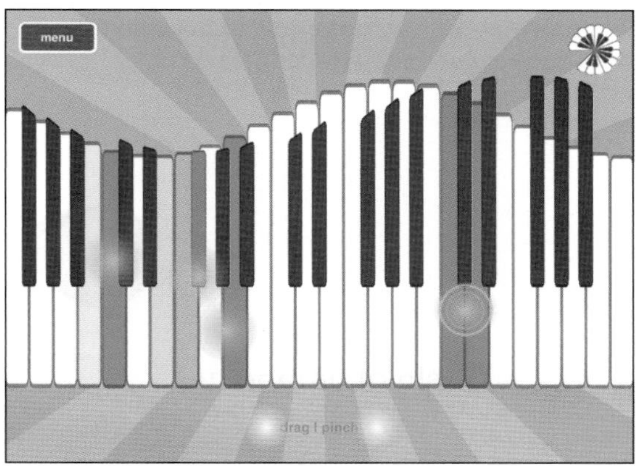

La aplicación retransmite su interpretación utilizando el nombre de usuario introducido en los ajustes de configuración. Puede escucharla a través de la opción World, o unirse a una interpretación en curso gracias a la opción Duet, que le ayudará a buscar a otro usuario interesado en cantar una pieza a dúo. Sus posiciones respectivas se mostrarán en el globo terráqueo.

Nota: La opción de teclado invisible funciona exactamente igual que el modo Songbook, pero sin que las notas vayan cayendo.

SOUNDROP

GRATUITA / Develoe

`http://itunes.apple.com/es/app/soundrop/id364871590?mt=8`

Consiga mágicos efectos musicales dibujando líneas que actúan como acordes para las bolas que rebotan

Acciones muy sencillas pueden dar lugar a patrones fascinantes. He aquí la clave para comprender la música minimalista de artistas como Steven Reich y enamorarse de una aplicación como Soundrop.

Este programa no tiene un objetivo claro: una bola cae y el usuario va trazando una serie de líneas, que representan acordes.

La longitud de las mismas afecta el tono resultante cuando la bola rebota sobre la línea en cuestión. A mayor longitud, más grave será el tono resultante. Las bolas rebotan sobre las líneas respetando, en cierto sentido, las leyes de la física para producir melodías que se controlan cambiando el ángulo y la longitud de las líneas. Puede crear cacofonías muy rápidas, o melodías fúnebres de tono sombrío y lento.

La versión gratuita le permitirá explorar notas sencillas. Las actualizaciones de pago añaden cuatro elementos: diversos instrumentos (que puede asignar a distintos colores para trazar las líneas), modificadores físicos para alterar la gravedad, la fricción y la forma de rebotar de las bolas, la posibilidad de dejar caer varias bolas simultáneamente y la opción de guardar la partida para recuperar la melodía posteriormente.

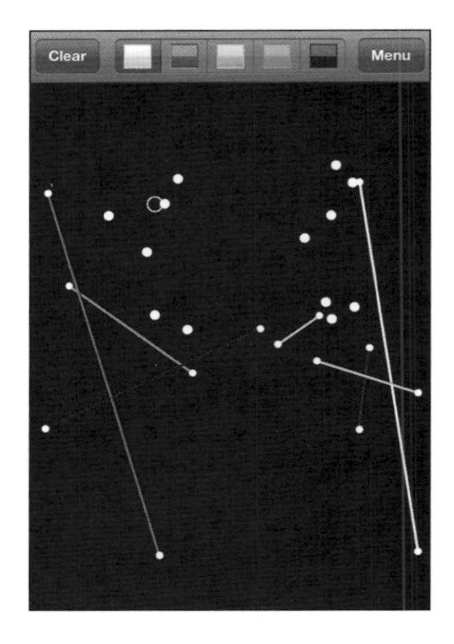

Soundrop no tiene un objetivo claro y no incluye ningún sistema de puntuación, pero supone un reto interesante para el usuario, que deberá esforzarse para realizar composiciones con sentido que vayan más allá del mero ruido; lo cual, después de todo, no es sino el sentido de la vida misma.

> **Nota:** Actualícese con la versión de pago y disfrute de las funcionalidades añadidas.

4. Fotografía

Usted es la cámara.

Gracias a nuestro iPhone o al último modelo de iPod touch, siempre estamos listos para tomar una fotografía. Pero, ¿y la imagen? En este capítulo, aprenderá a conseguir resultados extraordinarios a partir de fotografías corrientes gracias a divertidas aplicaciones.

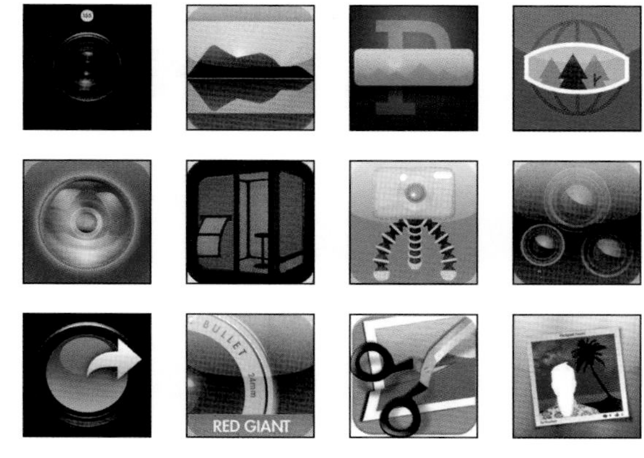

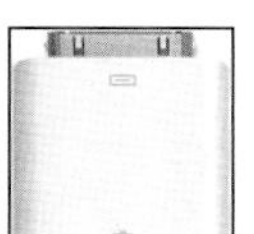

HIPSTAMATIC

1,59 € / Synthetic Infatuation

`http://itunes.apple.com/es/app/hipstamatic/id342115564?mt=8`

Efectos y tratamientos tradicionales para mejorar sus fotografías del iPhone

Cualquier fotógrafo podrá confirmarle que el tipo de película utilizada es una parte esencial de cualquier fotografía, al igual que los objetivos o el cuerpo de cámara utilizados. El profesional encuadra, configura la exposición correcta y selecciona el tiempo de obturación; pero, en última, instancia una fotografía siempre ha sido el resultado impredecible de la combinación de todos estos factores.

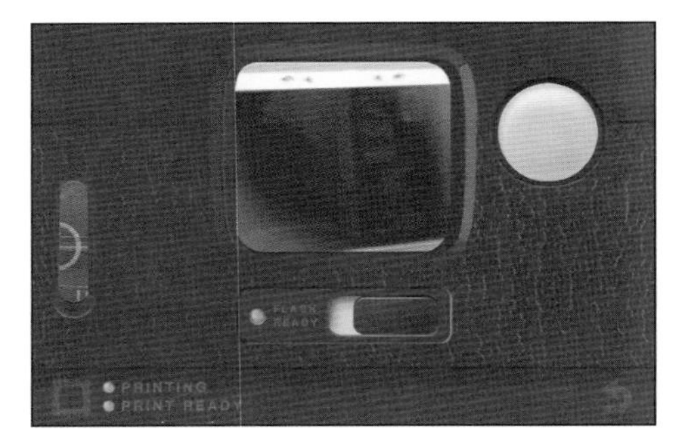

Hipstamatic pretende imitar con bastante exactitud el efecto de diversos modelos de cámara, el color y las peculiaridades del revelado de determinados tipos de película, y los filtros y dominantes de color de diferentes tipos de flash.

Todas las imágenes se toman con el cuerpo de Hipstamatic 150 (un modelo de más de treinta años de antigüedad), con tres objetivos, tres tipos de película y dos opciones de flash. Además, el usuario puede comprar opciones adicionales de cámara, flashes y película desde la propia aplicación.

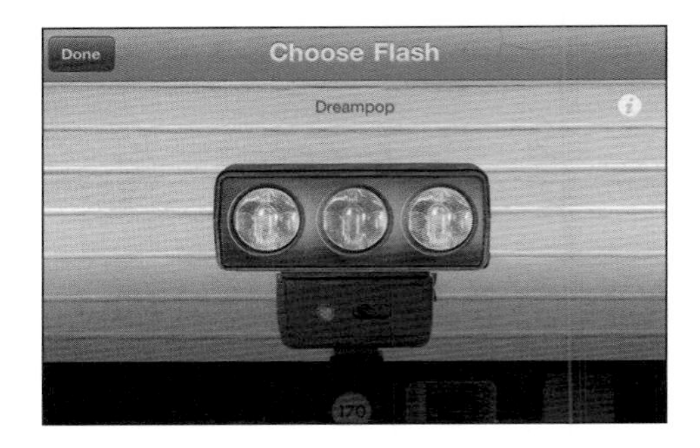

El programa nos permite elegir entre las opciones disponibles. Para realizar una selección, pulse la flecha ubicada en la esquina inferior derecha.

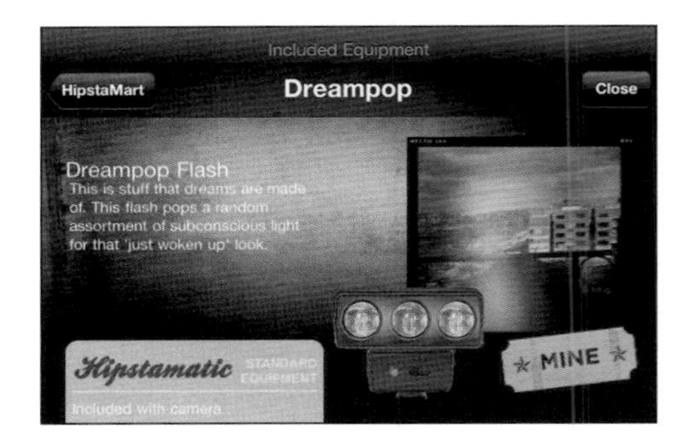

Los iconos que se muestran en la parte inferior corresponden al tipo de película, el flash y el objetivo. Púlselos para ver las opciones disponibles. Esta parte de la aplicación funciona como una especie de escaparate para promocionar nuevas utilidades, con una tienda propia para adquirirlas.

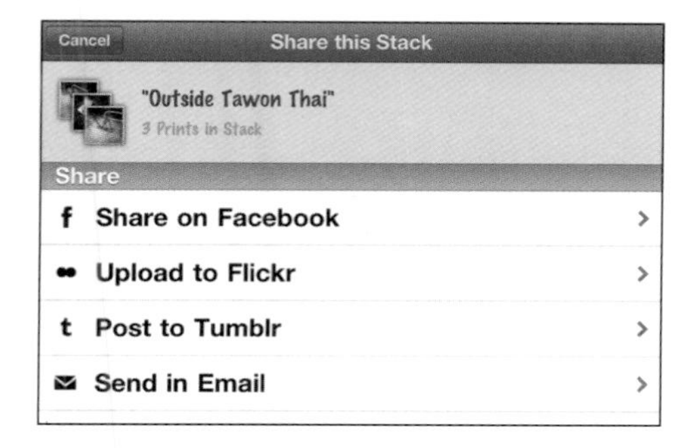

Pulse sobre cualquiera de los elementos especiales, como, por ejemplo, un tipo de flash, y en pantalla aparecerá información detallada sobre los resultados que podrá conseguir.

Vuelva a pulsar el icono de flecha para recuperar la vista principal y poder tomar una fotografía.

El encuadre funciona de forma algo peculiar: el visor únicamente muestra parte del área a fotografiar, lo que supone que tendremos que trabajar a tientas, pero los resultados pueden ser muy interesantes.No obstante, puede desactivar esta vista y visualizar la zona a fotografiar en su totalidad, si bien quizá le resulte más interesante tomar sus fotografías con el recorte del visor. En mi caso, me gusta la arbitrariedad que ello implica.

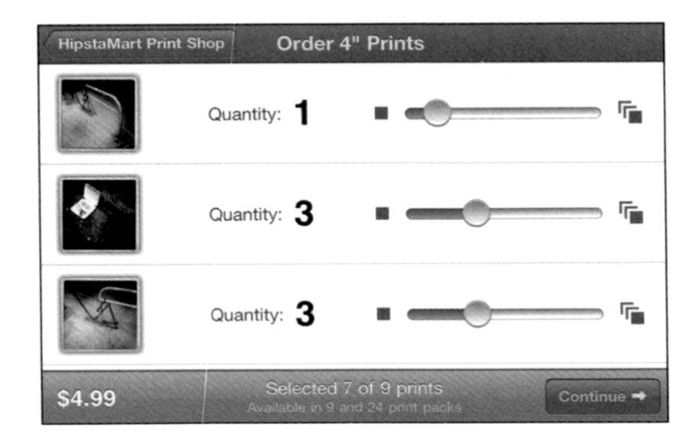

Nota: Para esta aplicación se requiere un dispositivo iOS equipado con una cámara.

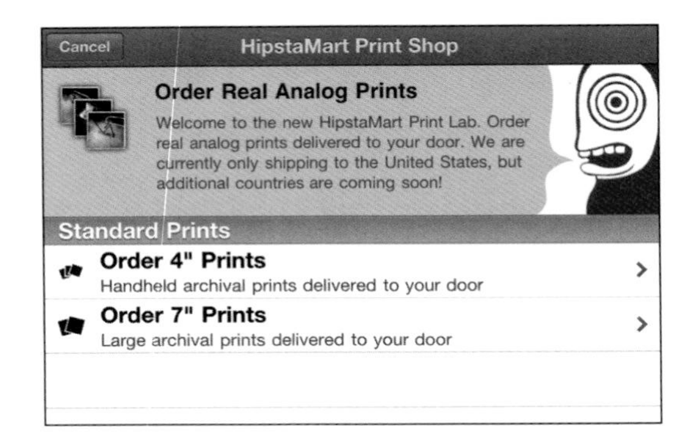

En el lateral de la cámara, active el botón del flash para encenderlo y pulse el botón amarillo para tomar la fotografía. La etiqueta de revelado (Developing) se mostrará durante unos instantes. Posteriormente, tendrá que esperar a que la luz Print Ready parpadee en la esquina inferior izquierda.

Pulse en el recuadro para ver las fotografías, que siempre se mostrarán en formato cuadrado. En esta vista podrá crear colecciones de imágenes o pilas, que podrá enviar por correo electrónico o compartir a través de Facebook, Flickr o Tumblr. Además, puede pedir copias impresas de sus imágenes en pilas de 9 o de 27 fotos en diferentes calidades.

PANORAMATIC 360

1,59 € / Floaty

http://itunes.apple.com/es/app/panoramatic-360/id329855051?mt=8

Los complejos ajustes de esta aplicación permiten conseguir fotografías panorámicas perfectas

Panoramatic 360 es una aplicación algo más compleja que dos de las aplicaciones que mostraremos más adelante en este mismo capítulo, pero ofrece unos resultados más precisos tanto a la hora de corregir imágenes superpuestas como en la creación del resultado final. Para aquellos usuarios que precisen controlar el más mínimo detalle de sus fotografías panorámicas, Panoramatic 360 es una aplicación muy recomendable.

En primer lugar, debe seleccionar la orientación de la fotografía (vertical u horizontal) o elegir una fotografía de su colección de imágenes.

Seleccione un punto de partida para su fotografía panorámica y dispare para realizar la primera toma. La aplicación le ayudará con las siguientes imágenes, que se irán añadiendo a la derecha. Se mostrará una marca de superposición a la izquierda para una correcta alineación. Puede activar el aviso de audio o las guías para ayudarle.

El programa incluye un círculo con dos puntos para guiarle con la orientación y alineación de las imágenes, aspectos muy importantes con las fotografías panorámicas de 360 grados. El punto amarillo señala la distancia hasta el punto correcto; corrija la posición y el ángulo hasta que la superposición con la imagen sea perfecta y el punto amarillo esté lo más cerca posible del punto azul.

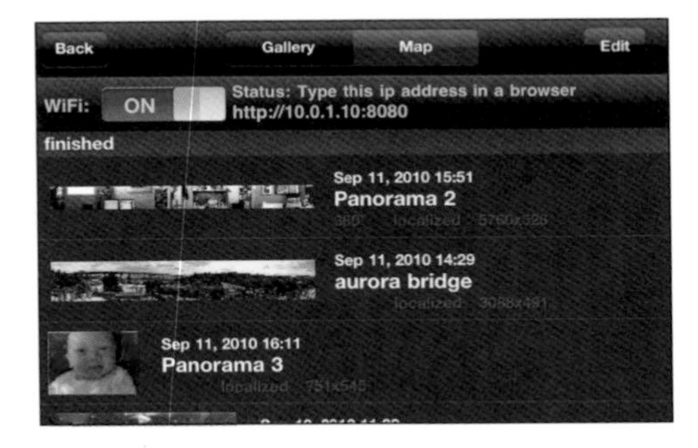

Ya sea en la opción de crear fotografías panorámicas en directo o a partir de fotografías de archivo, la aplicación permite agregar imágenes en cualquiera de los lados de la fotografía. Pulse Finish para ver la opción de edición básica y avanzada de la imagen. Las opciones pueden resultar algo complicadas, pero comprobará que se trata de un ejercicio interesante.

Las instrucciones incluidas en la aplicación ofrecen más detalles sobre los ajustes de configuración (incluidas la exposición y corrección de la distorsión de lente). Sin embargo, no es posible acceder a la sección de ayuda mientras se modifican los ajustes. Pulse en Save Project para guardar su trabajo y consultas las instrucciones. A continuación, utilice la sección Drafts de la vista Gallery para recuperar el proyecto. Podrá entonces poner a prueba los resultados, modificando

los ajustes y pulsando Render. Es posible que las imágenes de gran tamaño tarden algunos minutos en aparecer.

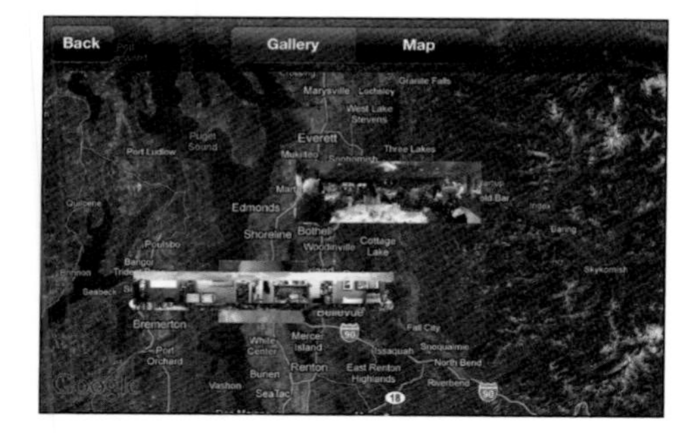

Las fotografías resultantes pueden guardarse en la biblioteca de imágenes, enviarse por correo electrónico en baja resolución o recuperarse a través de una red local utilizando WebDAV. Además, puede añadir sus instantáneas panorámicas al directorio global de la aplicación, Panoramatic World. Pulse en el icono de la página de inicio para ver las imágenes de otros usuarios organizadas por nombre o sobre un mapa. Asimismo, puede añadir calificaciones a cada fotografía.

La figura Gallery permite revisar las fotografías panorámicas almacenadas, ver dónde se tomaron y gestionar la función de compartirlas a través de una conexión Wi-Fi.

Nota: La imagen panorámica muestra una vista del George Washington Memorial Bridge (Aurora Bridge) en el barrio de Freemont, Seattle. En las imágenes previas aparezco sentado con mi esposa e hijos en una comida familiar.

PANO

1,59 € / Debacle Software

http://itunes.apple.com/es/app/pano/id293709029?mt=8

Una herramienta sencilla pero eficaz para crear imágenes panorámicas

Esta aplicación ofrece una sola función. Comience realizando una fotografía. A continuación, avance hacia la derecha para unirla a una segunda imagen y vuelva a pulsar.

Cuando termine, pulse la casilla de verificación y espere aproximadamente entre 20 segundos (para cuatro imágenes) y varios minutos (para una fotografía panorámica de 360 grados). Los resultados son muy interesantes y se guardarán automáticamente en su biblioteca de imágenes. Esta aplicación es recomendable para aquellos usuarios que no quieran complicaciones, ya que con muy poco esfuerzo pueden conseguirse excelentes resultados.

> Nota: La imagen panorámica muestra el Aurora Bridge y Fremont Bridge en Seattle. Es una fotografía tomada con la aplicación Pano. La imagen anterior es una fotografía panorámica de mi casa tomada con la aplicación 360 Panorama.

360 PANORAMA

0,79 € / Occipital

http://itunes.apple.com/es/app/360-panorama/id377342622?mt=8

Creación de fotografías panorámicas con el movimiento de la mano

Mueva las manos lentamente en el aire para plasmar el mundo a su alrededor y crear extraordinarias fotografías panorámicas en su iPhone o iPod touch de cuarta generación.

360 Panorama no exige ningún tipo de alineamiento ni de superposición de imágenes. Los resultados tampoco son perfectos.

En realidad, la aplicación permite tomar fotografías de forma continuada para, posteriormente, formar una imagen panorámica indivisa basándose en su tecnología de análisis de la imagen y el movimiento. Se trata de una herramienta extraordinaria.

La aplicación ofrece pocas opciones: puede crear una imagen toroidal, que va mostrando una imagen continua, como si estuviéramos aplanando una superficie esférica (estereográfica), u optar por la tira en forma equirectangular. Las imágenes se guardan automáticamente en la tira de imágenes.

Nota: Todo este tipo de aplicaciones requieren dispositivos iOS con cámara para poder hacer las composiciones sobre las fotografías.

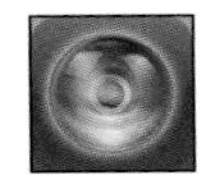

YOU GOTTA SEE THIS!

1,59 €/ Boinx Software

http://itunes.apple.com/es/app/you-gotta-see-this/id379058646?mt=8

Cómo unir varias imágenes en una fotografía panorámica o crear una colección de imágenes superpuestas en forma de mosaico

You Gotta See This! es una aplicación casi panorámica: crea imágenes similares a una fotografía panorámica formadas por una sucesión de fotografías imperfectamente unidas. En cualquier caso, el resultado es muy agradable. La principal ventaja es que no es necesario pulsar ningún botón y tampoco se exige el uso de ninguna herramienta para alinear las fotografías.

Los resultados son más impresionistas que precisos, pero las imágenes resultantes están dotadas de cierto encanto. Además, esta aplicación ofrece más opciones de visualización que otras.

Pulse el icono de cámara de la pantalla principal y desplace la cámara alrededor. Cuando haya terminado, vuelva a pulsar el mismo icono. En pantalla se mostrará una vista previa, con el estilo Light Table Collage. Este modo de visualización superpone las fotografías de forma imperfecta pero visualmente atractiva. La aplicación ofrece otros seis estilos, incluidas varias versiones en forma de mosaico.

Puede guardar las imágenes resultantes en el Carrete, compartirlas en Twitter o enviarlas por correo electrónico.

Advertencia: You Gotta See This! exige el uso de un iPhone o iPod touch de cuarta generación.

Nota: Aquí puede ver dos panorámicas tomadas con You Gotta See This! La primera muestra una vista de Aurora Bridge, Seattle; la segunda, una comida familiar.

INCREDIBOOTH

0,79 € / Synthetic

http://itunes.apple.com/es/app/incredibooth/id378754705?mt=8

Un fotomatón de bolsillo... con todo el encanto del original

A pesar de que en cierta ocasión casi muero víctima de un fotomatón cerca de la Torre Eiffel (por fortuna, salimos indemnes), sigo reservando en mi corazoncito un hueco para este anticuado tipo de fotografía instantánea.

Por unos céntimos, los antiguos fotomatones daban cuatro fotografías en blanco y negro de un grupo de amigos arremolinados y haciendo muecas. Instantes después, la tira de imágenes reveladas salía por la ranura (¿recuerda la película Amelie?).

IncrediBooth recrea de forma maravillosa la experiencia del fotomatón, sin necesidad de tener que llevar con nosotros un objeto tan incómodo. La aplicación utiliza la funcionalidad de cámara frontal del iPhone 4 o del modelo más reciente de iPod touch.

En realidad, no puede decirse que la aplicación ofrezca opciones. Pulsamos el botón, la luz parpadea y... a posar y posar una y otra vez. Instantes después, la tira de imágenes aparecerá en la bandeja de salida. Podrá guardar las fotografías resultantes (se trata de un único archivo de imagen) en el Carrete, enviarlas por correo electrónico o subirlas a Facebook.

Advertencia: Se exige el uso de un iPhone 4 o iPod touch de cuarta generación.

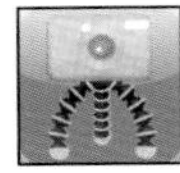

GORILLACAM

GRATUITA / Joby

http://itunes.apple.com/es/app/gorillacam/id342972390?mt=8

Mejora la alineación de sus fotografías y permite disparar en ráfaga

Gorillacam aporta varias funciones a la hora de tomar fotografías que imitan a las opciones disponibles en una cámara. Apple no incluye ninguna de estas funciones, pero tenerlas a nuestra disposición sin coste adicional convierte nuestro iPhone en algo más cercano a una cámara de verdad.

La aplicación muestra unas guías superpuestas en la pantalla, así como un nivel para enderezar o, al menos, encuadrar correctamente la imagen. Una de las opciones permite pulsar la pantalla en cualquier punto para tomar la fotografía en lugar de tener que pulsar el botón de la cámara. Además, podrá configurar un cronómetro, tomar fotografías en intervalos programados (time-lapse) y evitar las fotografías borrosas.

Una de las funciones que más me gusta y que suelo utilizar con frecuencia es el disparo en ráfaga, que permite tomar hasta tres fotografías. Frente a la funcionalidad para crear fotografías de alto rango dinámico (HDR) del nuevo iPhone 4, que combina diferentes tomas con exposiciones distintas, la función de disparo en ráfaga toma tres imágenes tan rápidamente como le es posible a la aplicación, y las almacena por separado. En iOS 4, Gorillacam ha resuelto un pequeño problema que surgió en versiones anteriores. La aplicación tardaba más tiempo que la aplicación de la cámara de Apple incluida en sus dispositivos a la hora de guardar las fotografías. Además, al salir de la aplicación sin guardar las imágenes, éstas se perdían para siempre. Ahora, la aplicación solicita a iOS que termine el trabajo.

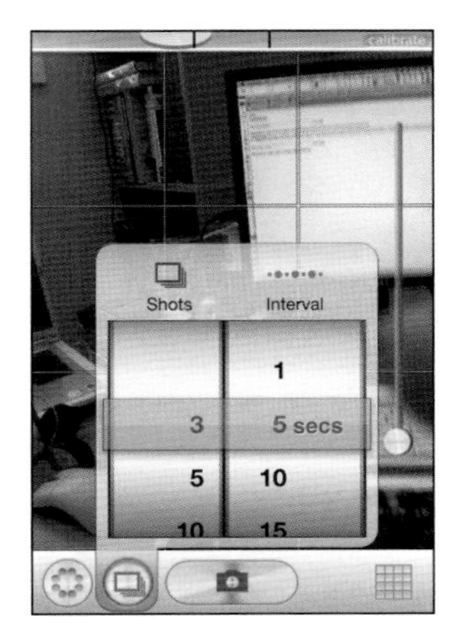

Quizá se haya percatado de que varias de estas funciones exigen que nuestro iPhone o iPod permanezca inmóvil. La razón es que Joby ofrece además una línea de mini-trípodes con patas desplegables, incluido un modelo diseñado específicamente para dispositivos iOS: su serie Gorillamobile.

> **Advertencia:** Es preciso utilizar un dispositivo iOS con cámara incorporada.

CAMERABAG

1,59 € / Nevercenter

http://itunes.apple.com/es/app/camerabag/id291176178?mt=8

Imite el efecto de objetivos antiguos y aplique diferentes efectos a sus fotografías

La nostalgia tiene un color especial, y CameraBag nos ofrece las herramientas adecuadas para recuperar ese toque nostálgico en nuestras fotografías. La aplicación permite aplicar diversos efectos a fotografías tomadas con la cámara de un iPhone o iPod touch.

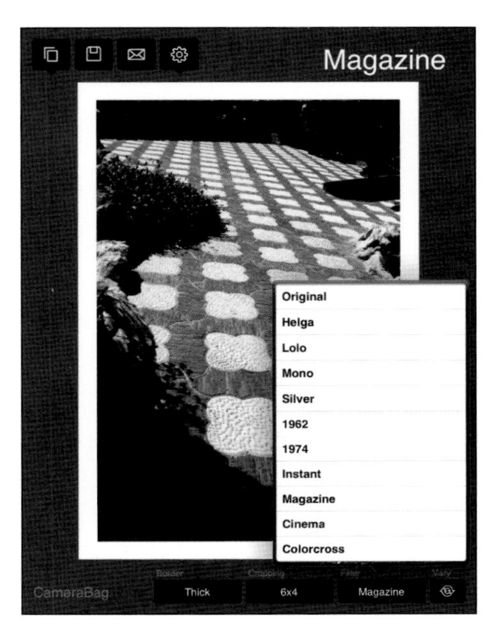

Además, podrá seleccionar cualquier instantánea de la biblioteca de imágenes de su dispositivo. Existen varios filtros disponibles, algunos de los cuales permiten reencuadrar la fotografía a su gusto.

Algunos de los filtros incluyen diferentes estilos de cámara, por ejemplo Helga, Lolo y Plastic (en referencia a un objetivo de plástico). Otros aplican diferentes efectos, tales como Fisheye, Infrared, y Mono. CameraBag da un paso más e incluye efectos que reproducen una estética singular, por ejemplo 1962, 1974 o Magazine. Pulse sobre las diferentes opciones para modificar los filtros.

CameraBag permite al usuario configurar la resolución de la imagen final antes de guardarla en la biblioteca de imágenes o enviarla por correo electrónico. Cuanto mayor sea la resolución, más tiempo tardará en aplicarse el filtro. En pantalla se muestra la vista previa.

¿Qué ventajas ofrece CameraBag? Es una aplicación ideal para aplicar una estética retro con resultados convincentes. Otros programas ofrecen funciones similares, pero se centran en otro tipo de opciones.

La versión para iPad que aquí se muestra permite configurar el borde, tipo de filtro y encuadre por separado. Pulse el botón Vary para realizar variaciones aleatorias del tipo de filtro.

Nota: CameraBag ofrece una versión para iPad. Existe, además, una versión para su escritorio de sobremesa (Mac y Windows) del software, con funcionalidades añadidas del mismo estilo.

BEST CAMERA

2,39 € / Chase Jarvis Worldwide

`http://itunes.apple.com/es/app/best-camera/id329800600?mt=8`

Descubra la esencia de la fotografía

Chase Jarvis, un fotógrafo que inspira a otros fotógrafos, ha creado Best Camera para que podamos realizar en nuestras imágenes esos pequeños cambios que, a menudo, consiguen que una instantánea sobresalga de las demás. Best Camera no ofrece ninguna función estrella. Únicamente permite conseguir imágenes con gancho, ya sea mediante la eliminación del color o mediante el uso de colores más saturados.

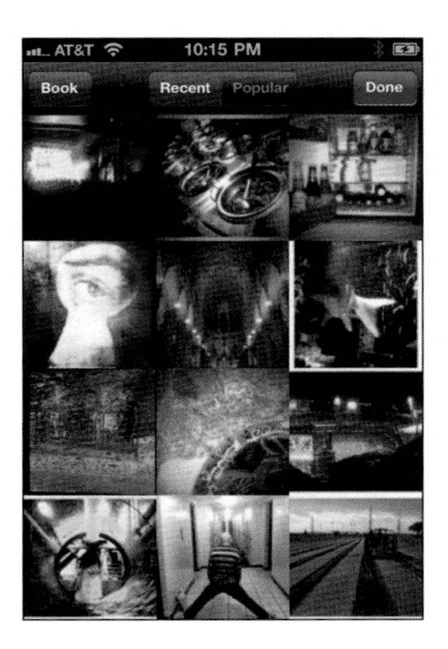

Tome una fotografía o abra una de las imágenes de la Galería de fotos y explore las diferentes opciones de filtros que se ofrecen en la parte inferior de la pantalla.

El efecto de los filtros es acumulativo; superponga un filtro encima de otro para crear diferentes efectos. Pulse el icono de filtros de la esquina superior derecha para visualizar los efectos aplicados en la parte inferior. Pulse la X para eliminar un cambio. El programa, que toma su nombre de la idea de que no hay mejor cámara que la que uno tiene, se conecta con diversos servicios para compartir fotografías y redes sociales.

Basta pulsar la pantalla una vez para subir las fotografías a Flickr, Facebook, Twitter, guardar la imagen en el Carrete o enviar la imagen por correo electrónico, así como enviar una copia al sitio Web de Jarvis, `thebestcamera.com`. Puede acceder a las fotografías de dicho portal a través de la propia aplicación, gracias a una interfaz muy atractiva.

Best Camera le ayudará a realizar mejores fotografías gracias a los controles que ofrece para convertir su iPhone en una cámara mejor.

PLASTIC BULLET

1,59 € / Red Giant Software

http://itunes.apple.com/es/app/plastic-bullet-camara/id372405516?mt=8

Encantadoras versiones con una cámara de plástico

Las cámaras de película con objetivos de plástico producen imágenes distorsionadas y tonos igualmente alterados, pese a lo cual las fotografías resultantes están dotadas de una estética tan peculiar como fascinante. Aquello que puede parecer banal en el mundo real puede convertirse en otra cosa gracias al uso de uno de estos objetivos.

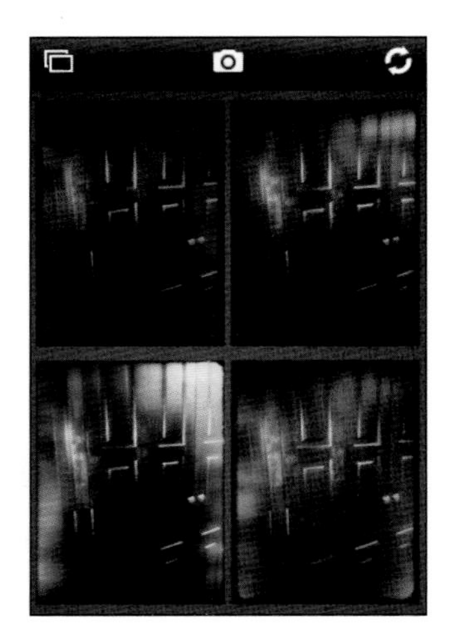

Plastic Bullet imita las cámaras con objetivos de plástico, efecto éste que puede conseguirse con algunas otras aplicaciones incluidas en este libro. No obstante, tanto su simplicidad como las versiones que ofrece, la convierten en una aplicación muy recomendable.

Seleccione una imagen de su biblioteca o tome una fotografía, y la aplicación creará cuatro versiones distintas. Pulse el botón de Recarga y se crearán cuatro versiones distintas. Puede seguir creando variaciones indefinidamente, con efectos sumamente originales.

Seleccione la versión que más le guste, pulse en el botón con forma de corazón y guarde la fotografía en su galería de imágenes. Podrá subirla a Facebook y Flickr.

PHOTOGENE

1,59 € / Omer Shoor

`http://itunes.apple.com/es/app/photogene/id287273856?mt=8`

Sofisticadas herramientas de corrección fotográfica en un pequeño paquete

Photogene es una herramienta ideal para todos aquellos usuarios con un mínimo interés en la edición fotográfica. La aplicación incluye funcionalidades que reconocerá cualquier usuario que haya tenido cierto contacto con programas como Adobe Photoshop o Elements para corregir los dominantes de color, ajustar el balance de blancos o redistribuir los tonos claros y oscuros mediante niveles.

Comenzaremos abriendo una imagen de la Galería de fotos o tomando una fotografía con nuestro dispositivo.

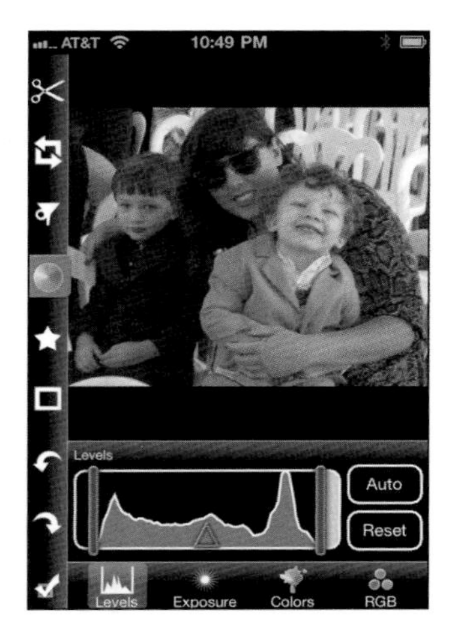

Los comandos para reencuadrar y rotar la imagen permiten recortar, rotar, enderezar o girar una fotografía. La opción de filtro permite seleccionar diferentes niveles de enfoque para mejorar la nitidez de la imagen (siempre que se utilice con moderación) o aplicar diferentes efectos especiales, como, por ejemplo, virar la imagen a sepia.

La vista de ajuste de color ofrece la posibilidad de cambiar los niveles y alterar así la distribución global de los tonos claros y oscuros de la imagen. Se ofrece, además, una herramienta de ajuste más sencilla de brillo y contraste (cuyo uso no recomiendo en absoluto) y diversos ajustes de color.

La vista de marcos y símbolos parece fuera de lugar en esta aplicación. Puede añadir globos o estrellas a la fotografía, o seleccionar un marco para su imagen. Personalmente, no le aconsejo el uso de ninguna de estas opciones.

Cuando haya terminado de aplicar los ajustes, pulse la casilla de verificación. Podrá ajustar las dimensiones de la imagen resultante en un listado en el que se muestra la anchura o altura máximas, o bien podrá introducir sus propios valores.

La aplicación incluye un guiño a los profesionales en el menú Compartir, ya que permite la inclusión de los datos IPTS y una opción añadida para la inclusión o exclusión de las coordinadas de geolocalización.

Puede compartir sus fotografías a través de diferentes medios: Twitter, Facebook o Flickr, o bien mediante una cuenta FTP en un servidor, así como copiarlas o enviarlas por correo electrónico.

Nota: Existe una versión de Photogene para iPad.

FLICKPAD PRO

2,39 € / Shacked Software

`http://itunes.apple.com/es/app/flickpad-pro-for-facebook/id358635466?mt=8`

Revise con facilidad sus fotografías y las de sus amigos en Flickr

En mi cuenta de Flickr tengo miles de fotografías. Sin embargo, nunca he sido muy aficionado a revisarlas (ya sea por colecciones o de forma individual) ni las de mis contactos (formados por una combinación de familiares, amigos, colegas de trabajo y algunos famosillos).

FlickPad Pro es una herramienta fantástica para explorar imágenes que me permite volver a ver mi trabajo y revisar los trabajos de los demás.

Al abrir la aplicación, se muestra, en primer lugar, una simulación de una pila de fotografías ligeramente desordenadas, superpuestas una encima de otra. La pila está formada por las instantáneas incorporadas más recientemente a su galería de imágenes, así como de sus contactos. Arrastre las imágenes para verlas mejor. Pulse una para traerla a un primer plano.

Al arrastrar una imagen fuera de la pantalla, quedará reemplazada por otra. Utilice dos dedos para deslizar las imágenes, de esta forma todas las fotografías del contacto marcado desaparecerán. Puede ver las diversas opciones existentes pulsando el botón i de la parte superior.

Mantenga pulsada una imagen para realizar las siguientes acciones: enviar la fotografía por correo electrónico, marcar todas las imágenes de ese contacto como vistas (con lo cual quedan eliminadas de la página principal) u ocultar al contacto para evitar que sus fotografías vuelvan a mostrarse, a menos que decida reactivarlas a través del menú Ajustes.

Pulse dos veces una fotografía para ver las colecciones de un usuario. Pulse dos veces una colección para ver sus fotografías. Pulse cualquier imagen para verla a pantalla completa. En la esquina inferior izquierda se mostrarán la fecha e información de la captura. En la parte superior verá una estrella o botón de favorito que le permitirá marcar la imagen como favorita y ver qué otros usuarios han hecho lo propio. El botón de comentarios le permitirá ver los comentarios y añadir un comentario si lo desea. Pulse Slideshow: la colección activa se reproducirá como si fuera un pase de diapositivas.

Nota: Existe una versión gratuita más limitada, Flickpad Lite.

FLICKR STUDIO

3,99 € / Keeple

`http://itunes.apple.com/es/app/flickr-studio/id387907682?mt=8`

Una interfaz perfecta para interactuar con Flickr en un iPad

Flickr Studio adopta un enfoque distinto, aunque igualmente válido, a la hora de filtrar el visionado en iPad de las fotografías de Flickr. Allí donde Flickpad Pro destaca en la facilidad de acceder a colecciones y usuarios, Flickr Studio se centra en la localización de tiempo y lugar.

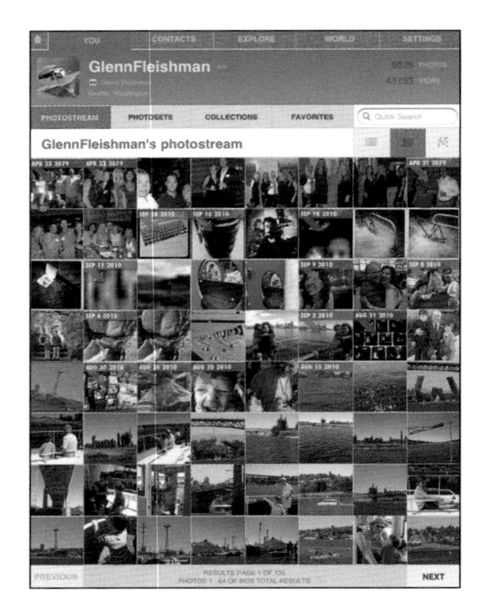

Éste incorpora una cantidad de información nada desdeñable sobre las fotografías que se suben a sus servidores, incluidas las coordenadas geográficas de la imagen en caso de que ésta se tomase con una cámara o teléfono móvil que permitiera incluir dicha información. Además, el sitio Web de Flickr permite adjuntar los detalles de la localización para aquellas instantáneas que no dispongan de información de coordenadas.

Flickr Studio navega entre todo este torrente de información, tanto la incrustada por la cámara como la añadida por el usuario. La página de inicio de la aplicación muestra unas guías sobre las fotografías con llamadas de atención que muestran la fecha en la que se tomó cada lote. Vaya deslizando las fotografías para ver las miniaturas a mayor tamaño o pulse una imagen para verla a tamaño completo.

Flickr Studio facilita la exploración de imágenes gracias al uso de pestañas para las fotografías de sus contactos, las fotografías más interesantes del día en Flickr o imágenes ofrecidas por instituciones diversas que ponen a disposición de sus usuarios su fondo para el visionado o la descripción.

El modo en forma de mapa permite ver fotografías de cualquier lugar del mundo. Si está viendo una colección de imágenes y pasa al modo en forma de mapa (disponible en varios lugares de la aplicación), aparecerán pequeñas miniaturas en los puntos del mapa donde se hayan tomado las fotografías. Pulse para verlas.

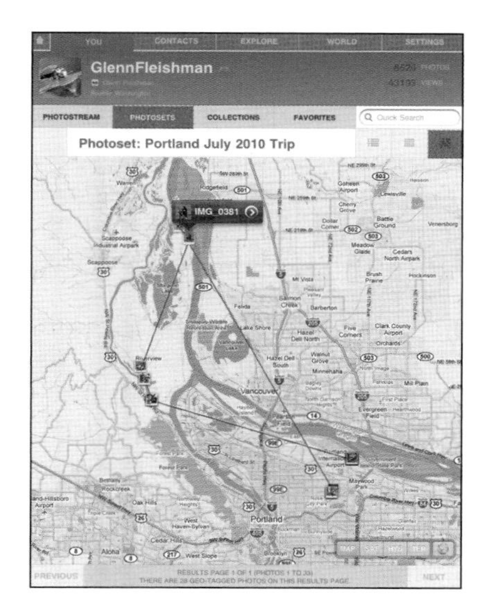

Los usuarios de pago de Flickr Pro podrán ver sus imágenes a la máxima resolución permitida. Al igual que Flickpad Pro, Flickr Studio no permite subir imágenes a la red; únicamente pueden verse.

Advertencia: Requiere el uso de una cuenta gratuita o de pago de Flickr.

KIT IPAD CAMERA CONNECTION

29,00 € / Apple

http://store.apple.com/es/product/MC531

Una herramienta fantástica para exportar imágenes directamente de una cámara al iPad

Su iPad no viene equipado con cámara (o al menos, en el momento en el que este libro entró en imprenta los modelos disponibles no ofrecían esta opción). Sin embargo, es posible ver imágenes en la aplicación Fotos de su iPad y editarlas utilizando el software incluido en este mismo capítulo.

Una vía pasa por sincronizar álbumes, lugares, rostros y otras colecciones entre iPhoto en un Mac y su iPad. Pero existe una segunda vía que permite exportar directamente sus imágenes a un iPad.

Apple ofrece su kit iPad Camera Connection para importar fotografías directamente desde una cámara digital o tarjeta de memoria Secure Digital (SD). El kit está compuesto por dos piezas. Ambas se conectan directamente en el conector estándar de la parte inferior del iPad. Uno de los adaptadores incluye una conexión USB en uno de los extremos; el segundo es un lector de tarjetas SD con una ranura para tarjetas de este formato.

Al conectar el adaptador y una cámara o una tarjeta SD, se abrirá la aplicación Photos. Podrá seleccionar entonces varias opciones, como importar todas las fotografías o parte de ellas, con la posibilidad de borrar los originales. Las imágenes a gran resolución pasarán entonces a residir en el iPad, desde donde podrá reenviarlas, subirlas a la Web o trabajar con ellas como haría con cualquier otra imagen.

Dado que un iPhone o iPod touch puede funcionar asimismo como repositorio de fotografías cuando el dispositivo esté conectado a través de un puerto USB, es posible conectar uno de estos dispositivos a un iPad utilizando el kit de conexión para importar fotografías.

Una vez preparada la configuración para sincronizarse con iPhoto en un Mac, las imágenes importadas se copiarán la próxima vez que sincronice el dispositivo. Con un iPad 3G y un plan activo de datos, la importación de fotografías a través de adaptador le permitirá postear imágenes cuando se encuentre lejos de su ordenador o no tenga acceso a una red Wi-Fi. Durante mis viajes, por ejemplo, he subido fotos a la red por pura diversión.

El lector pensará que, dado que Apple ofrece un puerto USB, quizá sea posible conectar todo tipo de dispositivos. Lo cierto es que multitud de dispositivos funcionan correctamente con un iPad sin soporte oficial. He probado con teclados, auriculares externos con micrófono y altavoces, y todos ellos funcionan correctamente. Incluso he utilizado unos auriculares USB para realizar llamadas por Skype. Es algo difícil de manejar, pero funciona.

Apple no ofrece ningún listado de cámaras digitales aptas para sus dispositivos, pero es de suponer que todos los modelos que se comercializan en la actualidad funcionan correctamente.

Nota: Ninguno de los dos adaptadores es reconocido por un iPhone o iPod touch, al menos en el momento en el que este libro entró en imprenta. Lo he intentado con ambos...

5. Videojuegos

¡Pim! ¡Pam! ¡Pum! ¡Los pillé!

Hay videojuegos de todas las clases y colores. Tipos que saltan y corren. Zombis que atacan. Bolas para disparar. Coches que corren por un circuito. Todos los juegos tienen algo en común: la acción. El usuario realiza una acción, y ésta tiene un resultado. Frente a lo que ocurre en los juegos de estrategia o los juegos de palabras, a menudo (pero no siempre) no hay tiempo para reflexionar a mitad del juego.

¡Acción!

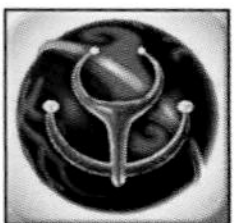

TRISM

2,39 € / Demiforce

http://itunes.apple.com/es/app/trism/id284653044?mt=8

Un juego adictivo y absorbente en el que deberá alinear triángulos alrededor de tres ejes

Trism fue uno de los primeros juegos con éxito para el iPhone, que todo el mundo comenzó a descargar. En esencia, es muy sencillo: vemos una pantalla llena de triángulos equiláteros de diferentes colores. El juego consiste en ir desplazándolos diagonalmente a izquierda y derecha, u horizontalmente.

Tendrá que alinear tres o más triángulos del mismo color para eliminarnos. Al igual que ocurre en Bejeweled, un juego con el que Trism guarda cierta similitud, al unir un conjunto de más de tres triángulos la recompensa es mayor. Determinados patrones reciben una enseña que se muestra en la página de trofeos.

Existen varios modos de partida: Infinism (una partida sin límite de tiempo) y Terminism (una partida con límite de tiempo). En pantalla van apareciendo diferentes retos, como, por ejemplo, una bomba que el usuario debe desactivar en un número determinado de movimientos.

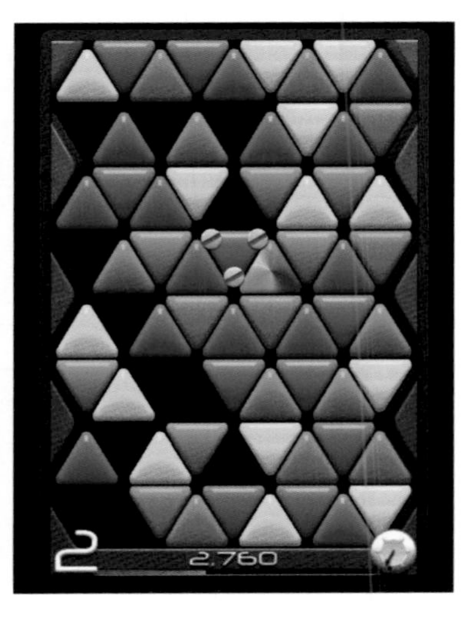

BEJEWELED 2 + BLITZ

0,79 € / PopCap

http://itunes.apple.com/es/app/bejeweled-2-blitz/id284832142?mt=8

Un juego original y adictivo… ¡cada vez mejor!

Si puede hablarse de juegos adictivos, el rey es Bejeweled. La primera versión se retrotrae a Palm Pilot. Recuerdo pasar horas y horas subiendo y bajando joyas para ir eliminando filas. Bejeweled 2 + Blitz añade dos nuevas modalidades de juego y una opción para más de un jugador a través de Facebook.

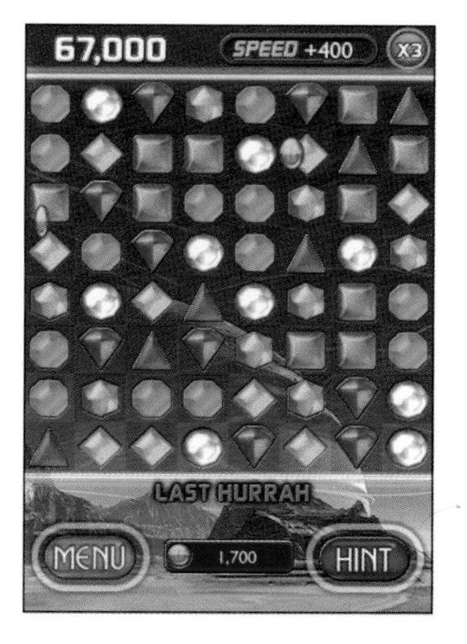

El objetivo es muy sencillo: las joyas van cayendo desde arriba. El jugador debe cambiar las joyas de sitio (de izquierda a derecha o de arriba hacia abajo) hasta alinear tres, cuatro o cinco piezas en sentido vertical u horizontal. Y casi sin darnos cuenta… ¡se nos han pasado tres horas!

La versión original de este juego premiaba al usuario con puntos por alinear correctamente tres o más piezas. Esta versión sigue estando disponible en la modalidad Classic. Las cascadas de tres piezas, en las que al eliminar un conjunto de tres o más piezas se eliminan los conjuntos siguientes de gemas iguales, permiten obtener un mayor número de puntos.

En las modalidades de juego Action y Endless, el objetivo consiste en alinear cuatro piezas para activar un gatillo que hace explotar varias piezas adyacentes de la siguiente conexión de tres o más joyas. Al alinear cinco piezas, se formará una gema que, al pasar al siguiente nivel, liquidará todas las piezas del mismo color de la pantalla.

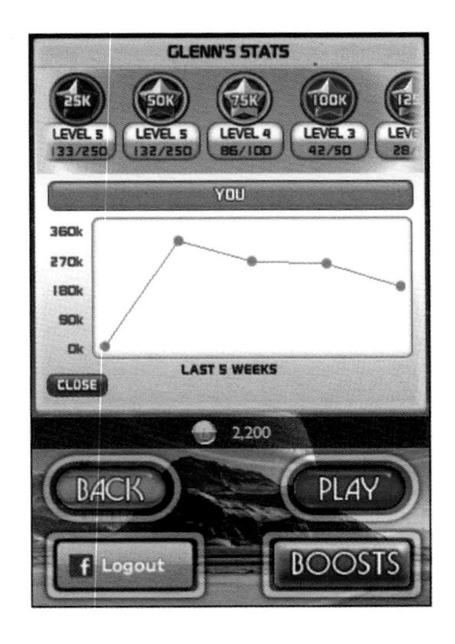

El modo Blitz concede al usuario un minuto para conseguir tantos puntos como sea posible. Blitz utiliza Facebook para conectar con otros usuarios y permite consultar las puntuaciones de sus amigos, realizar un seguimiento de su puntuación durante las últimas cinco semanas y colgarse alguna que otra medalla.

También puede comprar extras que mejorarán su rendimiento, como por ejemplo una gema misteriosa, cinco segundos adicionales, etc.

La versión para Facebook de esta aplicación está vinculada a la misma. Si visita Facebook podrá hacer girar una ruleta y ganar monedas, que, posteriormente, podrá gastar en el modo Blitz de la aplicación.

Truco: Si consigue alinear tres piezas en filas que se cruzan, una de las gemas se convertirá en una joya bomba. Cuando la alinee con dos o más piezas del mismo tipo, la gema destruirá una fila y una columna por completo.

PEGGLE

2,39 € / PopCap Games

http://itunes.apple.com/es/app/peggle/id314303518?mt=8

Pachinko, pinball y Bejeweled en un mismo juego… con guías espirituales

Los creadores de Bejeweled, PopCap Games, saben cómo ganar adictos a sus juegos. Gracias a Peggle, el mundo del videojuego gana en complejidad, lo cual a su vez garantiza una mayor obsesión. El objetivo es eliminar bolitas naranjas sobre un tablero. La superficie del juego presenta una orientación en vertical y las bolas obedecen a la ley de la gravedad. El tablero se parece más a un tablero de pachinko que de pinball, si bien combina elementos provenientes de ambos juegos.

Las bolas aparecen disparadas desde la parte superior utilizando una lanzadera que puede dirigir a voluntad pulsándola. El cuadrante permite ajustar el alcance en pequeños intervalos. En pantalla se muestra un conjunto de guías a medida que va moviendo la lanzadera, para ayudarle a predecir dónde caerán las bolas. El bonus ofrece una predicción exacta de hacia dónde irán dirigidas.

Las bolas verdes y moradas esconden herramientas especiales y puntos extra. En el nivel cangrejo, aparece un bonus que nos permitirá controlar las patas que aparecen en la parte inferior para rebotar las bolas y volver a jugar.

Existen además diez Maestros Peggle que le ayudarán a superar los 55 niveles con consejos entre un nivel y otro sobre cómo sortear cada uno, sumar puntos extra y entender la filosofía del juego.

Recibirá puntos extra por todo tipo de acciones, desde un disparo lejano que rebote sobre el tablero y derribe una bola naranja hasta jugadas ejecutadas con estilo, o dejar caer una bola en una cazuela que se va desplazando por la parte inferior de la pantalla. La cazuela permite ganar una bola extra y, en ocasiones, el propio juego concede al jugador bolas adicionales con un certificado especial.

Deberá eliminar todas las bolas naranjas en pantalla antes de avanzar al siguiente nivel. Una vez superados todos los objetivos, podrá enfrentarse a nuevos retos. El juego admite las modalidades de un solo jugador o dos en modo duelo, con turnos alternos para cada uno.

No existe un límite de tiempo establecido, únicamente se evalúa la eliminación de bolas naranjas.

> **Truco:** Cuando en la cazuela en movimiento rebote una bola, se añadirá una bola adicional o se rebotará la misma bola en juego hacia el tablero.

SPARKLE HD

3,99 € / 10Tons

http://itunes.apple.com/us/app/sparkle-hd/id363505203?mt=8

Dispare, consiga amuletos y salve el planeta

Es posible que el escenario resulte ligeramente recargado (un reino de madera, un mapa, amuletos...) pero el juego en sí es apasionante. Las pistas conducen hacia una especie de cetro situado en mitad de la pantalla, capaz de disparar gemas. Un camino con forma de serpiente intenta llegar al cetro. El usuario debe lanzar gemas para crear conjuntos de tres o más piezas, que, a continuación, se evaporan.

En pantalla aparecen elementos especiales contra los que tendrá que disparar para apoderarse de ellos, una vez haya eliminado varias secuencias de orbes. Por ejemplo, al derribar tres esferas verdes que separan a más de tres esferas rojas, se consigue un bonus.

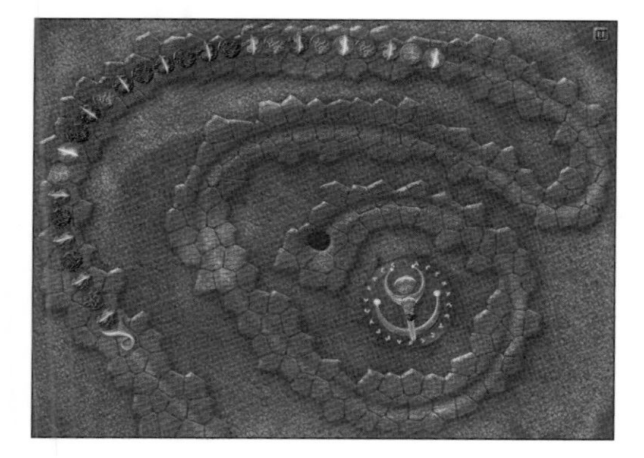

Cuanto más elevado sea el nivel que alcance, mayor será el número de amuletos que consiga. Los amuletos le permiten acumular poderes, por ejemplo, la capacidad de explotar hasta veinte bolas de una tirada. El juego va aumentando en velocidad y en número de bolas a medida que se avanza.

Sparkle HD recuerda a Bejeweled, si bien no es heredero directo de aquel. Puede configurar diferentes modalidades de juego, con distintos niveles de dificultad.

La versión gratuita (disponible únicamente para iPad) sólo ofrece la posibilidad de jugar en los niveles iniciales antes de ofrecer una actualización de pago. Ignore la mitología y disfrute del juego.

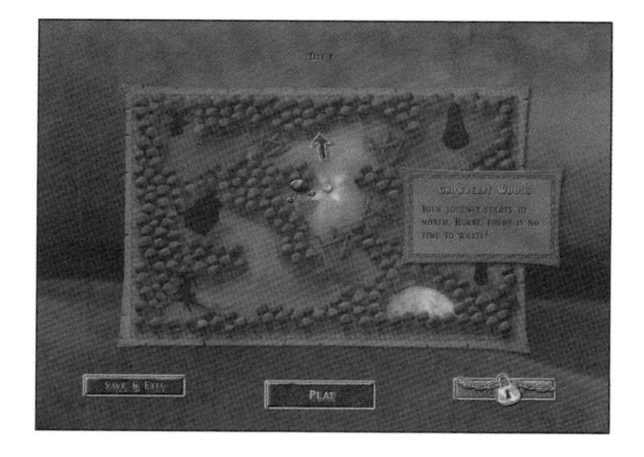

Nota: Sparkle ofrece una versión para iPod y iPhone, así como una versión gratuita para iPad.

THE INCIDENT

1,59 € / Big Bucket Software

http://itunes.apple.com/es/app/the-incident/id385533456?mt=8

Quítese la chaqueta y salte sobre diversos objetos que se van apilando mientras agarra montones de globos

Girar, pulsar, girar, girar, pulsar, girar, pulsar, pulsar, pulsar. The Incident ha conseguido una unión perfecta entre dos elementos del juego muy diferentes entre sí: la sencillez de los controles con la complejidad de los objetos. Nuestro pequeño hombrecillo con corbata, que se quita la chaqueta nada más comenzar el juego, tiene que saltar para evitar los objetos que caen y caminar sobre los objetos caídos.

Nuestro objetivo consiste en escalar las pilas de objetos, cada vez más altas, sin que nos aplasten la cabeza o nos golpeen los globos con el emblema de la calavera, entre otros peligros.

Tendrá que trepar lo suficiente para poder llegar a los siguientes niveles, cada uno de los cuales ofrece un tema y un fondo distintos (calle y ciudad, órbita y espacio, etc.). Recuerde que nadie puede oír sus saltos en el espacio exterior.

Si recibe demasiados golpes en la cabeza y muere, recibirá un premio en función del objeto que lo haya golpeado. Los globos marcados con cruces rojas renuevan sus fuerzas, mientras que, en ocasiones, verá caer del cielo un casco para protegerse.

Comprobará cómo los objetos que caen son muy divertidos. Verá caer de todo, desde objetos cotidianos como sofás y coches, pasando por neveras y televisores, hasta objetos de lo más peculiar, como cuadros de René Magritte, adornos de la arquitectura griega o bloques de hielo con un personaje congelado en su interior. Si su avatar queda atrapado bajo una pila de objetos, agite el dispositivo para salir flotando de la pila.

Como ocurre con muchos otros juegos del mismo estilo, no hay vencedores ni vencidos, únicamente vale la persistencia.

Nota: ¿A qué incidente hace referencia el nombre del juego? No tengo ni la menor idea, porque nunca he alcanzado el nivel superior. Quizás la respuesta se revele en el espacio exterior. No está realmente claro que el juego tenga fin... lo cual es parte del misterio.

ANGRY BIRDS HD

0,79 € / Clickgamer Technologies

`http://itunes.apple.com/es/app/angry-birds/id343200656?mt=8`

¿Por qué no pueden llevarse bien un pájaro cabreado y un cerdo ladrón de huevos?

Angry Birds es un juego extremadamente tonto en el que se entremezclan pájaros cabreados, cerditos verdes y las leyes de la física y la balística, pese a lo cual es muy entretenido. Naturalmente, el juego parte de una premisa ridícula. En la película previa al juego (así como en el cortometraje sobre el juego, disponible por separado) vemos a una piara de cerditos verdes robando un montón de huevos a una bandada de pájaros. Las aves juran vengarse de mil maneras en distintos escenarios, cada uno de los cuales comienza con una presentación de lo más extraña.

Cada uno de los niveles de Angry Birds presenta a un montón de cerditos colocados debajo de estructuras cada vez más complejas de madera, cristal, piedra y otros materiales, así como un montón de pájaros que tendremos que lanzar con un tirachinas hacia los ya mencionados edificios… para cargarnos a los cerdos (la violencia es de dibujo animado, en absoluto sangrienta).

El pajarito de color rojo sale disparado, formando un arco perfecto. A medida que vamos pasando al siguiente nivel, se irán agregando distintos tipos de pájaro a la munición que tenemos que emplear, incluidos pájaros que arrojan huevos con forma de bomba (o huevos-bomba) o un multi-pájaro que se divide en tres proyectiles distintos al pulsarlo. Los pájaros aparecen en orden; hay que lanzarlos en la disposición en la que están alineados.

El número de niveles es impresionante y se amplía con cierta frecuencia. El jugador recibe puntos por objetivo destruido, así como por el uso de los pájaros como proyectiles. Se conceden puntos extra por los pájaros restantes. Incluso si tiene éxito y consigue liquidar a todos los cerdos, el juego evaluará su actuación con una calificación de entre una y tres estrellas, y un sistema de puntos. Aprenderá que siempre queda sitio para la elegancia, animándole a seguir.

Si deja un solo cerdo vivo en un nivel, no habrá superado la prueba. Y lo que es peor, el cerdito le lanzará una de sus muecas…

Nota: Existen una versión gratuita limitada y una versión de pago, tanto para iPhone como para iPod touch.

RAMP CHAMP

GRATUITA / The Iconfactory

http://itunes.apple.com/es/app/ramp-champ/id317284160?mt=8

Un paseo en constante actualización...

El skee ball es un juego excesivamente anticuado como para tener algún atractivo en la actualidad. Sin embargo, Ramp Champ ha sabido combinar la ingenuidad de hacer rodar una bola para derribar objetos lejanos con la flexibilidad del mundo digital. Cuando se aburra con un diseño o lo haya dominado, puede probar los paquetes de opciones añadidas que le presentarán nuevos retos.

Ramp Champ incluye diversos niveles con temas distintos. En cada uno, comenzaremos a jugar con nueve bolas. Golpeelas para impulsarlas y derribar los objetos. Si es particularmente diestro, puede derribar dos o más objetos a la vez. Un patrón secreto de dos elementos a derribar en cada nivel añade más misterio al juego.

Según mi experiencia, en el paquete Trick or Treat golpear la calabaza repetidas veces en combinación con otros elementos era una de las claves. En este nivel se incluye, además, un invitado: el jefe de Iconfactory, Craig Hockenberry, en forma de vampiro.

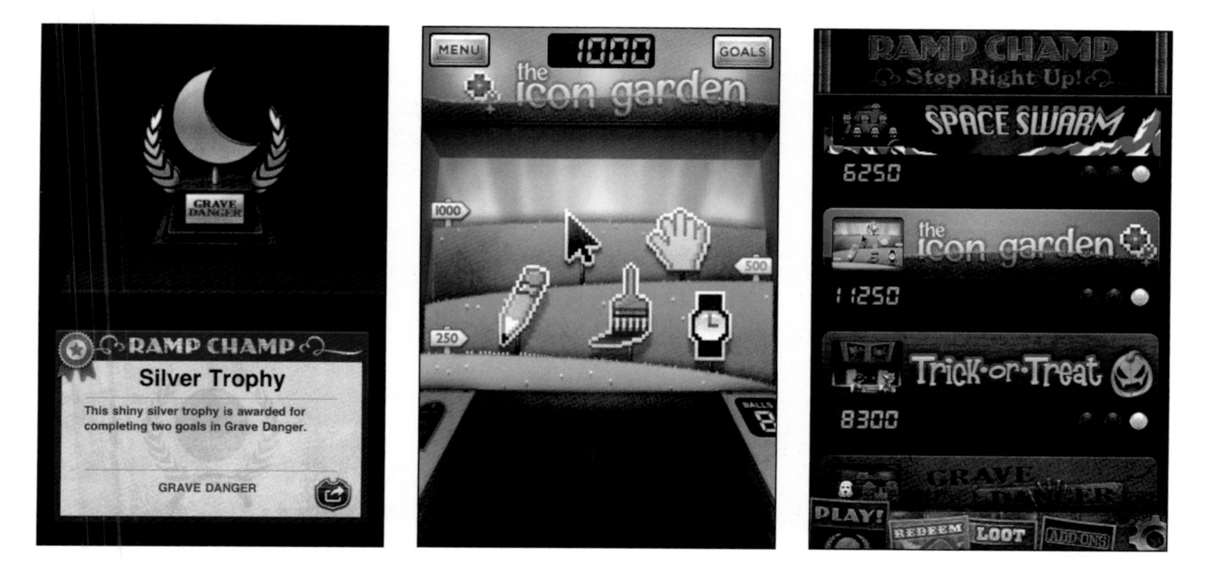

FRUIT NINJA

0,79 € / Halfbrick Studios

`http://itunes.apple.com/es/app/fruit-ninja/id362949845?mt=8`

Parta las frutas por la mitad; cuantas más, mejor

Carmen Miranda estaría en peligro rodeada de un montón de jugadores de Fruit Ninja (que levante la mano quien haya entendido el chiste; de lo contrario, ¡a consultar Wikipedia!).

Esta encantadora aplicación concede puntos en función de nuestra habilidad a la hora de mover el dedo con precisión para cortar frutas por la mitad a medida que van apareciendo en pantalla.

El juego ofrece tres modalidades. La Classic permite jugar hasta que hayamos dejado pasar tres piezas de fruta. Bombs combina frutas con exquisiteces: cárguese una exquisitez, y se acabó el juego.

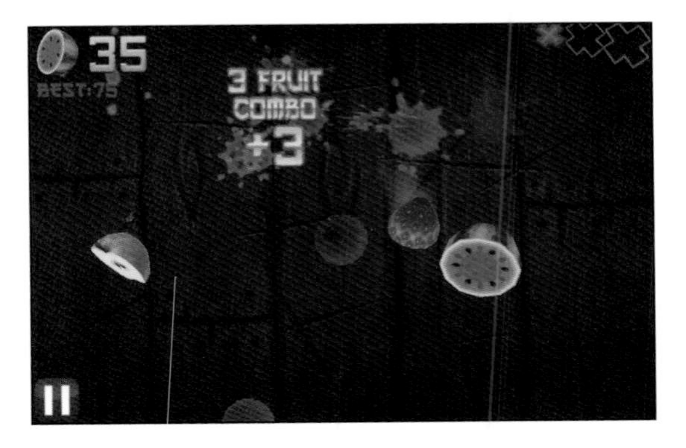

El modo de juego cronometrado para varios jugadores nos permite conectar con nuestros amigos a través de Game Center, o con otros usuarios interesados en el juego. En pantalla se mostrará el color de las frutas que debe partir en dos (blanco o azul). Si parte la fruta equivocada, su oponente conseguirá puntos adicionales.

Las tres modalidades de juego ofrecen puntos extra por partir tres piezas de fruta o más con un solo movimiento.

Cuando haya jugado lo suficiente y ganado el número adecuado de puntos, se añadirán más productos a su macedonia de frutas.

Podrá, además, conseguir armas y fondos distintos a través del enlace Dojo. Para navegar de un menú a otro no puede pulsar la pantalla, debe deslizarse por ella.

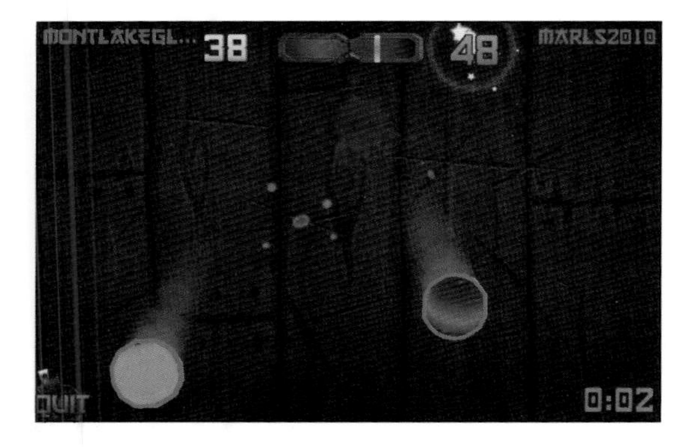

> **Nota:** Existe una versión del juego exclusiva para iPad, Fruit Ninja HD.

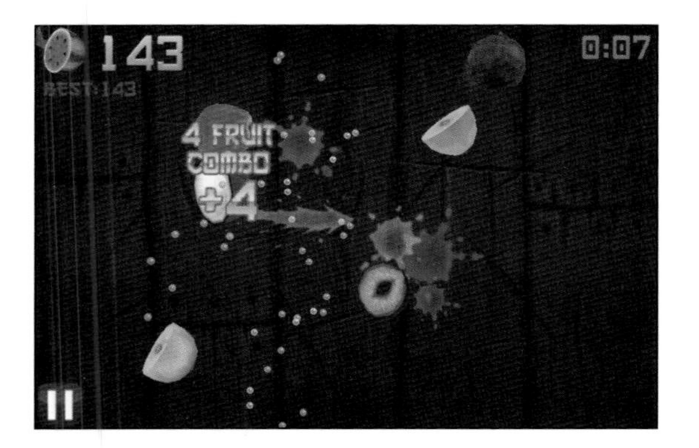

DOODLE BOWLING PRO

GRATUITA / GameResort

`http://itunes.apple.com/es/app/doodle-bowling/id354065959?mt=8`

Piedra, papel, tijera

Doodle Bowling Pro combina el aspecto de una libreta de apuntes con el atractivo de una partida de bolos. El juego sigue las reglas de los bolos: el jugador debe empujar la bola golpeándola con el dedo. Puede dar efecto a la bola desplazándola arriba o abajo mientras está en movimiento. La aplicación puntúa el juego siguiendo las reglas de los bolos americanos.

El nombre del juego (Doodle Bowling) se debe al inglés doodle que significa "garabatear". Sin embargo, algunos de los 14 temas traicionan el nombre y más que un garabateo, presentan

una interfaz repleta de gráficos. No obstante, todos ellos son igual de divertidos y tienen un aspecto muy distinto al de una bolera tradicional, con diseños que van desde la boca del infierno al espacio exterior. Algunos incluyen elementos de animación que pueden resultar desagradables o un reto, dependiendo de su capacidad de concentración.

El tema por defecto de la aplicación es bastante chillón. Para desbloquear los temas restantes es obligatorio jugar varias partidas.

Si bien es cierto que el juego es poco preciso, la verdad es que las leyes físicas que lo gobiernan tienen sentido. La bola interactúa con el callejón y los bolos con la bola (además de entre sí) con realismo y exactitud (es decir, con todo el realismo que cabe suponerle a un garabato con lapicero y gráficos tridimensionales). Conseguir un split 7-10 es tan difícil como en la vida real.

El juego se conecta a Facebook y permite invitar a sus amigos a disputar una partida. Además, puede enviar invitaciones por correo electrónico.

Nota: Existe una versión gratuita con publicidad y gráficos de menor resolución.

REAL RACING

3,99 € / Firemint

http://itunes.apple.com/es/app/real-racing/id318366258?mt=8

Carreras al límite

Ninguno de los juegos disponibles para iPhone me ha disparado la adrenalina como Real Racing. La aplicación es toda una experiencia que obliga al usuario a participar con todo su cuerpo, aun cuando únicamente nos limitemos a girar nuestro dispositivo iOS y, ocasionalmente, a pulsar la pantalla.

Como ocurre con cualquier buen juego de ralis y carreras, el objetivo es claro: ser el más rápido en completar el circuito. Sin embargo, son muchas las opciones que se presentan en nuestro camino a la gloria.

La aplicación permite elegir entre varios modelos de coche. El número de coches disponibles aumenta a medida que el usuario va superando niveles. Cada modelo ofrece una serie de atributos particulares. Puede ajustar el freno asistido al seleccionar el coche para la carrera (cuanto mejor sea, menos posibilidades hay de salirse de la pista, pero como consecuencia la velocidad que puede alcanzar el coche será menor).

Para iniciar el juego deberá completar una fase de clasificación en la que tendrá que dar una vuelta al circuito en un tiempo mínimo. Una vez superada la prueba, pulse el botón Career del menú principal para seleccionar una modalidad de carrera.

Cuanto mejor sea su rendimiento, mayor será el número de circuitos que se irán desbloqueando.

Por defecto, es necesario inclinar el dispositivo para mover el volante y pulsar la pantalla para frenar. La aceleración aumenta automáticamente siempre que no estemos frenando, o que no nos hayamos golpeado contra una pared o cualquier otro obstáculo. No verá ninguna explosión espectacular, simplemente tendrá que volver al circuito. Puede ajustar los controles dependiendo de sus necesidades.

La aplicación simula el día y la noche. Durante las carreras diurnas, el sol entra por el parabrisas.

Real Racing permite al jugador competir con sus amigos a través de una conexión Wi-Fi o de alguna de las muchas ligas online a las que puede unirse.

Nota: Existe una versión gratuita patrocinada por un fabricante de coches, con un único modelo de vehículo.

ORBITAL

2,39 € / Bitforge

http://itunes.apple.com/us/app/orbital/id324012853?mt=8&affId=1833012&ign-mpt=uo%3D4

Un juego aparentemente sencillo que pondrá a prueba sus conocimientos sobre la gravedad

Orbital presupone, con razón, que la gravedad curva el espacio. En la parte inferior de la pantalla aparece una especie de cañón o escopeta. Dispare un rayo de luz. Cuando el haz se detenga, formará una esfera limitada únicamente por otras esferas que hayamos creado con anterioridad, así como por los bordes de las guías.

Al derribar otra esfera con nuestro nuevo cometa, aparecerá una cuenta atrás en medio de la esfera derribada. El número indica las veces que nuestro proyectil debe golpear la esfera antes de que ésta desaparezca en medio de una haz de luz multicolor.

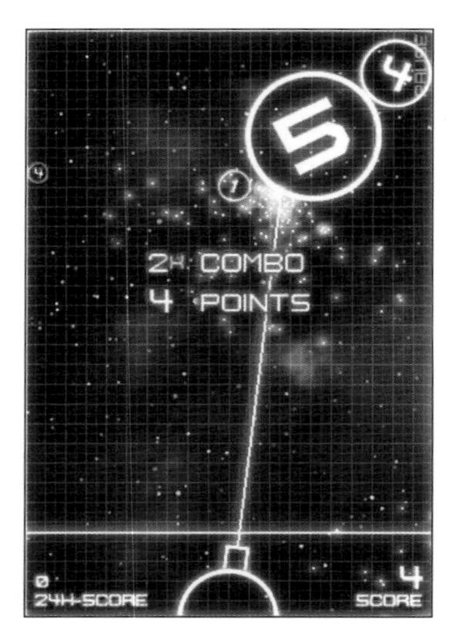

¿Cuál es el reto? Debe evitar que el haz de luz rebote más allá de la línea horizontal que aparece en pantalla; si se desvía un milímetro, el juego termina. La aplicación hace zoom en aquellas situaciones en las que los rayos pueden llegar a cruzarse. Este juego exige una buena dosis de paciencia y capacidad de observación. Le ayudará conocer las reglas del billar.

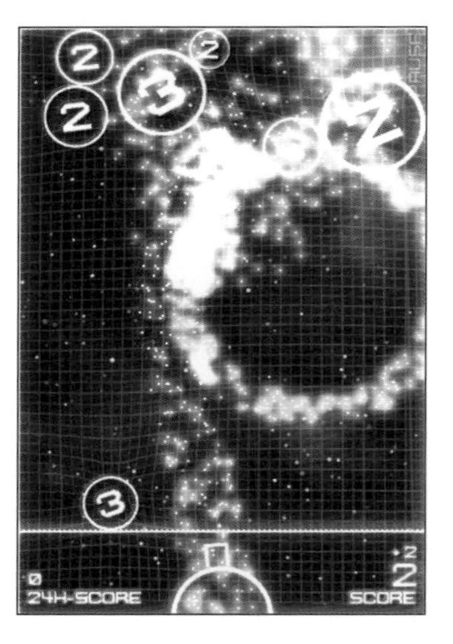

Puede conseguir puntos extra haciendo rebotar los rayos lanzados a gran velocidad y eliminar más de una esfera de un disparo. Compare las puntuaciones en el listado de puntuaciones globales o conéctese a Facebook para compartirlo con sus amigos. Las puntuaciones más altas demuestran una verdadera dedicación al juego.

En Gravity Mode, las guías se distorsionan a medida que vamos añadiendo esferas. La gravedad empuja el proyectil hacia la órbita de los cuerpos existentes, y desvía el disparo. Apunte correctamente para evitar que el rayo rebote en la esfera y eliminarla de un disparo.

Los dos modos adicionales permiten al usuario experimentar con un universo aristotélico: Pure Mode, en el que la gravedad no distorsiona las guías, y Supernova Mode, en el que puede utilizar un rayo láser para apuntar su proyectil.

La modalidad de dos jugadores permite avanzar y retroceder, así como configurar un número determinado de partidas: una, tres o cinco. La versión gratuita únicamente permite jugar en modo gravedad hasta alcanzar los quince puntos.

Nota: Orbital ofrece una versión gratuita y otra para iPad.

PLANTAS CONTRA ZOMBIS

2,39 € / PopCap

`http://itunes.apple.com/es/app/plantas-contra-zombis/id350642635?mt=8`

Es la historia más vieja del mundo: plantas con pistolas que luchan contra seres revividos

¿Por qué no pueden llevarse bien las plantas y los zombis? Me ha pillado. Pero hete aquí que PopCap ha descubierto que plantas y zombis son enemigos por naturaleza.

Plantas contra Zombis es el tipo de juego que provoca cierta perplejidad cuando explicamos su funcionamiento a los no iniciados. La partida se desarrolla sobre un césped, tejado o cualquier otra superficie. Las plantas se sitúan a la izquierda, los zombis a la derecha. De inicio, se nos conceden algunos puntos que irán aumentando a medida que vamos capturando la luz que flota por el cielo a intervalos regulares.

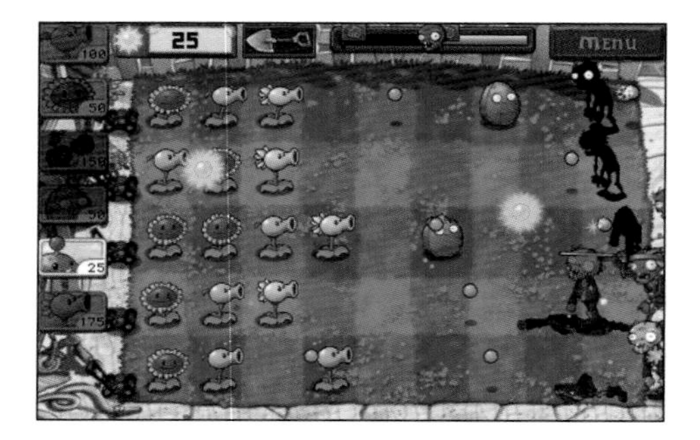

Puede canjear sus puntos por plantas, que se colocarán en el terreno de juego para combatir contra los zombis. Algunas son útiles, como, por ejemplo, el girasol (de vital importancia para recuperar puntos). Para conseguir un mayor número de girasoles que acumulen luz solar, plante un puñado, pero no tantos que deje indefenso su jardín. Algunas plantas disparan guisantes u otro tipo de proyectiles contra los zombis y los derriban gradualmente; otras sólo esperan a ser atacadas. Cuanto más potente sea la función que desempeña una planta (por ejemplo, un puñado de cerezas que actúan como bombas de racimo) más puntos costará adquirirlas. Existen 49 tipos de plantas.

El objetivo del juego es impedir que los zombis alcancen el lado izquierdo de la pantalla. Éstos tienen tantas destrezas como las plantas, y algunos son más inteligentes y tenaces que otros. Los zombis equipados con pértigas pueden saltar por encima de los obstáculos y correr por el campo.

Es un juego tonto (razón por la cual también es divertido), pero contiene un número muy consistente y centrado de elementos. A medida que vaya eliminando las horas de muertos vivientes, irá desplazándose hacia nuevos territorios. PopCap ofrece 50 niveles de actividad, y la versión para iPad ofrece incluso más opciones.

Nota: Existe una versión exclusiva para iPad con funcionalidades añadidas, imágenes de mayor resolución, un minijuego adicional y otras opciones (véase http://itunes.apple.com/es/app/plants-vs.-zombies-hd/id363282253?mt=8).

CHOPPER 2

2,39 € / Majic Jungle Software

http://itunes.apple.com/es/app/chopper-2/id363912842?mt=8

Pilote un helicóptero en misiones de rescate y destrucción inclinando levemente la pantalla para controlar el vuelo

Chopper 2 es el juego más hermoso y sutil de todos cuanto he conocido que guarden relación con la muerte. Los controles son fantásticos y funcionan a la perfección con los diversos sensores con los que están equipados el iPhone, iPod touch o iPad para controlar la velocidad, altura y dirección de un helicóptero.

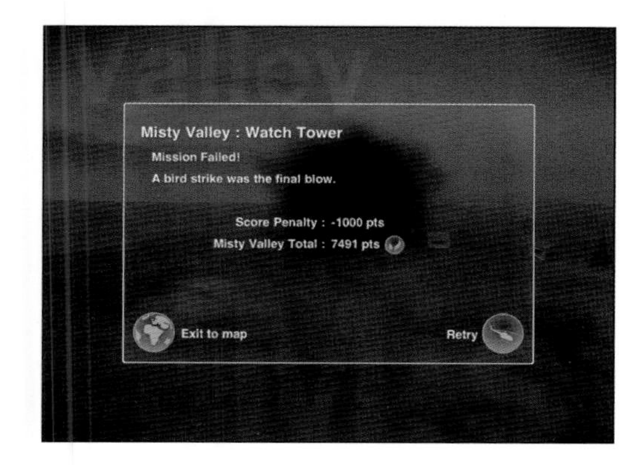

El programa aprovecha el giroscopio incluido en los dispositivos iOS más recientes. La misión consiste en rescatar a civiles, defender a nuestros aliados y matar a las fuerzas enemigas con armas equipadas con miradas láser, así como evitar golpear algún pájaro. Los controles de inclinación son extremadamente sensibles, pero con el tiempo conseguirá controlarlos a la perfección. Al disparar un arma, la acción gana en complejidad; tendrá que mantener la posición del helicóptero mientras apunta y dispara.

Puede jugar en doce localizaciones distintas e ir acumulando puntos. Una excelente banda sonora de 17 minutos de duración lo acompañará en el transcurso de la partida.

Los desarrolladores se han molestado en añadir una funcionalidad muy interesante, siempre que dispongamos de un conjunto adecuado de dos o más dispositivos iOS. Puede utilizar su iPhone o iPod touch como control remoto par un iPad, iPhone 4 o iPod touch de cuarta generación conectados a través de Bluetooth o Wi-Fi. Mejor aún, si dispone de un cable de salida de vídeo para el dispositivo controlado, podrá conectarlo a un televisor o pantalla de ordenador.

Nota: La versión original de Chopper sigue disponible, así como una versión gratuita como niveles limitados y una dificultad baja.

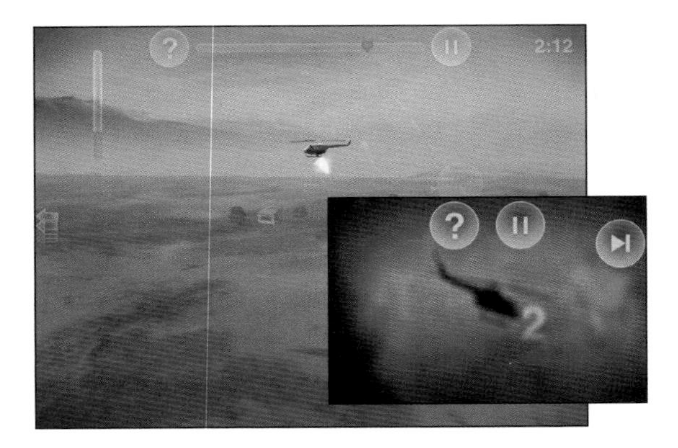

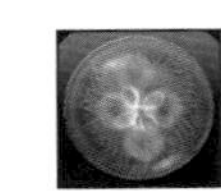

OSMOS HD

3,99 € / Hemisphere Games

`http://itunes.apple.com/us/app/osmos-for-ipad/id379323382?mt=8`

Guíe una célula para liberar fluido y absorber entidades similares

Osmos es un juego sorprendente. No se parece ni se comporta como ningún otro que haya conocido con anterioridad. Es un juego bello a la par que atractivo. Intentaré explicar por qué.

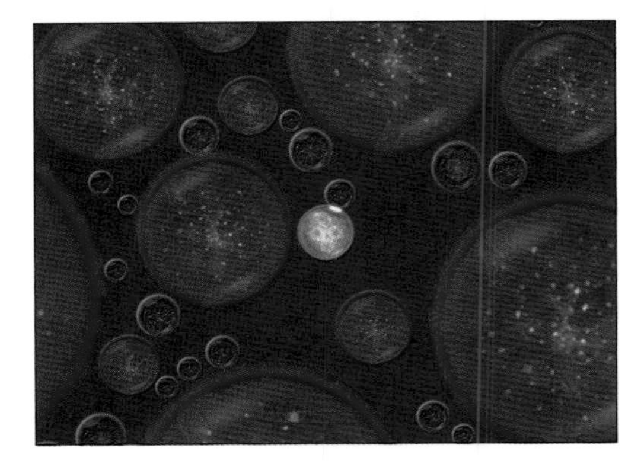

Nuestro avatar en este juego es una célula de color azul con una medusa en medio. Nuestra célula irá creciendo de tamaño al absorber otros objetos celulares de menor tamaño; cuanto más pequeña la célula, más azulada es su tonalidad. Los objetos de mayor tamaño son de color rojo y pueden absorbernos.

Al pulsar en la dirección opuesta al lugar hacia el que queremos dirigir nuestra célula, vamos dejando escapar chorros de fluido. Pero estos chorros hacen que nuestra célula se encoja, haciéndola más susceptible de ser engullida por otras. Existe, así pues, una delgada línea entre la locomoción y la extinción.

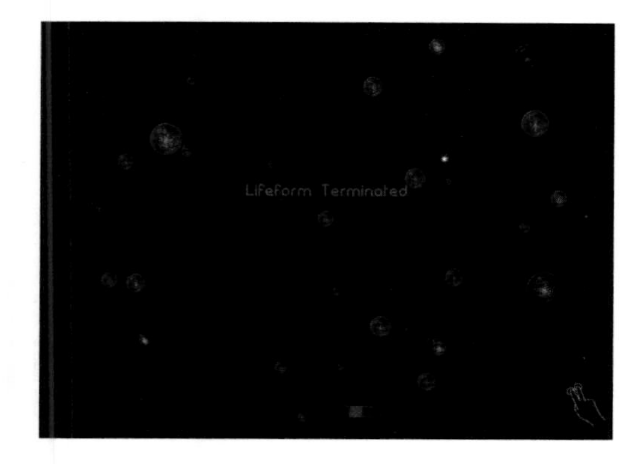

La aplicación presenta además células antimateria, de color verde, que destruyen una cantidad de células rojas o azules iguales a las primeras. A medida que nos vamos acercando, las células repelentes van haciéndonos retroceder.

Las partidas se dividen entre las modalidades Odyssey y Arcade, si bien la diferencia no queda muy clara. Ambas obligan al jugador a alcanzar objetivos concretos.

En la modalidad Odyssey, aparecen niveles con nombres como Nemocyte y Warped Chaos; en la modalidad Arcade se muestra una vista rápida de la posición de salida. Los niveles de esta segunda ofrecen distintos tipos de dificultad crecientes a medida que vamos avanzando. Algunos comienzan en modo estático; en otros, las células se desplazan rápidamente y rebotan desde el inicio. Además, el jugador puede hacer que el tiempo discurra con más o menos rapidez.

Es difícil hacer justicia a la naturaleza tan peculiar y la belleza de esta aplicación, que se transmite en ese toque de inefabilidad que fluye incluso mientras jugamos.

Nota: Osmos está disponible en versiones para iPhone y iPod touch.

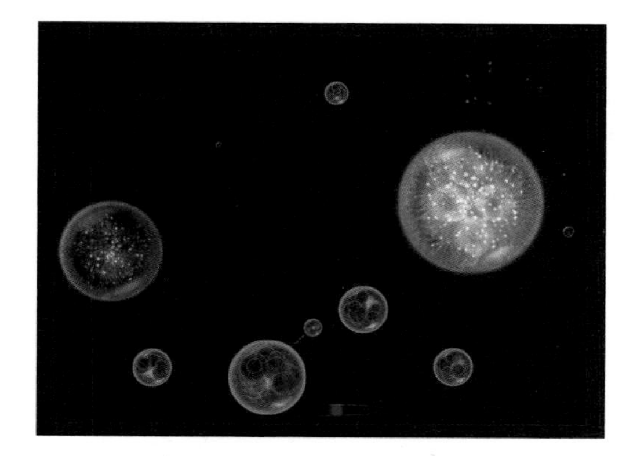

DOODLE JUMP

0,79 € / Lima Sky

http://itunes.apple.com/es/app/doodle-jump-cuidado-extremadamente/id307727765?mt=8

Uno de los juegos más populares del mundo: fácil de disfrutar, difícil de manejar

La extraña criatura sin brazos con boca atrompetada que representa a nuestro avatar en Doodle Jump va saltando de una plataforma a otra sobre un fondo con diseño de hoja de cuaderno (con algún que otro agujero) a medida que inclinamos el dispositivo a izquierda o derecha. Si se salta una plataforma caerá al abismo. El juego es una bobada, pero es encantador. Pese a todo, no carece de cierta sofisticación.

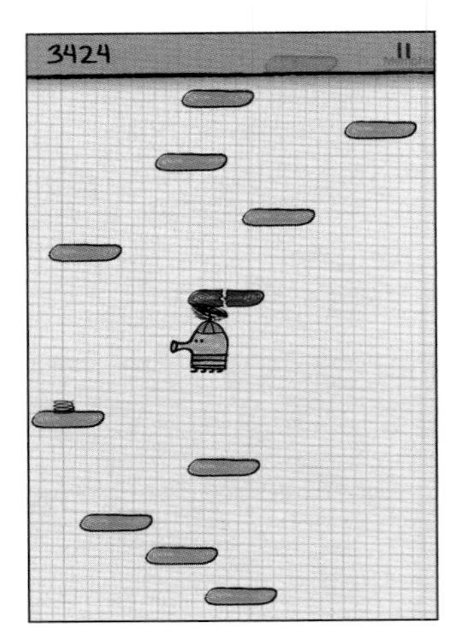

Según vamos subiendo, nos encontramos con mejoras y obstáculos, yaparecen aleatoriamente monstruos que emiten gruñidos extraños. Pulse en la dirección de la bestia para disparar con su boca atrompetada hacia arriba. También puede ignorarlos, pero ¡cuidado! No aterrice sobre uno de estos monstruos.

Por lo general, las plataformas son estables, aunque algunas se mueven adelante y atrás; otras están hechas de un material que se deshace al saltar sobre ellas, y un tercer grupo desaparece. Para ayudarnos en nuestro ascenso, existen diferentes regalos dispuestos sobre las plataformas. Salte sobre las que tienen regalo para ganar un trampolín, un equipo de propulsión, campos de fuerza y otras opciones.

A medida que vaya saltando, observará distintos nombres y líneas en la parte derecha de la pantalla que indican las puntuaciones de otros usuarios. Puede conectarse a Facebook y ver la puntuación de sus amigos, o retarlos a través del correo electrónico.

Truco: En el menú principal desplácese hacia la izquierda en la parte inferior de la pantalla (cerca de la etiqueta News) para modificar el tema del juego. Existen varios temas disponibles, desde uno navideño hasta otro del espacio exterior.

CANABALT

2,39 € / Semi Secret Software

`http://itunes.apple.com/es/app/canabalt/id333180061?mt=8`

Salte, o caerá. ¡Cuidado con las cajas y las explosiones!

Canabalt recuerda a los grandes videojuegos de ocho bits de la era Atari, pero con la velocidad y los controles del iPhone. Canabalt exige una concentración ininterrumpida; no es un juego que invite a la superficialidad.

Best Runs On Earth

1.	Jskinner82	103285m
2.	Superswede	82750m
3.	seivan	58080m
4.	Sky high	54758m
5.	Piesplanos	54612m
6.	seivan	50744m
7.	seivan	50595m
8.	Piesplanos	50580m
9.	seivan	50048m
10.	Pomky	49636m

No podrá despegarse ni un instante del hombrecillo al que controla. Deberá cronometrar sus saltos para saltar de un edificio a otro y evitar los cráteres o ser aplastado por todo tipo de objetos que caen desde aviones en movimiento. Además, los edificios pueden derrumbarse de un momento a otro. En ocasiones, se verá obligado a saltar a través de una ventana para alcanzar una planta del edificio.

El juego no ofrece muchas posibilidades de control, pero puede decirse que el tiempo que mantenga su dedo en pantalla equivale aproximadamente al arco que traza la trayectoria del salto. ¿Necesita un respiro? Pulse el botón de Pausa.

La aplicación hace que su teléfono o dispositivo vibre a veces, simulando una alerta que avisa de la llegada de aviones o cohetes.

Podrá cambiar la música de fondo, lo cual es una buena opción puesto que puede llegar a ser muy repetitiva. Pulse en la esquina superior derecha de la pantalla principal para ver las tres opciones disponibles. Es recomendable utilizar auriculares o, de lo contrario, volverá locos a sus vecinos.

En este juego es muy pero que muy fácil morir, lo cual hace que las puntuaciones altas tengan aún más mérito.¿103.285 metros? Estamos hablando de una puntuación que bien podría equivaler a un par de días de partida, con las oportunas pausas para descansar entre carrera y carrera.

Al final, nuestro hombrecillo muere. ¿No será una metáfora de la vida en sí? La puntuación no se basa más que en el número de metros que hemos podido avanzar antes de que todo acabe.

Podría argumentarse que los videojuegos pioneros fueron juegos de este estilo. No todos, sin embargo, obligaban a saltar (Mario es un buen ejemplo). Pero la idea de moverse siempre hacia arriba siempre ha estado presente en el mundo de los videojuegos.

Canabalt ha reducido todos esos elementos del juego a su esencia más básica, llevándolos mucho más allá de lo que ocurría en los antiguos videojuegos. En Canabalt saltamos y corremos, pero sobre todo lo segundo. Un pequeño error... y adiós. La puntuación no mide puntos, sino nuestra persistencia. El propósito de todos estos juegos es evidente, a la par que sutil.

Nota: Existe una versión disponible para iPad.

FIELDRUNNERS

2,39 € / Subatomic Studios

http://itunes.apple.com/es/app/fieldrunners/id292421271?mt=8

Mate marcianitos con su arsenal de armas antes de que consigan ponerse a salvo

Fieldrunners podría considerarse un peculiar ejemplo de ingeniería financiera, a pesar de su naturaleza militar. El escenario del juego tiene por objeto acumular un número de armas cada vez mayor en las posiciones correctas para disparar sobre oleadas crecientes de hombres y vehículos cada vez más resistentes. Cuando haya colocado sus armas, podrá actualizarlas.

Si veinte elementos del enemigo consiguen cruzar la línea de fuego, perderá la partida. Cada ronda incluye cien oleadas de enemigos. Si logra superar una ronda, pasará al siguiente nivel. La aplicación permite ajustar el grado de dificultad.

Recibirá puntos en forma de dólares por cada tipo o vehículo del que consiga deshacerse. Con este dinero puede comprar armas o actualizar las que posee, hasta haber adquirido la versión definitiva del arma en cuestión.

Cuanto más cara sea el arma, mayor será su potencial destructivo. Seleccione la combinación adecuada de disparo y descarga para acabar con la carnicería. Puede intercambiar sus armas (por mucho menos dinero) si quiere redesplegar sus fuerzas.

GEODEFENSE SWARM

1,59 € / Critical Thought

http://itunes.apple.com/es/app/geodefense-swarm/id326563285?mt=8

¡Defienda sus colmenas espaciales!

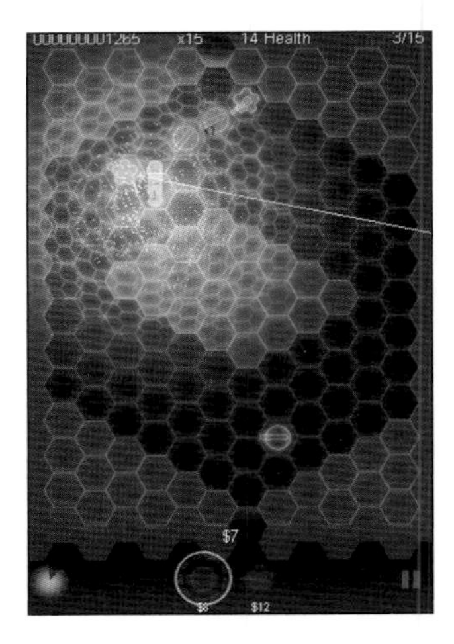

Un batallón de criaturas extrañas repta por la superficie de celdas hexagonales. Tendrá que colocar y actualizar su armamento para ralentizar su avance y destruir las formas geométricas que intentan alcanzar la salida.

Nota: Fieldrunners está disponible para iPad; geoDefense Swarm es la sucesora de geoDefense, de pago y gratis.

6. Juegos de estrategia

¡Jaque mate! Los juegos de estrategia que presentamos en este capítulo le obligarán a pensar dos veces antes de realizar un movimiento. La estrategia adopta mil y un disfraces: anticuado, clásico, trivial, desconcertante… Adéntrese en el misterio de la vida.

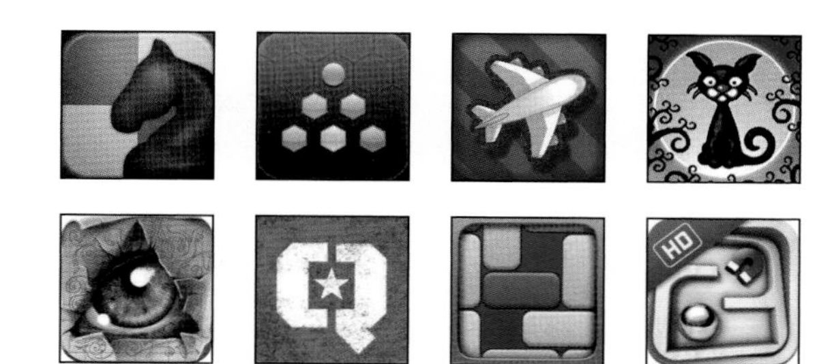

DEEP GREEN AJEDREZ

5,99 € / Cocoa Stuff

http://itunes.apple.com/es/app/deep-green-ajedrez/id299471086?mt=8

Un entretenido juego de ajedrez frente a un adversario despiadado

Mi adversario me hizo papilla a las primeras de cambio; mi falta de experiencia reciente en el juego del ajedrez se hizo patente. Ahora, tenemos a nuestro alcance la potencia antaño reservada a los ordenadores de mesa a la hora de realizar análisis complejos.

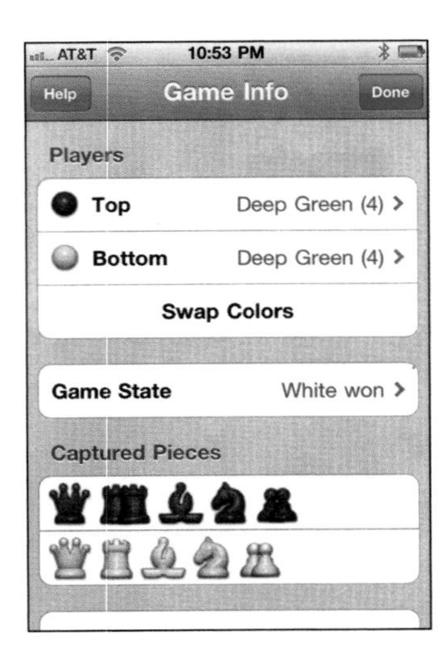

Deep Green es capaz de disputar una partida sin necesidad de programar ninguna función especial. Nuestras fichas son las blancas; haga un movimiento y el ordenador responde. Pulse una pieza y, a continuación, pulse la casilla de destino, o bien arrástrela hasta su posición final. El juego es muy intuitivo.

Debajo del tablero verá cinco botones: Partida nueva (tendrá que aceptar la derrota si está jugando una partida), Deshacer un movimiento (suyo o de su adversario),

Repetir el último movimiento, Sugerir un movimiento y Ver los ajustes de configuración.

Pulse el botón i para modificar las opciones del juego. Podrá jugar una partida contra otra persona o hacer que dos máquinas se enfrenten entre sí. La lógica del ordenador puede ajustarse limitando o ampliando el tiempo de un segundo a treinta por movimiento. Existen, además, tres niveles adicionales de un segundo en los que el ordenador ve limitado el número de movimientos que puede realizar.

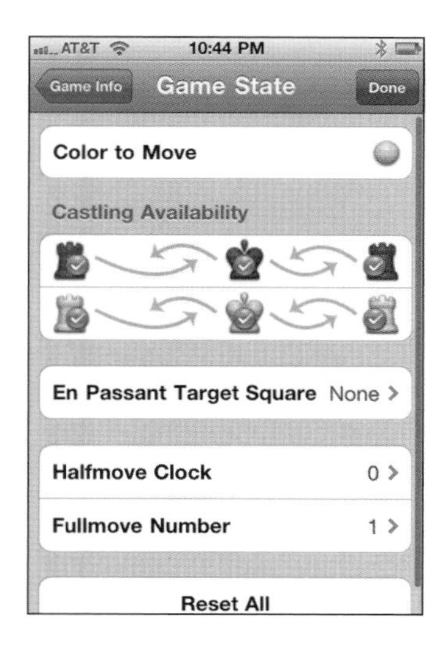

Para jugadores avanzados, las opciones de configuración permiten colocar las piezas sobre el tablero en las posiciones de inicio, o bien observar una partida conocida y plasmada en un libro o periódico. Además, se permite modificar las reglas del enroque. Podrá reproducir cada partida paso a paso al final de la misma. Únicamente se echan en falta dos aspectos: la posibilidad de jugar partidas simultáneas con varios tableros activos y la de almacenar las partidas para su posterior análisis.

Deep Green Ajedrez hunde sus raíces en la línea original de Apple Newton.

Nota: Existe una versión gratuita disponible en la que las partidas no se reanudan en el punto en el que se hayan abandonado.

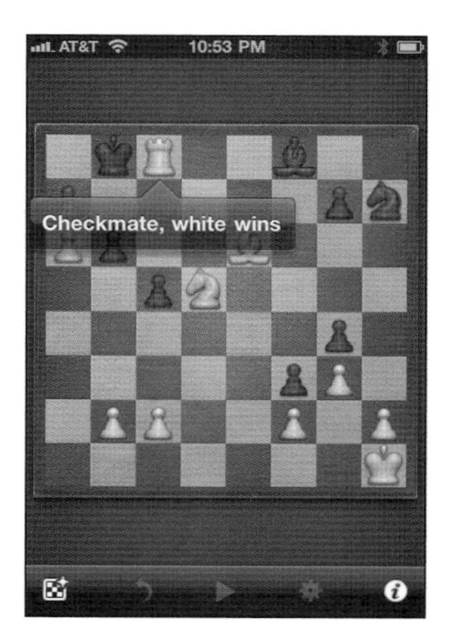

STRATEGERY

1,59 € / Affogato

http://itunes.apple.com/app/strategery/id298908505?mt=8

Un juego de dados, digitalizado a la perfección, de lucha por el territorio

Los juegos más atractivos surgen, en ocasiones, gracias a la imposición de reglas extremadamente sencillas. Es el caso de Strategery, nombre tomado de una parodia de George W. Bush a cargo del humorista Will Ferrell.

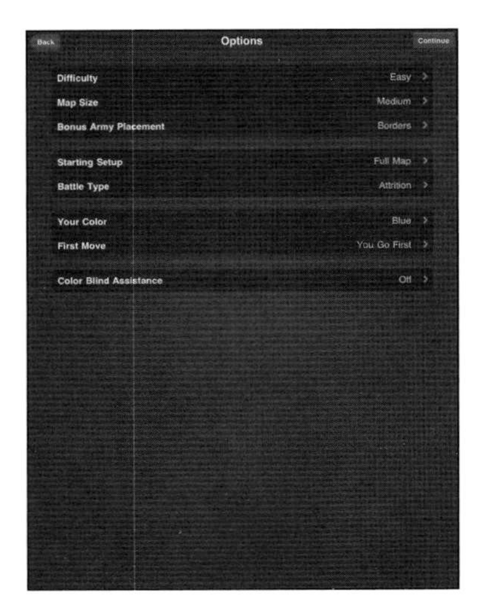

Strategery enfrenta al jugador con competidores empeñados en la construcción de su propio imperio, cada uno con un territorio de diferente tamaño erigido a partir de figuras hexagonales de aspecto irregular.

Para conseguir más tierra, deberá retar a los propietarios del territorio vecino. Quien obtenga el mayor resultado en una tirada de dados conseguirá el territorio en cuestión. A medida que el jugador va apropiándose de más territorios, irá adquiriendo dados (o ejércitos) basándose en los territorios continuos al propio.

La posesión de un mayor número de dados facilita el combate contra los competidores, pero no garantiza la victoria. Además, en ocasiones no interesa realizar una tirada, puesto que necesitará ese mismo dado para una operación defensiva en la siguiente tirada, razón por la cual es conveniente mantener dados en la reserva.

La partida puede configurarse en varios niveles de complejidad, desde el más sencillo hasta el extremadamente complejo. Además, pueden organizarse partidas en línea entre varios jugadores (con notificaciones que anuncian las actualizaciones de estado) o en el mismo espacio físico mediante turnos.

Una vez finalizada la partida, puede volver a jugar en el mismo terreno (para aprender de sus errores) o ver una reproducción de la partida y revivir su agonía.

Affogato mantiene su propio sistema de registro. El jugador debe configurar una cuenta personal asociada a una dirección de correo (no visible) y un nombre de usuario. Puede retar a otros jugadores, de entre sus contactos, para jugar una partida, escribiendo su nombre de usuario o bien solicitando que la aplicación le asigne un contrincante aleatorio entre los usuarios de Strategery que haya realizado una solicitud.

Nota: Existe una versión gratuita disponible con funciones de juego básicas, que omite algunas funciones personalizadas y la posibilidad de jugar partidas en línea con otros jugadores.

FLIGHTCONTROL

0,79 € / Firemint

`http://itunes.apple.com/es/app/flight-control/id306220440?mt=8`

Conviértase en controlador aéreo

Recuerdo haber jugado de niño a ser controlador aéreo en programas que utilizaban imágenes similares a las de una terminal y con rótulos bastante rudimentarios que se asemejaban a una pantalla. Teniendo en cuenta lo primitivo que era este tipo de hardware, la experiencia era bastante parecida a lo que deben hacer hoy en día los controladores de verdad… e igualmente estresante.

FlightControl nos permite sumergirnos en el mundo del control aéreo sin las complicaciones propias de los gráficos, los números o cualquier otro tipo de datos. Los aviones y otros vehículos aéreos aparecen por un lado de la pantalla. Antes de que surjan, se nos avisa de su presencia a través de una exclamación dentro de un círculo rojo. Su trabajo consiste en despejar la ruta que tendrá que seguir el avión o el helicóptero hasta la pista de aterrizaje designada, que se iluminará a medida que el avión se vaya acercando y nos desplacemos por ella. La ruta trazada debe permitir al aparato surcar el aire al tiempo que mantiene una distancia mínima de separación respecto del tráfico aéreo restante.

El juego incluye cinco diseños de aeropuerto distintos y diez clases de aeronave. Los desarrolladores han prometido ampliar su oferta. Además, podrá conectar los aviones en tierra con sus amigos a través de una conexión Wi-Fi o Bluetooth, ganar premios y compartir sus resultados a través de Game Center. Siempre que permita compartir su ubicación, se mostrarán sus resultados en pantalla. Algunos niveles presentan una dificultad mayor que otros, pero no están señalados como tal en la versión para iPhone. En mi caso, no dejo de estrellar aviones en la versión de aterrizaje en un portaaviones.

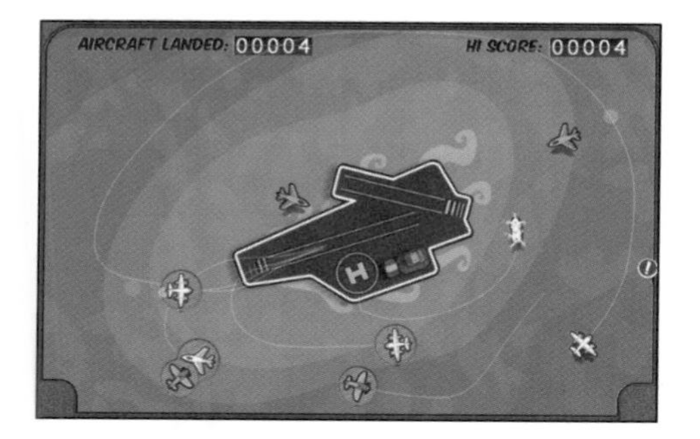

Nota: Existe una versión para iPad (FlightControl HD) de pago (véase http://itunes.apple.com/es/app/flight-control-hd/id363727129?mt=8, disponible por 3,99 €). Esta versión distingue los niveles según su dificultad.

CAT PHYSICS

0,79 € / Donut Games

http://itunes.apple.com/es/app/cat-physics/id373342398?mt=8

Dos gatos, una bola y las leyes de la física

Cat Physics combina dos cosas que todo el mundo adora: los gatos... ¡y la ciencia! Bueno, vale: no a todos nos encantan las ciencias (ni los gatos), pero si le interesan las trayectorias y la balística, y, además, disfruta con estos gatitos, el juego tiene cierto atractivo.

La premisa inicial es que dos gatos que viven en una especie de cueva intentan pasarse una pelota del uno al otro a través en una distancia lo más corta posible. En algunos niveles hay más de dos gatos, además de paisajes distintos en el exterior.

Los gatos suelen mostrarse separados por abismos, salientes, precipicios y otro tipo de obstáculos. Tras superar una serie de flechas dispersas por la pantalla, la bola se impulsa en la dirección indicada.

Existen diversos controles de manipulación, como, por ejemplo, un control para activar un trampolín. Algunos obstáculos son de cristal. Existen dos tipos de rotor distintos que redirigen la acción cuando una bola cae sobre ellos.

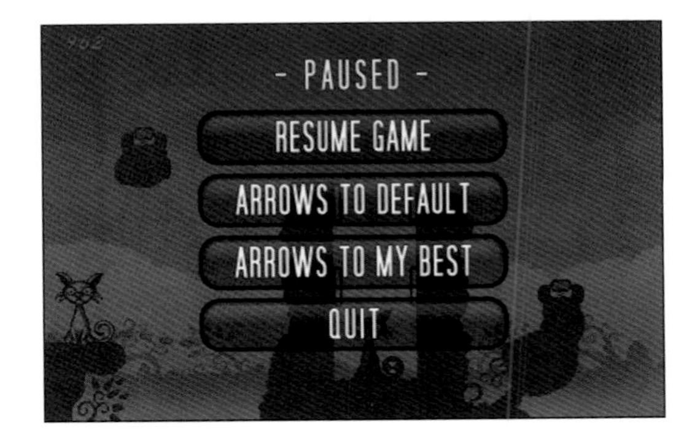

Uno de los retos particularmente interesantes del juego tiene que ver con un conjunto de paredes ondulantes. En estos niveles, el control del tiempo es clave.

El juego ofrece cincuenta niveles distintos. La puntuación se basa en la eficacia de la ruta trazada comparada con la ruta óptima, conocida únicamente por el programador. Se puntúa de una a tres estrellas y puede volver a jugar en un mismo nivel, reconfigurando las flechas y otros componentes del juego.

DOODLE GOD

0,79 € / JoyBits

http://itunes.apple.com/es/app/doodle-god/id376374689?mt=8

Combine elementos básicos para formar objetos cada vez más complejos

Antes de la formulación del método científico moderno, muchas culturas creían que todas las cosas materiales estaban compuestas por proporciones diversas de los cuatro elementos (tierra, agua, fuego y aire, a los que ocasionalmente se añadía el éter). Doodle God aprovecha esta historia cultural y nos ofrece la posibilidad de mezclar estos elementos para crear hasta 196 organismos.

El juego comienza con mezclas muy básicas. La mezcla de fuego y agua se convierte en lava. La de arena y tierra, en arcilla, y, así, sucesivamente. Muy pronto, no obstante, se alcanzan patrones realmente interesantes, como, por ejemplo, la mezcla de vida (Life) y pantano (Swamp) para obtener un ser vivo.

También pueden crearse con facilidad criaturas míticas. En mi caso, he llegado a mezclar fuego con un pájaro, con el resultado de un ave fénix; la arcilla mezclada con vida dio como resultado un golem.

En realidad, no existe un reino natural como tal; algunas combinaciones resultan muy extrañas. Afortunadamente, existe un botón con forma de bombilla en la parte inferior que nos ofrece consejo para llegar a una conclusión acertada. En cierta ocasión, me quedé atascado, hasta que descubrí que podía hacer café (semillas más energía).

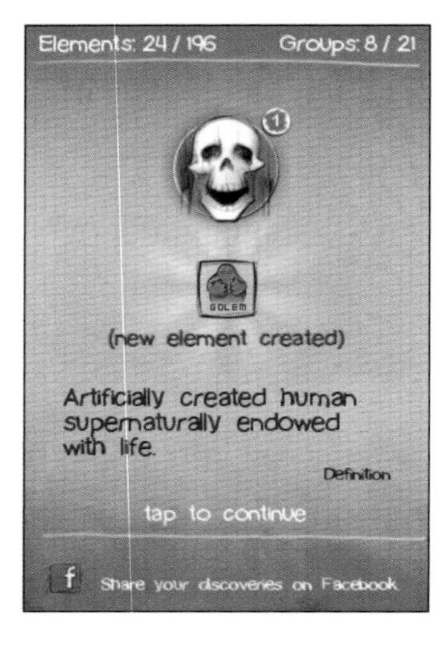

Las dos bombillas muestran las dos categorías que podrían contener elementos susceptibles de ser combinados. Una vez haya recibido una pista, tendrá que esperar varios minutos hasta poder recibir la siguiente.

Puede repasar el listado de combinaciones con las que haya conseguido nuevos elementos. Si está conectado a Facebook, pulse sobre una de las filas y posteriormente la f de Facebook para subir la receta a su muro.

Truco: No comparta todas sus recetas con sus amigos si son jugadores de Doodle God. ¡Podrían pensar que les está fastidiando el juego!

QRANK

GRATUITA / Ricochet Labs

http://itunes.apple.com/us/app/qrank-your-social-trivia-addiction/id359767161?l=es&mt=8

Responda a preguntas y compita con el resto del mundo

Qrank es el concurso de preguntas de mayor difusión a escala global. Con un nuevo cuestionario cada día, Qrank le formularán quince preguntas escogidas de un conjunto de veinte. A lo largo del juego se ocultan premios dobles y triples. Las preguntas se dividen en fáciles, moderadas y difíciles.

Estas últimas reciben el mayor número de puntos. Todas ellas se extraen de una categoría como historia o arte, y espectáculos.

Puede utilizar la lupa para ver las categorías de una fila determinada; además, verá los premios dobles y triples de las filas seleccionadas. A medida que vaya respondiendo preguntas, verá su puntuación comparada con la de otros jugadores que estén jugando simultáneamente en todo el mundo. Las cuestiones son de rabiosa actualidad; algunas están basadas en noticias de dos horas de antigüedad.

Una vez concluido el cuestionario, se mostrarán su ciudad, provincia, país y clasificación global (en mi caso he llegado a aparecer en el puesto 3.300 entre más de 6000 jugadores repartidos por todo el mundo).

Se ganan premios por acertar y jugar con rapidez y frecuencia. Puede compartir sus premios a través de Facebook y Twitter.

El juego permite al usuario crear concursos de preguntas improvisados en ubicaciones predefinidas en el mapa. Además, puede señalar un bar o un restaurante como punto de reunión.

Para iniciar un juego en el mundo real, se exige la presencia de un mínimo de cinco jugadores.

Truco: ¿Sabía que China es el mayor exportador mundial de tungsteno?

BLUE BLOCK

0,79 € / Aragosoft

http://itunes.apple.com/es/app/blue-block/id317287535?mt=8

Desplace las barras y deje escapar al dragón

Vaya desplazando las barras una a una. Verá un dragón atrapado. Observe el patrón que forman las barras para desentrañar la clave de cómo un movimiento conduce a otro y, así, sucesivamente. Es un juego enloquecedor y fascinante que le atrapará.

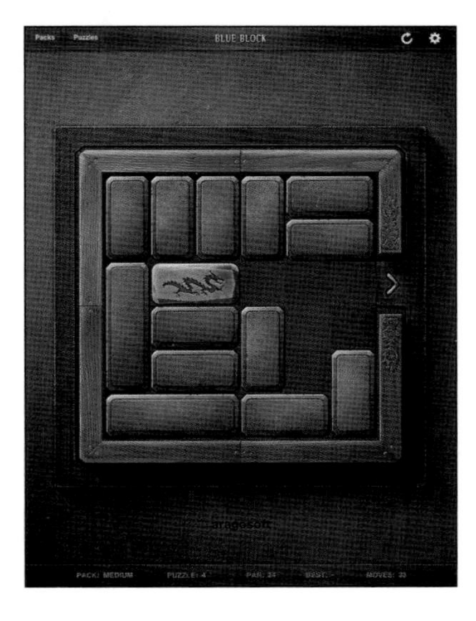

Blue Block es un juego especial con una única regla y un único objetivo. Los bloques, compuestos por entre una y cinco unidades en una superficie de 6×6, pueden deslizarse únicamente en la dirección equivalente a su lado más largo: izquierda y derecha, o arriba y abajo, y sólo uno por turno, incluso si hay dos bloques que pudieran moverse en la misma dirección.

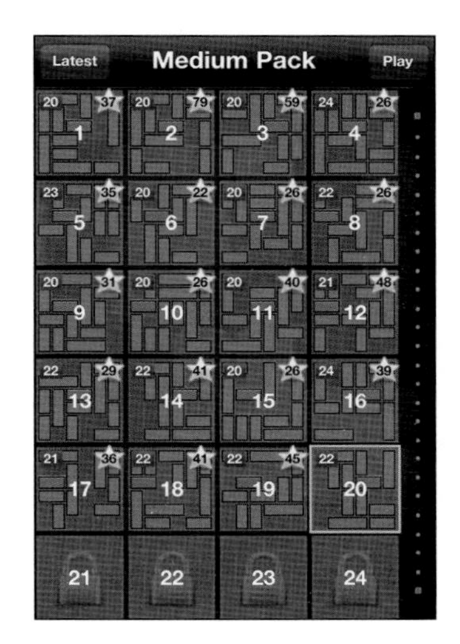

Al desplazar los bloques lo suficiente, se libera la casilla del dragón, que queda libre para escapar.

Dependiendo de la versión que utilice (gratuita o de pago), Blue Block ofrece miles o decenas de miles de puzles que podrá desbloquear. Tras haber desbloqueado uno, puede volver a jugar para mejorar el número de movimientos necesarios para resolverlo.

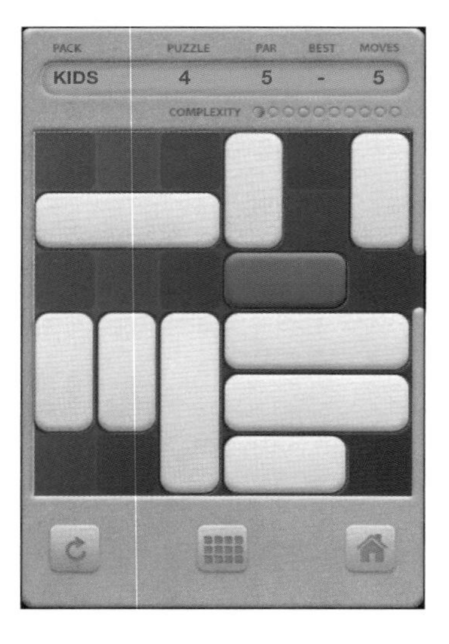

Existe una versión para iPad con gráficos realmente extraordinarios. Afortunadamente para mí (y para usted) es posible seleccionar un nivel de dificultad, desde el nivel infantil (Kids) hasta el nivel de experto (Expert) o el nivel para volverse loco (Crazy). Lo de mantener la cordura no es ninguna broma...

Existe un sucesor de Blue Block llamado Blue Block Double (en versión de pago, `http://itunes.apple.com/es/app/blue-block-double/id324699397?mt=8` disponible por 0,79 €), en el que el objetivo es liberar dos dragones, en lugar de uno.

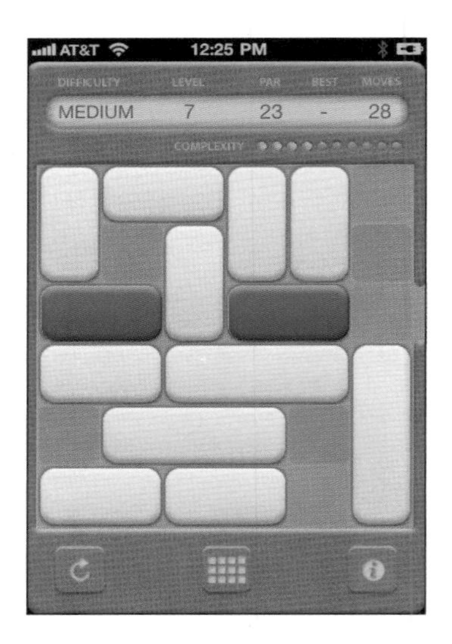

Nota: Existen diferentes versiones del juego, tanto la original como la de dos bloques, incluidas las versiones gratuitas. Estas últimas ofrecen un número sustancialmente menor de puzles para resolver.

LABYRINTH 2 HD

5,99 € / Illusion Labs

`http://itunes.apple.com/es/app/labyrinth-2-hd/id307758975?mt=8`

Un antiguo juego de madera actualizado con petacos de pinball, cañones, y más…

Labyrinth 2 HD es, posiblemente, la apoteosis de los juegos de inclinación y equilibro que imitan a los antiguos laberintos de madera a través de los cuales el jugador debía guiar una bola con cierta maña.

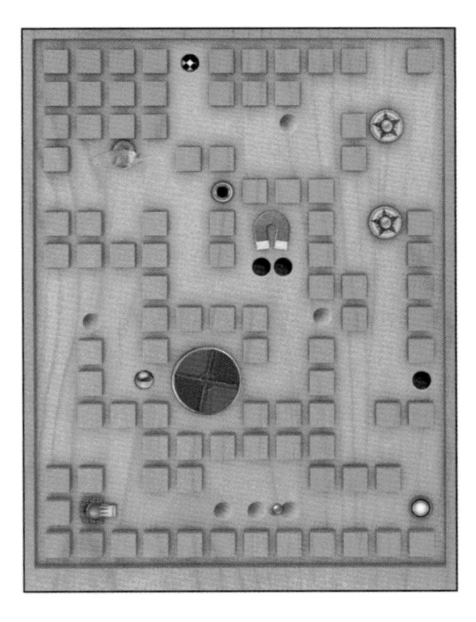

La ventaja del mundo digital es que ahora tenemos a nuestro alcance miles de diseños diferentes, una variedad que ningún juego de madera podría ofrecernos en el mundo real. En la versión digital se incluye un botón que, al ser cruzado por la bola virtual, divide a ésta en dos bolas de menor tamaño. Dispersos a lo largo del tablero hay otros elementos, tales como imanes, ventiladores o pestillos que impiden el paso.

El juego también incluye cañones, algunos de los cuales disparan bolas que destruyen las metálicas, mientras otros realizan disparos que actúan como elementos que tendremos que evitar, o que rebotan por el tablero.

Si el gran número de niveles existentes no le resulta lo suficientemente interesante, Illusion Labs ofrece un editor de niveles en línea para iPhone/iPod touch e iPad que podrá utilizar para crear y guardar sus propios niveles.

Labyrinth 2 HD ofrece soporte para juegos de 2 jugadores o más a través de una conexión Wi-Fi y Bluetooth. Pueden competir hasta cuatro jugadores.

LABYRINTH

2,39 € / Codify

http://itunes.apple.com/es/app/labyrinth/id284571899?mt=8

Una representación realista en madera

Para aquellos usuarios que prefieran el clásico juego de madera sin aditivos, Labyrinth ofrece esta versión. Se trata de una animación 3D que reproduce exactamente el juego de madera original con su inclinación correspondiente. Puede desactivar esta opción si le distrae.

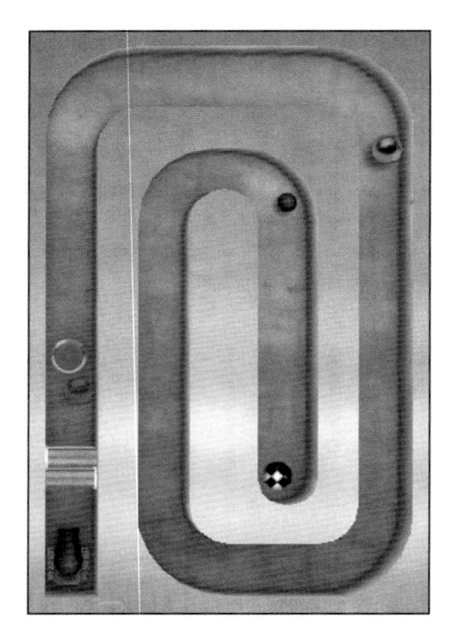

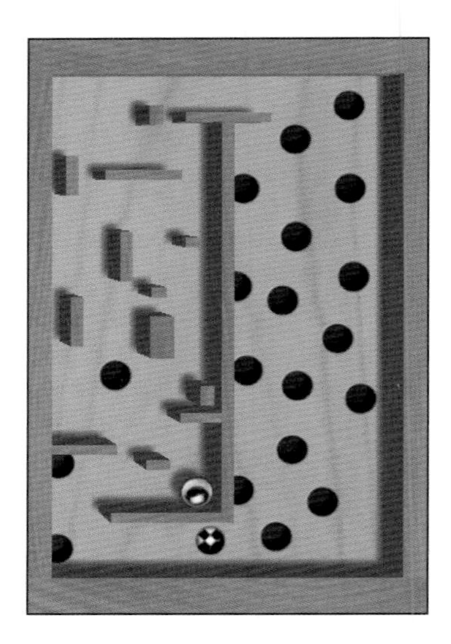

El juego incluye más de mil niveles, pero puede crear otros personalizados gracias al editor Web. Introduzca el código de su teléfono y empiece a elaborar niveles propios que podrá descargar. Existe, además, una versión gratuita con diez niveles de juego.

Nota: Labyrinth 2 ofrece dos versiones adicionales para iPhone e iPod touch (la gratuita y la de pago), así como una versión gratuita para iPad.

7. Juegos de palabras

¿Palabra de seis letras para designar una antigua vasija griega? Ánfora. ¿Palabra de once letras que significa "perteneciente o relativo al azar"? Estocástico. Si ha acertado las respuestas, este capítulo le resultará ciertamente interesante. Ponga a prueba sus conocimientos lingüísticos para enfrentarse a los retos que plantean estos juegos de palabras o responder correctamente a una serie de preguntas.

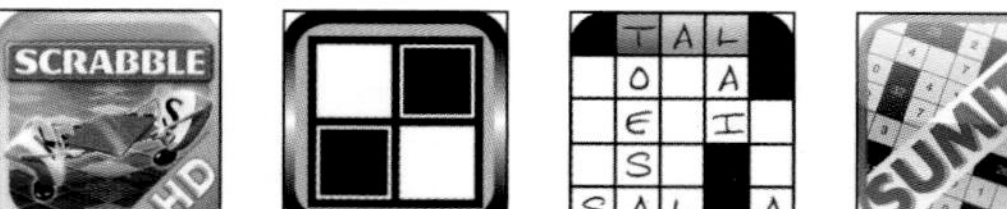

SCRABBLE PARA IPAD

5,49 € / Electronic Arts

http://itunes.apple.com/es/app/scrabble-para-ipad/id371808484?mt=8

Un clásico de los juegos de mesa con extras fantásticos, exclusivos del mundo virtual

Scrabble ya no es único en su especie; hace tiempo que compite con otros juegos (tanto de sobremesa como digitales), pese a lo cual sigue siendo todo un clásico. La versión de Scrabble para iPad ha conseguido adaptar con éxito el juego al mundo virtual.

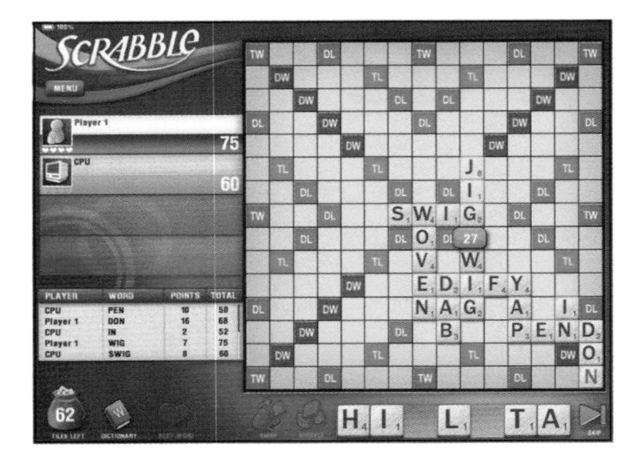

Podrá seleccionar diversas variantes del juego, ya sea para una partida en el mismo espacio físico o contra otros rivales a través de Internet. El modo "pasar y jugar" permite entregar el dispositivo iOS a sus contrincantes para ir jugando por turnos, al tiempo que su hilera de letras se mantiene oculta.

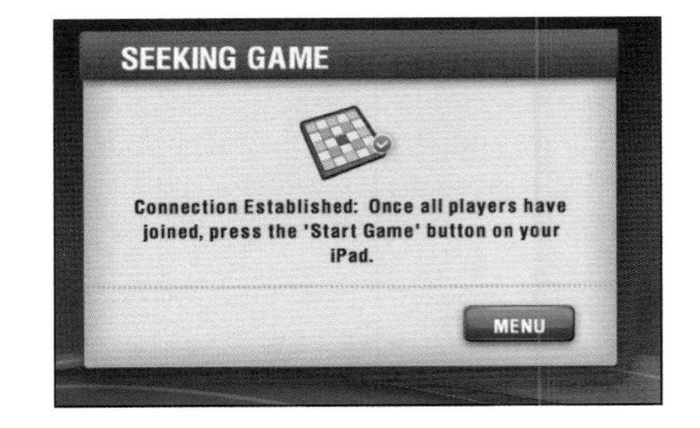

La aplicación nos permite conectar con nuestros amigos de Facebook una vez iniciada la sesión en dicho servicio. Además, puede unirse a partidas conjuntas con otros usuarios de Facebook que busquen contrincantes.

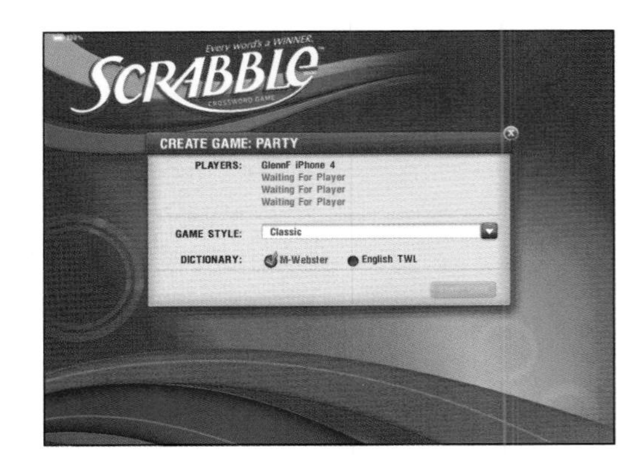

La aplicación Tile Rack, que debe adquirirse por separado como descarga gratuita para iPhone o iPod touch, permite colocar un iPad en medio como tablero de juego, utilizando los dispositivos de menor tamaño para disputar la partida.

Scrabble permite jugar 25 partidas simultáneas. También puede enfrentarse al ordenador con diferentes niveles de destreza, limitando la longitud del listado de palabras que el ordenador puede consultar.

La opción aleatoria rota las letras en combinaciones arbitrarias, dando lugar a nuevas ideas.

Si necesita ayuda para encontrar o comprobar una palabra, la aplicación ofrece un diccionario propio que permite escribir una palabra para comprobar si existe o no (si bien no podrá leer el listado de palabras) y muestra un listado de todas las palabras válidas de dos letras. Hasta en cuatro ocasiones a lo largo de la partida, podrá recurrir a un comodín que le mostrará la palabra idónea.

Con cada turno, el tablero se actualiza y en la parte superior de la pantalla se muestra la palabra y puntuación de la ronda disputada. Así podrá saber cómo su contrincante se las ha apañado para conseguir 76 puntos con una sola palabra formada por las letras Q, Y y Z..., entre otras.

Nota: Es cierto que el iPad es el dispositivo más cómodo a la hora de jugar una partida de Scrabble, pero existen versiones a menor tamaño disponibles tanto para iPhone como para iPod touch (véase http://itunes.apple.com/es/app/scrabble/id311691366?mt=8, disponible por 1,59 €). La aplicación Tile Rack (véase http://itunes.apple.com/es/app/scrabble-tile-rack/id371811119?mt=8) es gratuita.

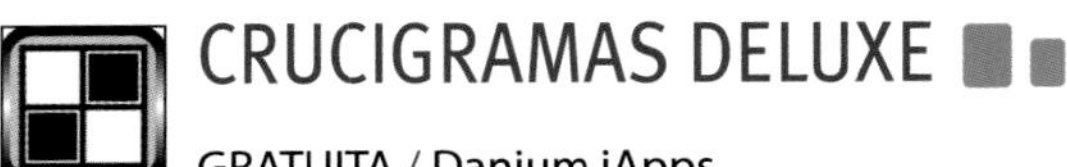

CRUCIGRAMAS DELUXE

GRATUITA / Danium iApps

`http://itunes.apple.com/es/app/crucigramas-deluxe/id446642627?mt=8`

La aplicación definitiva para los aficionados a los crucigramas

Crucigramas Deluxe incluye miles de crucigramas originales con controles muy intuitivos para el usuario. Únicamente tendrá que pasar el dedo por encima del teclado en la dirección en la que quiera escribir una letra y... ¡listo! La aplicación ofrece varias opciones de ayuda y permite ver el número de letras incorrectas y vacías.

Si se da por vencido, el programa descubrirá la letra o palabra que le está volviendo loco. Usted elige si quiere recibir o no el chivatazo.

La aplicación incluye crucigramas de distintos niveles de dificultad. Toda una aplicación muy recomendable, sobre todo para aquellos amantes de los crucigramas y los pasatiempos.

Ya no tendrá que esperar al periódico del día siguiente si es un adicto, disfrute de esta aplicación totalmente gratuita.

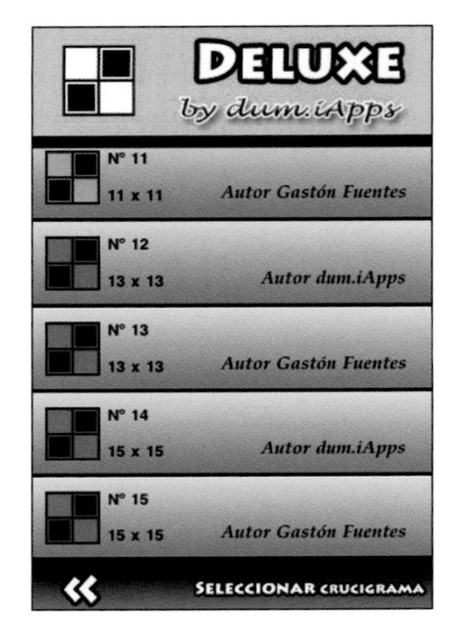

CRUCIGRAMAS HD

0,79 € / Pablo Oramas

http://itunes.apple.com/es/app/crucigramas-hd/id443799206?l=es&ls=1&mt=8

Para los aficionados a las palabras

Crucigramas HD es una aplicación dirigida a todas aquellas personas aficionadas a este popular pasatiempo. Los más de sesenta crucigramas incluidos hasta el momento se organizan en cinco niveles de dificultad y contienen más de cuatro mil quinientas palabras.

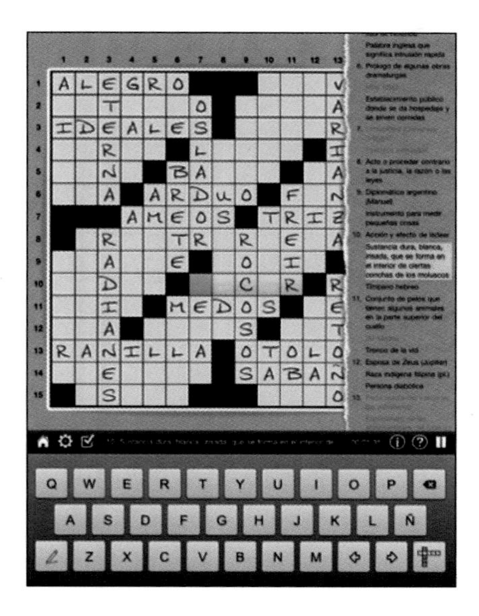

El programa, que cuenta con un diccionario que incluye más de 72.000 palabras, permite borrar rápidamente las letras mal colocadas, comprobar de forma inmediata si ha acertado la respuesta, cambiar entre la definición vertical y la horizontal de una casilla, o revelar las soluciones cuando sea necesario (por letra, palabra o el crucigrama completo). Puede vaciar las celdas de la palabra actual, las incorrectas o el crucigrama al completo.

Además, es posible guardar la partida y dejar constancia del tiempo que ha tardado en resolver el crucigrama.

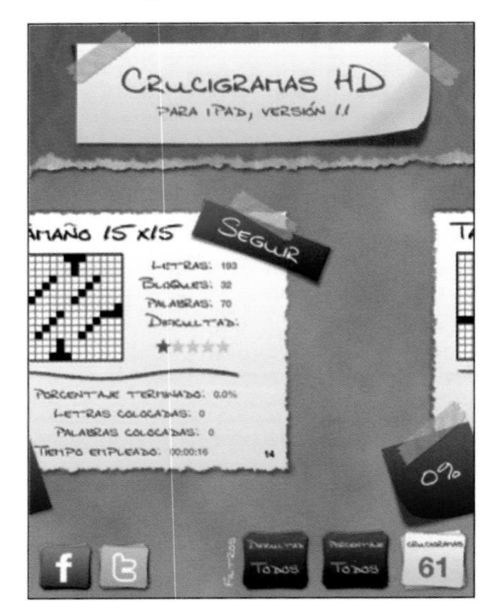

En la página de cada crucigrama se muestra el nivel de dificultad y el número de letras, bloques y palabras. Una vez completado, verá el número de letras colocadas, el porcentaje terminado, las palabras colocadas y el tiempo empleado.

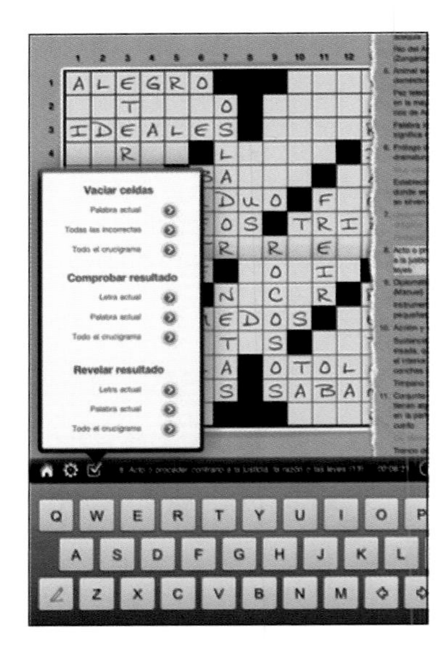

La versión más reciente de Crucigramas HD presenta una interfaz optimizada que permite conectarse a redes sociales como Facebook y Twitter.

La aplicación permite configurar el juego activando los filtros de dificultad y porcentaje completado para que se muestren únicamente aquellos crucigramas que quiera resolver.

SUMITO

2,39 € / Sumito

http://itunes.apple.com/es/app/sumito/id434438055?mt=8

¡Estimule sus neuronas!

Cada uno de los encasillados de Sumito está compuesto por bloques, casillas vacías y con números. El encasillado es único, y tiene que ser completado con cifras respetando dos sencillas reglas. La primera es que la suma de las casillas alrededor de cada bloque debe ser equivalente al valor total del bloque.

La segunda, que la suma de todas las casillas de una línea o una columna (excepto para los bloques) debe ser equivalente al valor de los círculos.

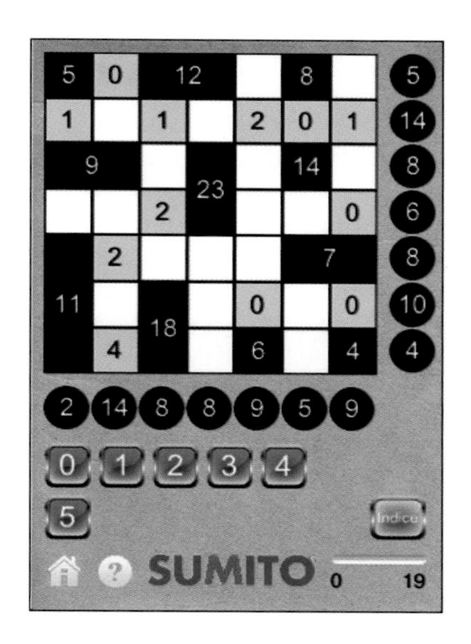

El juego incluye nueve niveles de dificultad. En el uno aparecen únicamente el 1 y el 0 como cifras posibles; en el nueve, todas las cifras del 0 al 9 pueden aparecer. Las cifras que aparecen en el encasillado original no se pueden modificar. Para introducir una cifra en el encasillado, toque la celda y elija una cifra en el teclado virtual de su dispositivo.

SOPA DE LETRAS

0,79 € / Renato Pessanha

http://itunes.apple.com/es/app/sopa-de-letras!/id338365297?mt=8#

Ponga a prueba sus dotes de "pescador"

Sopa de Letras incluye un total de 136 rompecabezas que siguen el esquema de las tradicionales sopas de letras. ¿El reto? Encontrar palabras sobre una cuadrícula con letras aparentemente dispuestas al azar.

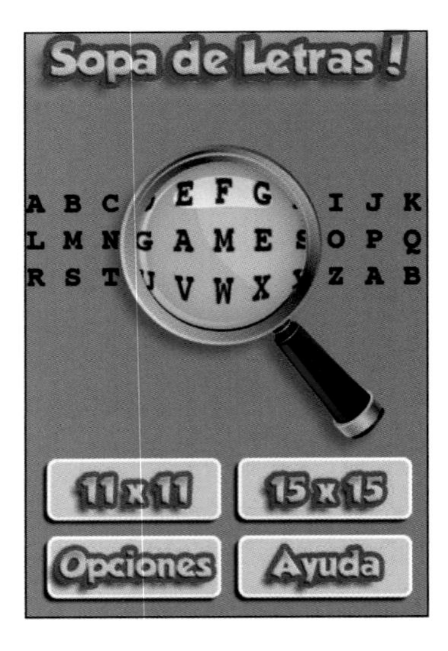

La aplicación ofrece dos niveles de desafío: fácil (11×11), para principiantes, y difícil, para usuarios avanzados (15×15). Las sopas de letras se dividen en 23 temas, entre los que se incluyen celebridades, telenovelas, deportes, dibujos animados, programas de televisión, etc.

La lupa le ayudará a identificar las palabras. Si el rompecabezas le parece excesivamente sencillo, tiene la opción de no mostrar el listado de palabras que debe encontrar. Se incluyen las funcionalidades de autograbación del rompecabezas, control del volumen integrado y del tiempo. Para reiniciar la sopa de letras, pulse el botón rojo. Además, se ofrece una opción para generar nuevos rompecabezas de forma aleatoria.

8. Aplicaciones para niños

En este capítulo presentamos una colección de aplicaciones pensadas para educar, entretener o distraer a los más pequeños. Ya sea mediante la lectura, el aprendizaje, pulsando botones o decorando la pantalla, los niños saben intuitivamente cómo utilizar el dispositivo. Sólo tendrá que asegurarse que no se les caiga de las manos.

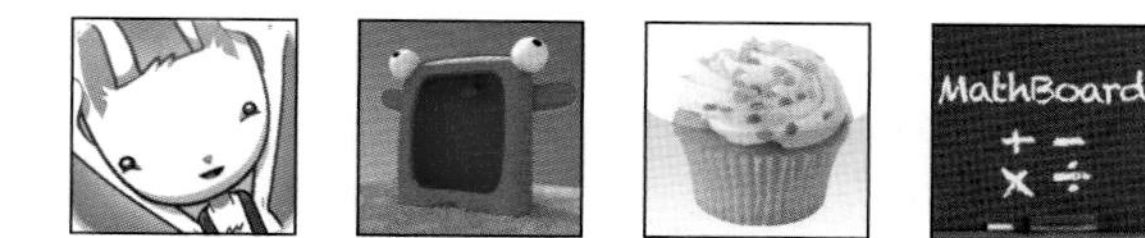

PICKIN' TIME

1,59 € / The Iconfactory

http://itunes.apple.com/us/app/pickin-time/id327232889?mt=8&ign-mpt=uo%3D6

Pulse sobre una fruta o una verdura para que aparezcan más y más, y cada vez más pequeñas

Pickin' Time es la aplicación perfecta para los más pequeños. A mis dos hijos, de tres y seis años de edad, les encanta. Las frutas y verduras, perfectamente dibujadas, van apareciendo en pantalla durante la partida cronometrada. El jugador tiene que pulsar la cantidad correcta de productos para ir sumando puntos en su puntuación total.

El juego ofrece dos modalidades: un jugador o varios jugadores. En la primera, el jugador tiene que pulsar la pantalla alrededor de un pequeño avatar (por ejemplo un tomate, un calabacín, una fresa o una cebolla) antes de comenzar la partida. Las frutas y verduras aparecen sobre el fondo y van sufriendo cambios graduales, pasando de amarillo a rojo a medida que el tiempo transcurre. El tiempo restante se muestra en la parte inferior de la pantalla.

Las frutas o verduras recogidas se muestran junto a las demás. Pulse para seleccionarlas. Si pulsa la pantalla incorrectamente, oirá el sonido de una bocina. Mi hijo pequeño llega incluso a perder intencionadamente porque le encanta este sonido.

Si tarda demasiado tiempo en pulsar, el siguiente lote de frutas incluye un mayor número de piezas, lo que dificultará la tarea de recogerlas todas a tiempo.

Si acumula puntos con excesiva rapidez, aparecerán en pantalla ofertas de diferentes mercados donde vender su fruta. Al finalizar la parta de un solo jugador, la totalidad de las frutas y verduras recolectadas se mostrará con forma de número tambaleándose en pantalla mientras se hace el recuento. Incline el dispositivo y las frutas se darán un paseo. ¡Verá qué carcajadas!

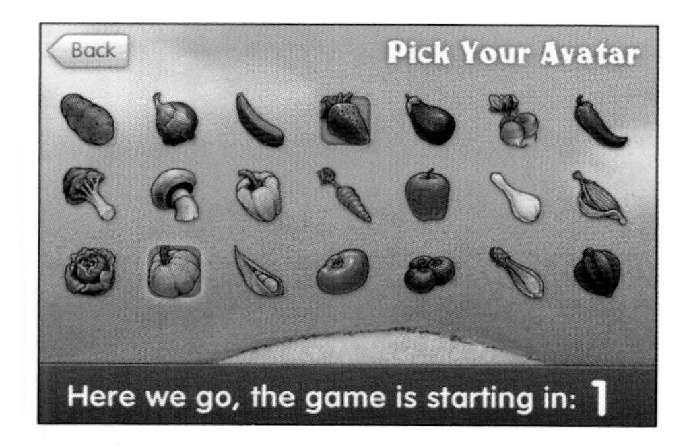

La modalidad de partida para varios jugadores es también divertidísima. Seleccione la opción adecuada. Para jugar, puede reunir a todos los jugadores alrededor del dispositivo (la mejor opción es un iPad), o conéctese a través de una red Wi-Fi con otros dispositivos iOS en los que esté cargada la aplicación. En modo Wi-Fi, uno de los dispositivos actúa como núcleo; pueden unirse hasta tres dispositivos adicionales.

Al compartir un dispositivo, cada jugador deberá escoger un producto y pulsar únicamente las piezas que correspondan a su elección. El jugador más rápido gana la partida basándose en el tiempo transcurrido durante su recolección. Cuando se utilicen varios dispositivos, cada jugador deberá recoger frutas o verduras del dispositivo con el que esté jugando. En el transcurso de la partida, pulse únicamente aquellos elementos que aparezcan en pantalla.

Truco: Cuando los comestibles se van apilando en pantalla al final de una partida de un solo jugador, podrá agitarlos moviendo el dispositivo.

TALKING CARL

0,79 € / Awyse

http://itunes.apple.com/es/app/talking-carl/id417373312?mt=8

Repita las palabras

Puede que Talking Carl sea una aplicación algo tonta, pero lo cierto es que provoca verdaderas carcajadas en personas de todas las edades. Carl no hace más que repetir como un loro nuestras palabras, pero con un tono de voz mucho más aflautado y divertido. Ríase y él le responderá con una carcajada. También puede pellizcarlo o hacerle cosquillas para que reaccione.

Para disfrutar de esta aplicación, le recomiendo utilizarla con algún pequeño. No le explique cómo funciona, simplemente vea lo que ocurre.

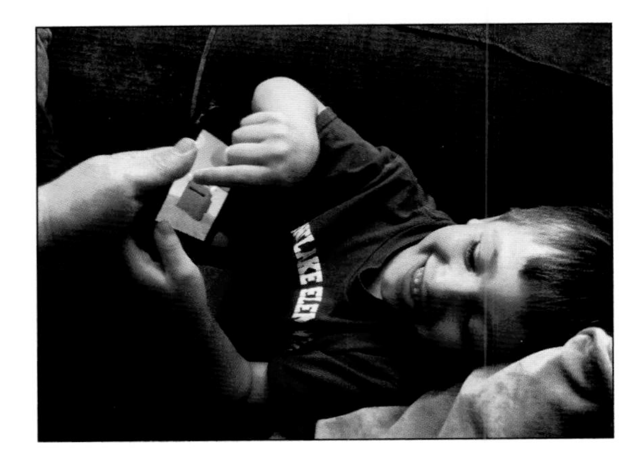

CUPCAKES

0,79 € / Maverick Software

http://itunes.apple.com/es/app/cupcakes!/id347362622?mt=8

Deje que sus pequeños horneen tantas madalenas como quieran… ¡sin manchar la cocina

Si tiene o ha tenido hijos, sabrá lo impacientes que pueden llegar a mostrarse cuando se les obliga a esperar. Cupcakes es una aplicación fantástica para mantenerlos entretenidos al tiempo que exploran su creatividad… y por qué no decirlo, pierden un poco el tiempo y disfrutan.

Utilice esta simulación para ayudarles a aprender a hornear postres o aprender recetas decorativas que la aplicación les permite crear y compartir.

Cupcakes nos guía a través del proceso de creación y decoración de nuestras madalenas. Comenzaremos seleccionando un tipo de papel para nuestro horneado, seguido de una mezcla para rellenar una bandeja con cuatro de estos bollitos.

Las madalenas pueden hornearse durante el tiempo que queramos. No deje que el reloj le engañe: los 60 minutos del indicador duran aproximadamente cinco segundos. Cuanto más tiempo horneemos nuestros dulces, más dorados saldrán. ¡No se queme!

Una vez horneadas nuestras madalenas, sáquelas del molde y empiece a decorarlas. Existe una variedad impresionante de elementos que puede utilizar. Este exceso en la oferta decorativa puede llegar a paralizar a algún niño, como casi me ocurrió a mí. Podrá seleccionar entre coberturas de azúcar, dulces de gelatina o letras de caramelo. Cada una de estas categorías presenta una variedad increíbles de opciones. Puede pasar fácilmente más de una hora decorando sus madalenas.

Advertencia: ¡No deje que su hijo se trague el iPhone!

Nota: Existe una versión sólo para iPad llamada Cupcakes XL (véase http://itunes.apple.com/es/app/cupcake-pairs/id395124573?mt=8 , disponible por 0,79 €).

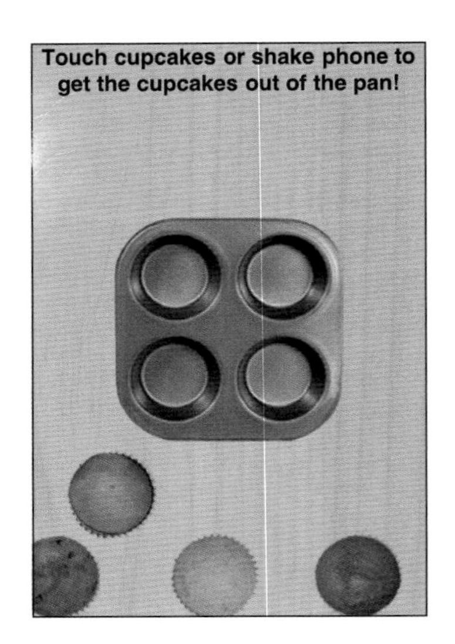

Una vez decoradas, las madalenas pueden colocarse en el frigorífico (como copia), o bien pueden compartirse (incluida la receta utilizada para elaborarlas). También pueden comerse. Las madalenas pueden enviarse por correo electrónico, guardarse en la Photo Library, subirse a Facebook o enviarse al Hall of Fame. Mis hijos me enviaron una de las madalenas que acompaña a estas líneas, con papel pintado de colores.

Cuando se disponga a comer sus madalenas, puede añadir algún tipo de relleno a medida que va mordisqueándolas. También puede colocar velas que se extinguen al soplar en el micrófono. Es una bobada, pero es maravilloso.

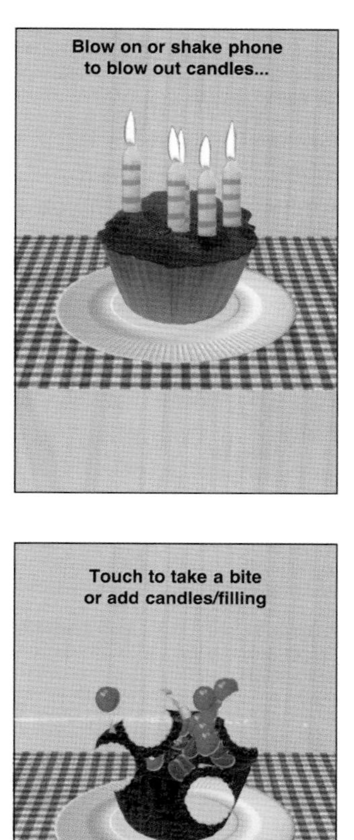

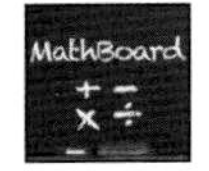

MATHBOARD

3,99 € / Palasoftware

http://itunes.apple.com/es/app/mathboard/id373909837?mt=8

Una forma entretenida de practicar problemas matemáticos de complejidad variable

Los ejercicios de aritmética pueden resultar muy tediosos, pero siguen conformando la base de nuestro conocimiento y habilidades matemáticas a lo largo de nuestra vida. MathBoard ofrece una presentación muy atractiva para estos ejercicios. La aplicación para iPad imita a una pizarra de tiza que fascinará a los niños que nunca hayan visto una.

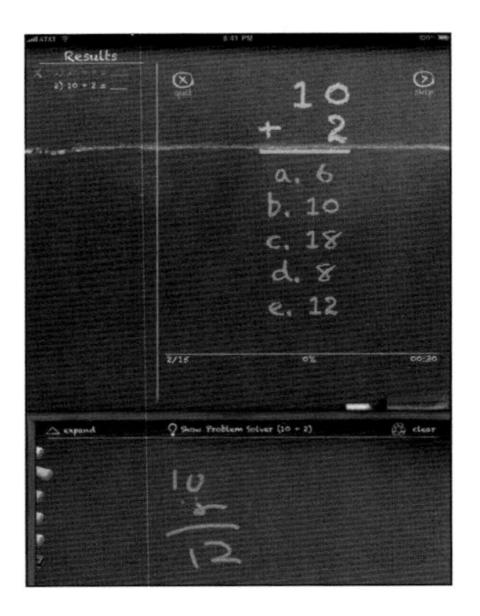

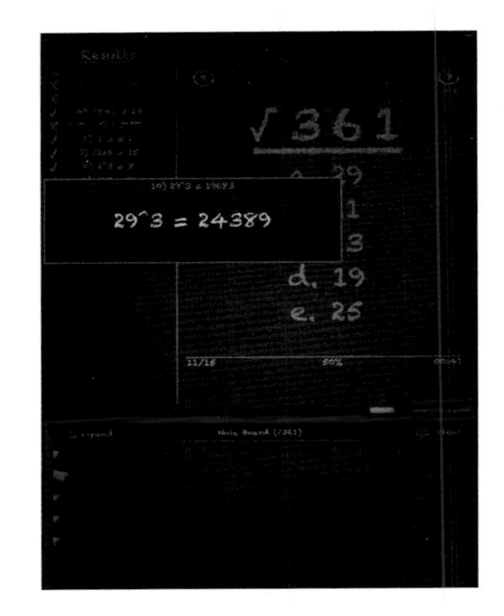

El software permite elegir entre siete operaciones matemáticas distintas: sumas, restas, multiplicaciones y divisiones, además de potencias al cuadrado y al cubo, y raíces cuadradas. Las operaciones más avanzadas amplían el alcance de la aplicación más allá de la educación primaria. Puede configurar un límite de tiempo para que el pequeño no se frustre, o incrementar la dificultad del ejercicio si es usted quien está jugando. Por ejemplo, puede configurar un número total de problemas a resolver en un conjunto determinado, o delimitar el rango de números para evitar problemas al incluir valores que vayan más allá de los conocimientos de la persona que utilice la aplicación.

Quizá sea exagerado preguntarle a un niño de primero cuál es el resultado de multiplicar 43x107.

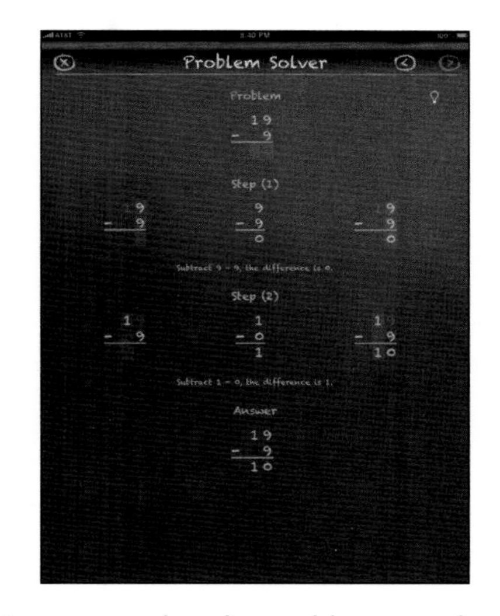

Mientras se resuelven los problemas, en la parte inferior de la pantalla aparece una zona de trabajo que puede ampliarse a pantalla completa, con tizas de varios colores.

Existe, además, un solucionador de problemas dentro de la propia aplicación. Esta herramienta guía al usuario a la hora de resolver una ecuación, mostrando todos los pasos hasta alcanzar la solución final. Con ésta se reduce la complejidad de cualquier problema.

La aplicación tiene cierto encanto, sin llegar a perder de vista su principal objetivo. Quién sabe si despertará la curiosidad por los pizarrines del mundo real, portátiles y sin fallos técnicos.

Nota: Existe una versión gratuita, MathBoard Addition, que está limitada a operaciones de suma (véase http://itunes.apple.com/es/app/mathboard-addition/id381884632?mt=8).

ITSY BITSY SPIDER

1,59 € / Duck Duck Moose

`http://itunes.apple.com/es/app/id331863487?mt=8`

Todos sabemos cómo acaba el cuento

Duck Duck Moose crea aplicaciones extraordinarias para niños. Mi preferida (quizá porque es la favorita de mis hijos) es Itsy Bitsy Spider, una aplicación cuyo título hace referencia a una popular canción infantil en el que una araña va caminando por un canalón. El programa está repleto de imágenes coloridas y reproduce la canción de Itsy Bitsy, la infatigable araña protagonista del cuento. Lo mejor es su simplicidad: basta con pulsar sobre la pantalla para que algo ocurra.

Pulse sobre la araña para avanzar hacia los cuatro paneles siguientes y para que suenen las siguientes estrofas de la canción. Si pulsa en cualquier otro punto de la pantalla, la aplicación nos muestra algo divertido.

Al pulsar sobre una ventana, un animal saldrá volando acompañado de un efecto de sonido divertido. Vuelva a pulsar y aparecerá otro animal. A medida que la araña va avanzando en su viaje por el canalón, se va topando con huevos de colores. Púlselos y caerán sobre la cabeza del insecto. Coleccione un número suficiente de huevos para formar un arcoíris al final de la aventura.

Los más pequeños no tardarán en encontrar los huevos de pascua escondidos por la pantalla. Pueden convertir un ciempiés en una mariposa, apilar sombreros arrebatados a pájaros voladores sobre la cabeza de la araña y muchas opciones más. Al igual que ocurre con muchas otras aplicaciones de Duck Duck

Moose, podrá cambiar la melodía musical. Además, podrá grabar su voz y la de sus hijos cantando la canción.

Nota: Existe una versión para iPad disponible por 1,59 € (véase http://itunes.apple.com/es/app/itsy-bitsy-spider-hd-by-duck/id378995141?mt=8).

TOZZLE

1,59 € / Nodeflexion

http://itunes.apple.com/us/app/tozzle-toddlers-favorite-puzzle/id306169895?l=es&mt=8

Puzles para los más pequeños

Mis hijos se levantan muy temprano. Cuando todavía no tengo muchas ganas de abrir los ojos y los más pequeños requieren toda mi atención, Tozzle me permite ganar esa media hora de sueño más que necesito como agua de mayo.

El juego incluye más de 30 puzles llenos de colorido. Las piezas que el pequeño debe colocar en el puzle van mostrándose una a una. El niño sólo tiene que arrastrarlas hasta su ubicación correcta. Al mover una pieza, la aplicación emite un efecto de sonido divertido.

Si el pequeño no puede descubrir dónde colocar una pieza, Tozzle mostrará en pantalla una flecha para guiarlo en la dirección correcta. Una vez resueltos, los puzles son interactivos: podrá tocar el instrumento musical o hacer funcionar la máquina musical que hayamos creado.

El mecanismo de arrastre de las piezas es extremadamente sofisticado, ya que impide que el niño pierda por error el puzle con el que está jugando (lo cual no quiere decir que los más hábiles no puedan aprender a pasar de puzle si quieren).

Los puzles tienen una dificultad variable. Los más sencillos muestran un par de animales o letras; los más complejos exigen colocar decenas de piezas, algunas de ellas muy pequeñas. Las piezas del puzle tienen el tamaño adecuado para los deditos de los peques.

El juego mejora la habilidad de nuestros hijos a la hora de reconocer siluetas y mejorar su psicomotricidad. Pero lo más importante es que se trata de una aplicación muy divertida.

Existe una versión gratuita que incluye un menor número de puzles pero que funciona exactamente igual que la versión de pago.

Tozzle está optimizado para jugar en iPhone o iPod touch, pero funciona correctamente en iPad, como muchos otros juegos infantiles.

Nota: La versión gratuita incluye un menor número de puzles.

9. Vídeo

El iPad no ha acabado con la televisión. Simplemente, le ha dado un nuevo giro. Las aplicaciones de streaming de vídeo que presentamos a continuación funcionan en iPad, iPhone e iPod touch. Por fin estamos cada vez más cerca de la posibilidad de reproducir películas y vídeos en formato universal dondequiera que estemos. Además, aprenderemos a crear, editar y subir a la red nuestros propios vídeos desde un teléfono. ¡Es el futuro!

NETTV

2,39 € / Chestnut Soft

`http://itunes.apple.com/es/app/nettv/id308477222?mt=8`

Vea sus canales de televisión favoritos

NetTV es una aplicación que permite ver más de 400 canales de todo el mundo en su dispositivo iOS. La aplicación permite explorar los listados de canales por categoría y país. Además, puede crear un listado de sus canales favoritos (haga clic en el icono con forma de estrella sobre cualquier canal para añadirlo a su lista de favoritos). También puede añadir su propio canal (Favourites>Edit>Add new channel). A continuación, escriba el nombre del canal y la URL del mismo. La aplicación ofrece soporte para MMS, RTMP y HTTP Live Streaming.

El visionado a través de una red Wi-Fi es ilimitado. Sin embargo, las redes móviles (como, por ejemplo, una red 3G) únicamente le permitirán visionar un programa durante un máximo de 10 minutos. La calidad de la reproducción dependerá del dispositivo que esté utilizando. Algunos canales pueden presentar problemas de reproducción en iPhone 4, pero la mayoría de los canales se reproducen sin problemas en iPhone 3GS.

Tenga en cuenta que los canales pueden dejar de emitir o perder calidad sin previo aviso: todo depende del servidor que utilice el canal, puesto que Chestnut Soft no mantiene ningún servidor propio, sino que utiliza los disponibles en la Web.

AIR VIDEO

GRATUITA / inMethod

http://itunes.apple.com/es/app/air-video-watch-your-videos/id306550020?mt=8

Vea sus vídeos a través de streaming desde un ordenador conectado a una red local sin necesidad de conversión

Air Video tiene un único objetivo: ofrecer al usuario acceso a los vídeos almacenados en su ordenador personal, ya se trate de un sistema doméstico exclusivamente dedicado a esta tarea u otro tipo de equipos utilizados para otras funciones.

El software está disponible en versiones gratuitas tanto para Mac OS X (10.5x) como para Windows (XP, Vista y Windows 7).

Todos los ordenadores equipados con software de acceso deben configurarse de tal manera que apunten a las carpetas que contienen los vídeos que queremos ver desde una ubicación remota.

El servidor puede configurarse para convertir el vídeo a una resolución y calidad específicas, lo cual puede reducir o ampliar los requisitos de ancho de banda. Los archivos de menor tamaño se verán mejor, pero la calidad será asimismo inferior.

En la aplicación, deberá conectarse a un servidor de la red local para explorar las carpetas configuradas en dicho equipo. Existe la opción de ofrecer acceso al mismo a través de Internet, pero... ¡cuidado con la factura de su dispositivo 3G!

Seleccione el vídeo que vaya a reproducir. Si su dispositivo puede mostrar el formato sin necesidad de realizar ninguna conversión, podrá ver directamente el archivo original. También podrá convertir el documento para reducir su tamaño y conseguir un mejor rendimiento de la red.

Para otros formatos, podrá optar entre convertir el formato del vídeo (el archivo se pondrá en una cola), o reproducirlo por el método de la conversión en directo. La calidad de esta última modalidad de reproducción variará según la resolución original del archivo y la potencia del procesador de su ordenador. Un equipo lento dará como resultado pausas en la reproducción.

Nota: Pruebe la aplicación utilizando la versión gratuita Air Video Free (véase http://itunes.apple.com/es/app/air-video-free-watch-your/id313056918?mt=8). Esta versión únicamente muestra un par de archivos por carpeta.

IMOVIE

3,99 € / Apple

http://itunes.apple.com/es/app/imovie/id377298193?mt=8

Edite sus propios vídeos y compártalos con un iPhone 4 o el último modelo de iPod touch

Cuando Apple añadió la posibilidad de capturar vídeo en su modelo 3GS de iPhone, incluyó en el dispositivo una serie de funcionalidades muy rudimentarias para la edición. La aplicación iMovie va mucho más allá y nos permite cortar, combinar y realizar transiciones entre diferentes clips de vídeos, así como colocar un marco con una etiqueta en uno de los estilos incluidos en la aplicación.

iMovie no es una aplicación pensada para trabajar en un ordenador de mesa, pero pese a ello sigue siendo impresionante. No podrá aplicar texto allí donde quiera, sino únicamente en el marco y en el área especificada por el programa. Las transiciones son limitadas y el recorte de vídeos puede resultar una tarea tediosa, ya que obliga a realizar muchos movimientos en pantalla arrastrando diferentes elementos.

No obstante, si está acostumbrado a grabar vídeo en su iPhone 4 o iPod touch de cuarta generación, iMovie es una herramienta sobresaliente que le permitirá obtener con rapidez resultados muy atractivos.

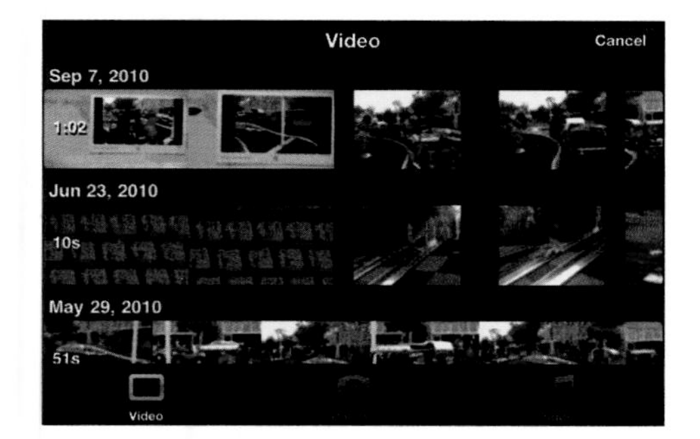

Comenzaremos pulsando el signo de suma (+) que aparece en la esquina superior derecha de la pantalla para crear un nuevo proyecto. Seleccione un tema que utilizará para introducir el vídeo. Pulse la flecha invertida para agregar vídeo, fotografías y audio.

Podrá activar o desactivar a voluntad el audio en los videoclips y fotografías, que también puede separar, recortar o enmarcar con fragmentos de texto. Pellizque y amplíe la pantalla para ampliar o reducir el intervalo de tiempo. Pulse sobre uno de los clips para desplazar el cabezal de reproducción (una línea roja vertical). También puede realizar cortes en el fragmento de vídeo, dividiéndolo en varias secciones.

La aplicación permite visualizar el vídeo en cualquier momento pulsando el botón de reproducción. También podrá añadir vídeo pulsando el botón de la cámara. Pulse el cajetín gris que aparece entre dos fragmentos de vídeo para añadir transiciones o su tema preferido.

Una vez haya finalizado su obra maestra, podrá exportarla en diversos formatos a su Camera Roll (360p, 540p o 720p (HD). Para exportar el vídeo, pase a la modalidad Photos para cargar o transferir el vídeo a través del correo electrónico, MMS, MobileMe o YouTube. Puede utilizar una conexión USB para sincronizarse con iPhoto o utilizar Dropbox para mover el vídeo a su sistema de almacenamiento preferido.

FILMIN HD

GRATUITA / **Filmin**

http://itunes.apple.com/es/app/filmin-hd/id449585709?mt=8

La aplicación del cine independiente

A la espera de que gigantes de la distribución de cine por Internet como Hulu o Netflix comiencen a ofrecer sus servicios en el mercado español, Filmin (una compañía de distribución que apuesta por el cine independiente y minoritario) anunció recientemente el lanzamiento de una versión renovada de su aplicación para iPad, que permite acceder a un catálogo de más de dos mil películas que podrá visionar vía streaming.

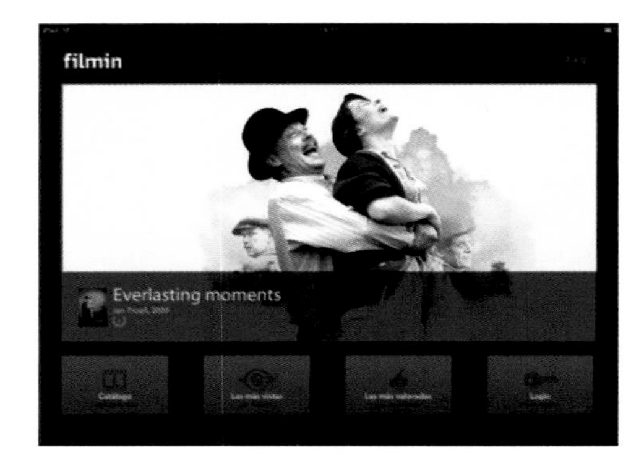

Además, Filmin ha incluido en su catálogo una nueva categoría de célebres series clásicas, como la conocida Faulty Towers del ex-Monthy Python John Cleese. De momento, la aplicación (compatible para iPad, iPhone e iPod touch) únicamente permite el acceso a los usuarios de la modalidad Premium, que ofrece suscripciones mensuales, trimestrales o anuales. Una vez configurada la cuenta de usuario, los títulos disponibles pueden consultarse a través de un motor de búsqueda, tanto por título como por nombre del director. Los alquileres tienen una duración de 72 horas. La configuración de la cuenta de usuario permite acceder a diferentes opciones de personalización, tales como permitir que los demás usuarios sepan qué películas hemos visto, hacer público nuestro perfil o añadir filmes a nuestro listado de pendientes o películas que queremos ver en el futuro.

Filmin ofrece, además, una sección muy interesante de cortos y permite a sus usuarios subir sus propios cortos a la red para participar en la sección de El corto del mes.

10. Mensajería instantánea y voz

El subtítulo no oficial de este capítulo sería "Cómo ahorrar en llamadas de teléfono y mensajes de texto" (o "Cómo pasar de las tarifas de la compañía telefónica"). Las aplicaciones incluidas aquí le permitirán sortear las limitaciones de los actuales planes de llamadas y enviar mensajes a compañeros de trabajo y amigos sin perder ninguna funcionalidad por el camino.

SKYPE

GRATUITA / Skype Software

`http://itunes.apple.com/es/app/skype/id304878510?mt=8`

Llamadas telefónicas de alta calidad a través de Internet y mensajería instantánea

Skype se labró su reputación permitiendo que los usuarios pudieran realizar llamadas telefónicas a coste cero y con buena calidad de voz a través de Internet utilizando su software gratuito. La aplicación de Skype ha debido conocer varias revisiones (además de los cambios sufridos por el propio sistema iOS de Apple) antes de poder ofrecer el mismo nivel de facilidad y acceso a la hora de realizar llamadas con dispositivos móviles. Aún hay aspectos mejorables en la aplicación.

El software de Skype para ordenadores de sobremesa ofrece a sus usuarios audio, vídeo y un chat de texto, además de la posibilidad de compartir archivos. Mediante el pago de una cuota adicional, se pueden realizar y recibir llamadas telefónicas, disponer de un buzón de voz y enviar mensajes de texto a todo el mundo.

La aplicación para iOS incorpora la mayor parte de estas funciones, pero no todas. Permite realizar llamadas de audio y chatear con voz, además de enviar mensajes de texto. No obstante, las funciones de videoconferencia y compartir archivos aún no están disponibles. El usuario debe configurar las opciones en la página Web de Skype, tales como el número que recibirá las llamadas y todas las demás funcionalidades disponibles en la aplicación para iOS. La mensajería de texto conlleva el pago de una tarifa adicional por cada mensaje enviado, como ocurre en la versión para sobremesa de Skype.

Decenas de millones de personas ya utilizan Skype. Gracias a esta aplicación, podrá contactar con cualquier usuario de la aplicación a través del teléfono. No es necesario tener contratada ninguna línea telefónica y las llamadas no conllevan ningún tipo de tarifa por minuto.

Incluso, puede utilizar su crédito de Skype para realizar llamadas a teléfonos móviles en cualquier parte del mundo. Para este tipo de llamadas, este programa emplea sus propias tarifas. Si compra un número de teléfono para recibir llamadas, la aplicación recibirá las llamadas de la red de telefonía pública. iOS 4 le avisará cuando haya recibido una llamada y Skype no esté activo, siempre que haya iniciado sesión en éste la última vez que utilizara la aplicación. Puede salir del programa en el transcurso de una llamada sin perderla.

Skype incluye soporte para chat de voz y texto a través de una red 3G, no sólo Wi-Fi. La funcionalidad de audio de Skype tiene un bajo consumo de ancho de banda.

Advertencia: Se requiere una cuenta gratuita de Skype. Se ofrecen actualizaciones de pago y tarifas (por minuto) para realizar llamadas.

BEEJIVEIM

3,99 € / Beejive

`http://itunes.apple.com/es/app/beejiveim-chat-movil-instantaneo/id291720439?mt=8`

Chatee en sus servicios favoritos de mensajería instantánea con una única aplicación

BeejiveIM ofrece al usuario la respuesta oportuna a cómo hacer frente a la ingente cantidad de programas de software para mensajería instantánea que se ofrecen en el mercado. La aplicación permite utilizar varias cuentas de multitud de servicios de mensajería, tales como AIM (AOL Instant Messenger), Apple MobileMe, Facebook, Google Talk, Jabber, MySpace, Windows Live Messenger y Yahoo Messenger.

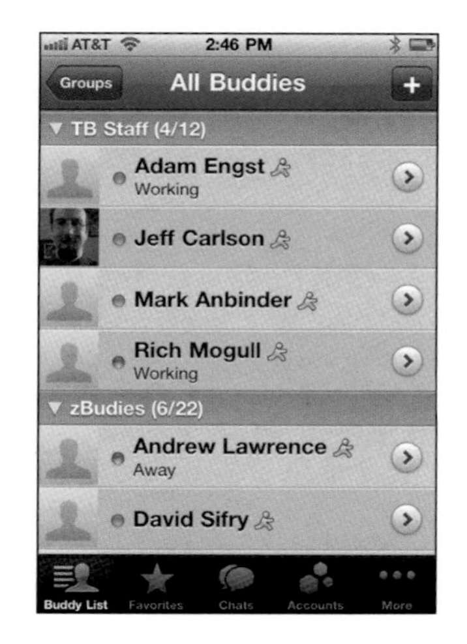

Una vez configuradas las cuentas, puede iniciar sesión en todas ellas de forma simultánea o individualmente, así como determinar su estado en todas ellas. Al activar las notificaciones, BeejiveIM nos alertará cada vez que recibamos un mensaje instantáneo, incluso si la aplicación no está activa.

Nuestros amigos quedan englobados en un único listado, incluso si disponen de varias cuentas. Los iconos que aparecen junto a su nombre identifican la red de mensajería a la que están conectados en ese preciso instante. Además, se muestran en pantalla el estado y los mensajes de estado. Varios de los servicios ofrecen, asimismo, soporte para chatear en grupo.

La aplicación facilita considerablemente la tarea de pasar de un chat activo a otro, enviar imágenes (ya sea una instantánea que acabamos de tomar o una fotografía de nuestra biblioteca) y grabar audio. Pulse el icono de correo electrónico para enviar a sus amigos una copia de la conversación que acaban de mantener. BeejiveIM puede conectarse a AIM o Yahoo para enviar mensajes de texto (SMS) a través de la red de su teléfono móvil.

Nota: Existe una versión exclusiva para iPad (véase http://itunes.apple.com/es/app/beejiveim-for-ipad/id372269251?mt=8).

TEXTIE MESSAGING

GRATUITA / Borange

`http://itunes.apple.com/es/app/textie-messaging/id353912946?mt=8`

Olvídese de pagar por enviar mensajes de texto

Textie Messaging le hará olvidarse de los exagerados costes de la mensajería de texto. ¡Adiós, mensajes! Borange funciona con sus propios servidores, que utiliza para redirigir el tráfico de mensajes entre los usuarios de Textie, almacenarlos y reenviarlos. A la compañía le cuesta muy poco dinero, y para el usuario, la aplicación es gratuita.

Textie es una aplicación gratuita, pero incluye publicidad. Puede eliminar ésta pagando una cuota de suscripción adicional. El programa exige registrar los números de teléfono y direcciones de correo electrónico que queramos asociar a nuestra cuenta. Para que Textie sea realmente útil, es interesante que otros usuarios registren su información.

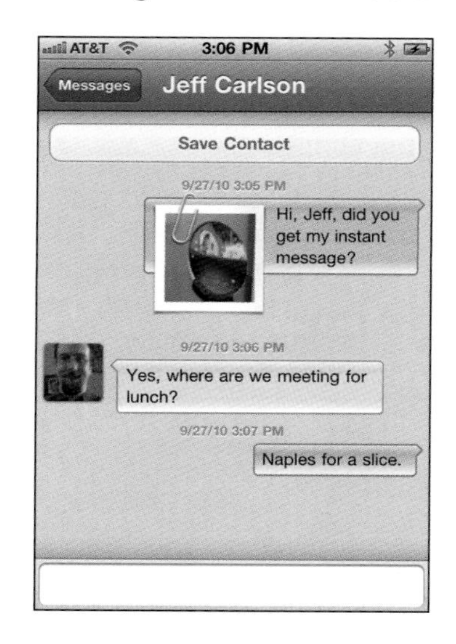

Textie admite el uso tanto de números de teléfono como de direcciones de correo electrónico a la hora de enviar un mensaje. Si uno de sus contactos quiere enviarle un mensaje y está registrado en Texto, el mensaje utiliza apenas un par de bits de su plan de telefonía 3G o de una conexión Wi-Fi para enviar la información. Además, permite enviar fotografías, si bien tendrá que tener en cuenta que, en este caso, la transferencia de datos tendrá un tamaño superior, aunque no excesivo. Incluso con un plan de datos de 200 MB al mes podrá utilizar Textie sin miedo a superar su límite.

Con las notificaciones activadas, los mensajes entrantes del programa aparecen en pantalla como si fueran un mensaje de texto de telefonía móvil. No es necesario que la aplicación esté activa. Los mensajes se organizan por remitente.

Las operadoras de telefonía móvil cobran por un mensaje de texto mil veces más de su coste real. Textie le permitirá ahorrarse unos eurillos en su factura de móvil cada vez que quiera charlar con sus amigos.

Nota: Deberá registrarse con una cuenta gratuita de Textie.

GOOGLE VOICE

GRATUITA / Google

`http://www.google.com/googlevoice/about.html`

Google Voice todavía no es una aplicación, pero es igual de útil

Google Voice todavía no es una aplicación para iOS como tal. En realidad, es una aplicación para Web que incluimos en este libro por razones de utilidad, puesto que se trata de un programa único. ¿Por qué? La razón es que debido a la aparente rivalidad que enfrenta a Apple y Google desde hace ya tiempo, la versión que Google Voice presentó allá por 2009 aún no ha sido aprobada (tampoco rechazada) por Apple y su llegada al mercado español es muy reciente.

¿Por qué utilizar Google Voice? Porque permite sortear los elevados precios de las llamadas internacionales y la mensajería de texto nacional.

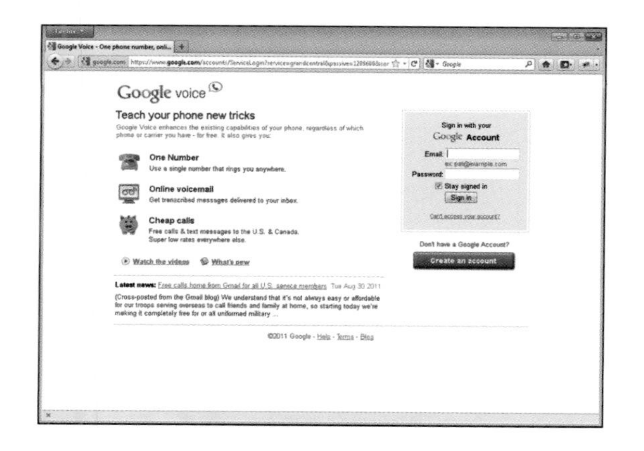

La interfaz de la aplicación Web posibilita realizar llamadas gracias a un interesante atajo: basta con marcar el número o seleccionarlo a partir de los contactos de nuestra libreta de direcciones. A continuación, Google nos enviará una alerta de texto para llamar a uno de sus números de teléfono. Pulse en Llamar y se le conectará con el receptor de su llamada. También podrá enviar y recibir mensajes de texto a través de Google Voice sin coste alguno. Además, podrá acceder a su buzón de voz, donde podrá ver una transcripción aproximada de los mensajes que reciba.

WHATSAPP MESSENGER

0.79 € / WhatsApp inc.

http://itunes.apple.com/es/app/whatsapp-messenger/id310633997?mt=8

Mensajería de smartphone a smarthpone gratuita

WhatsApp Messenger es un programa de mensajería de smartphone a smartphone. Es una de las aplicaciones más usadas hoy en día. Utiliza notificaciones push para recibir al instante mensajes de amigos, colegas y familiares.

Olvídese de los SMS y utilice WhatsApp para enviar y recibir mensajes, imágenes, notas de voz y mensajes de vídeo sin coste alguno.

Una vez que usted y sus amigos descarguen la aplicación, podrán utilizarla para chatear tanto como deseen. Envíe a sus amigos un millón de mensajes al día. WhatsApp utiliza su conexión a Internet: 3G o Wi-Fi cuando sea posible.

Esta aplicación hace uso de su agenda para conectarle automáticamente con sus contactos. Aquellos que ya tengan WhatsApp Messenger aparecerán de forma automática en Favoritos, una especie de lista de contactos. (Por descontado, siempre puede editar los Favoritos como desee.)

Aún cuando no vea las notificaciones push o apague su iPhone, WhatsApp guardará sus mensajes sin conexión hasta que los recupere la próxima vez que use la aplicación.

Podrá compartir ubicación, intercambio de contactos, fondos o sonidos de notificación personalizados. Además, tiene modo apaisado, marcas horarias de mensaje precisas, envío de historial de chat por correo, difusión de mensajes, MMS a diversos contactos al mismo tiempo, ¡y mucho, mucho más!

11. Viajar y navegar

¿Dónde quiere ir hoy? ¿Cómo tiene pensado llegar a su destino? Las aplicaciones que presentamos en este capítulo le ayudarán a dar respuesta a sus preguntas. Se trata de programas de viaje y navegación que le ayudarán a planificar la ruta ideal con las menores molestias posibles.

TOMTOM IBERIA

49,99 € / TomTom International

http://itunes.apple.com/es/app/tomtom-iberia/id326059419?mt=8

Toda la potencia de un GPS transferida a su dispositivo iOS

TomTom es uno de los gigantes del mundo del hardware de navegación. Ahora la compañía ha creado una aplicación para iOS que incluye buena parte de los elementos que la han convertido en una empresa líder. Para que el software funcionara correctamente en un smartphone, TomTom se ha visto obligada a realizar algunos cambios importantes.

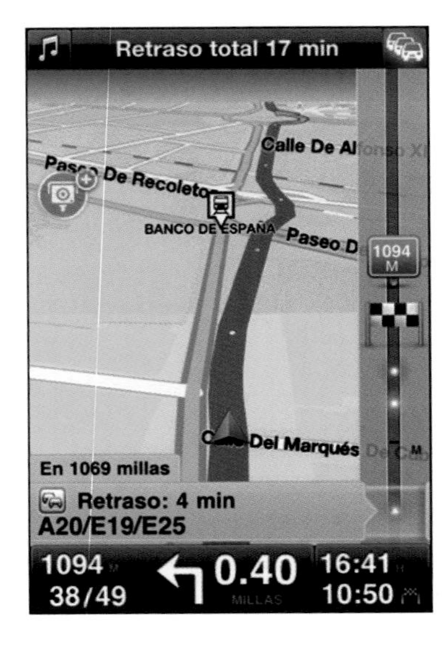

La aplicación incluye mapas en un archivo que ocupa aproximadamente 1,3 GB. Cada una de las actualizaciones o funcionalidades adicionales que queramos añadir al programa exige una descarga completa. No obstante, resulta muy cómodo que los mapas estén incluidos en la aplicación, ya que no es necesario contar con una conexión a la red mientras estamos en ruta.

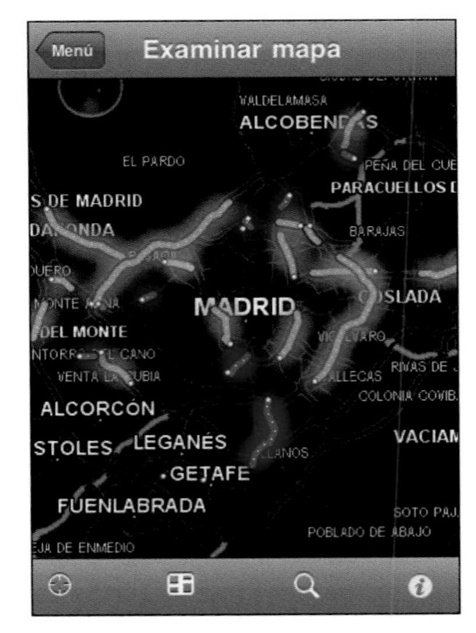

Para disponer de las actualizaciones del estado del tráfico (información indispensable para aquellos usuarios que se trasladen al trabajo en coche), tendrá que adquirir una actualización desde la propia aplicación por separado, con un coste anual adicional. Las actualizaciones se envían cada tres minutos. El consumo de datos es mínimo.

TomTom ofrece numerosas opciones a la hora de seleccionar su destino, incluida la posibilidad de realizar búsquedas en Google, de contactos, escribir una dirección o encontrar puntos de interés cercanos, tales como gasolineras, hoteles o parques.

La navegación ofrece una presentación adecuada. Por defecto, el mapa utiliza una falsa perspectiva tridimensional, que no es más que una representación bidimensional algo inclinada para proporcionar cierta sensación de distancia. Puede pasar a la vista en 2D o ver las representaciones planas sobre el mapa en cualquier momento. Los puntos de interés se irán mostrando en el mapa. Además, puede seleccionar las categorías que quiere incluir o no. Las instrucciones habladas suelen ser bastante claras, aunque, ocasionalmente, pueden detectarse ciertos problemas de pronunciación. TomTom puede funcionar en segundo plano en iOS 4 mientras respondemos una llamada o utilizamos otra aplicación. Durante el transcurso de una conversación telefónica, las actualizaciones del navegador se muestran como notificaciones en pantalla. Con las demás aplicaciones, las instrucciones se dictan mientras utilizamos el segundo programa.

Personalmente, suelo prestar mucha atención a la manera en que las aplicaciones para navegar interactúan con la reproducción de audio, puesto que, con frecuencia, me gusta escuchar música o podcasts mientras conduzco. TomTom no incluye un reproductor de música integrado, como sí ocurre en otros programas. Para pausar y reproducir la música seleccionada en el iPod o en cualquier otro dispositivo de audio, pulse el icono con forma de nota musical. No obstante, gracias al soporte para iOS 4 de la aplicación, puede pasar al programa de audio directamente para hacer cambios sin interrumpir la navegación. La aplicación cuenta, además, con un ajuste independiente para controlar la reproducción de la música o audio de fondo, ya sea reduciendo el volumen o pausando la reproducción. Asimismo, puede ajustar el volumen de las instrucciones del navegador. Otras aplicaciones carecen de este control, lo cual puede resultar incómodo cuando la voz del navegador suena en un tono muy superior al de la música. Por otro lado, puede configurar el programa para que dicte nombres, calles y mensajes de tráfico, así como desactivar alguna de estas opciones o hacerlo en su totalidad. La aplicación funciona con un kit GPS externo para el iPhone original, iPhone 3G, 3GS y, con un adaptador especial, para iPhone 4 (véase `http://www.tomtom.com/es_es/products/mobile-navigation/tomtom-car-kit-for-iPhone/`, disponible por 79,95 €).

Existe un kit para modelos de iPod touch de segunda generación (véase `http://www.tomtom.com/es_es/products/mobile-navigation/tomtom-car-kit-for-iPod-touch/`, disponible por 49,95 €). A la hora de probar el funcionamiento de ambos, no le vi demasiadas ventajas al kit para iPhone, pero los propietarios de un iPod touch disfrutarán con la opción de poder utilizar la navegación por GPS sin necesidad de contratar un plan de datos.

Nota: TomTom comercializa diferentes aplicaciones de la aplicación en función del país. Consulte la tienda de App Store para ver las versiones disponibles en España. Para utilizar el servicio de actualización del tráfico en tiempo real, deberá configurar una cuenta gratuita.

NAVIGON MOBILENAVIGATOR IBERIA

69,99 € / Navigon AG

`http://itunes.apple.com/es/app/navigon-mobilenavigator-iberia/id320204481?mt=8`

Mapas y control del audio de gran calidad

Esta aplicación es una excelente alternativa a TomTom. Entre sus principales desventajas, mencionaremos el hecho de que Navigon carece de una función realmente útil de selección de direcciones, ya que no es posible elegir una dirección desde nuestros contactos y la tarea de escribirlo puede resultar algo tediosa.

No obstante, su sistema de navegación es excelente. La aplicación muestra las calles y los giros algo mejor que TomTom, y muestra los puntos de interés con una presentación más sencilla.

Navigon sobresale especialmente en el soporte para audio, gracias a numerosas opciones que controlan la interacción entre las instrucciones de la aplicación y la reproducción de música, incluida la posibilidad de controlar por completo nuestro iPod desde la propia aplicación.

Nota: Navigon está disponible en muchas otras ediciones, incluidas las versiones para Estados Unidos o la Unión Europea. Desde la propia aplicación puede adquirir la actualización para el seguimiento del estado del tráfico en tiempo real por una cuota adicional.

MOTIONX GPS

2,39 € / MotionX

`http://itunes.apple.com/es/app/motionx-gps/id299949744?mt=8`

Una forma barata de trasladarse de un punto a otro del mapa sin perder calidad

MotionX tiene el convencimiento de que puede ofrecer el software de navegación GPS más barato del mercado. Afortunadamente, la compañía no ha sacrificado ni un ápice de su calidad en su estrategia low-cost.

La aplicación, además de las funcionalidades habituales de localización y navegación, incluye una brújula, un indicador de posición y una búsqueda de puntos cercanos.

Comenzaremos en el menú, donde tras pulsar el botón Search puede pulsar alguno de los iconos presentes en pantalla correspondiente a aeropuertos, gasolineras, restaurantes y aparcamientos para obtener un resultado rápido. Existen, además, enlaces para escribir los datos a mano y buscar localizaciones. Si pulsa Go To podrá seleccionar entre más de quince enlaces, incluidos códigos postales y contactos.

La funcionalidad de posicionamiento permite consultar las coordenadas exactas de su ubicación, así como la velocidad. Además, puede pulsar en uno de los tres botones disponibles para guardar su posición actual, convertirla en su dirección local (aspecto bastante complicado en otras aplicaciones) o designarla como plaza de aparcamiento. Este último elemento añadirá su posición en el listado de aparcamientos del listado Go To.

La aplicación no incluye ningún mapa, lo cual supone una descarga mínima de 11 MB. Esto significa que tendrá que obtener los datos mediante una conexión, lo cual puede resultar algo costoso en términos económicos si viaja frecuentemente. Se incluye la información relativa al tráfico, pero al estar directamente incluida en las rutas, no se muestra como alerta.

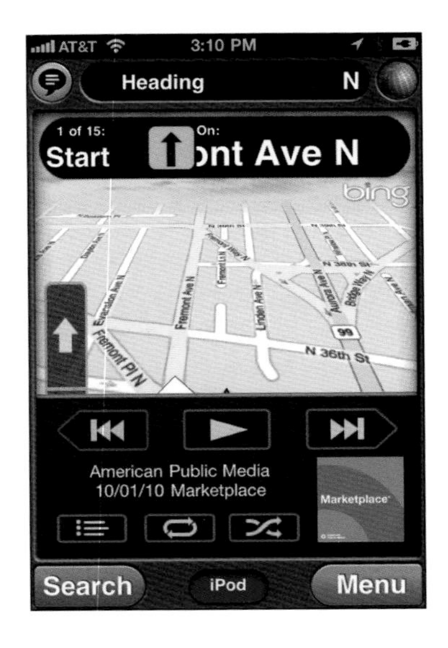

La aplicación ofrece un modo de simulación que puede reproducirse antes del viaje para descargar y guardar en la memoria todos los mapas necesarios para el trayecto. Los desarrolladores recomiendan utilizar la simulación a una velocidad dos veces superior a la velocidad normal, de manera que dispongamos de tiempo suficiente para descargar todos los mapas necesarios. Puede configurar la aplicación para guardar hasta 2 GB de datos en el caché, pero para borrarla tendrá que utilizar la opción correspondiente en los ajustes de configuración.

MotionX ofrece uno de los mejores sistemas de navegación con voz, con un tono excelente y una pronunciación óptima. La navegación por voz está vinculada a una cuenta que podrá configurar en varios dispositivos, pero recuerde que sólo podrá estar activa en un dispositivo.

El soporte para la reproducción de audio es magnífico. Verá un controlador para su iPod desde donde podrá seleccionar música y podcasts con opciones similares a las de la aplicación para iPod. El controlador en miniatura le permitirá gestionar las funciones de reproducción, reproducción aleatoria y repetición de las pistas.

NAVMII GPS LIVE ESPAÑA

2,39 € / Geolife Ltd.

http://itunes.apple.com/es/app/navmii-gps-live-espana/id366487155?mt=8

Excelente software de navegación en español

Navmii es un software de navegación GPS profesional, con direcciones paso a paso, guía de voz, recálculo de ruta automático y búsquedas en Google y Microsoft Bing en tiempo real. La aplicación, que funciona en iPhone 3, 3GS y 4G, no exige ningún tipo de pagos mensuales ni cargos anuales. Además, tampoco requiere conexión de datos y los mapas se almacenan en su dispositivo.

La pantalla muestra el mapa en tiempo real y permite la navegación por el mapa gracias al sistema multitáctil de arrastre o desplazamiento por la pantalla.

Podrá trazar la ruta al instante, manteniendo cualquier punto en la visualización del mapa y haciendo clic en el botón de Ruta. Las opciones de visualización incluyen la posibilidad de ver mapas en 2D, 3D o en una pantalla de seguridad. Asimismo, la aplicación ofrece una función de demostración del Plan de Ruta y previsualización de la ésta en tiempo real, un listado de instrucciones en ruta y avisos paso a paso, además del recáculo automático en caso de equivocación.

Al reproducirse las instrucciones de voz, el volumen de la música se ajusta solo. Desde la pantalla de mapas puede acceder a la biblioteca musical de su iPod.

KAYAK

GRATUITA / Kayak.es

http://itunes.apple.com/es/app/kayak-vuelos-hoteles-coches/id305204535?mt=8

Una gran aplicación para encontrar los mejores precios en vuelos y hoteles

Kayak es una aplicación muy sencilla de utilizar, a pesar del gran número de funcionalidades que esconde. El programa se centra en la comparación de precios para billetes de avión, hoteles y alquiler de vehículos, pero además ofrece información adicional sobre detalles de los aeropuertos, estado de vuelos, precios de las aerolíneas, tasas de equipaje, alertas de precios, conversión de moneda y mucho más.

Para empezar, Kayak es una aplicación que nos permite ahorrar ya que podremos acceder a los listados de precios de multitud de páginas de viajes.

Los resultados aparecen organizados por plan de viaje (por ejemplo, un conjunto de vuelos) que utilizaremos para seleccionar la página en la que queremos realizar nuestra reservar. Se incluye el propio sistema de reservas de Kayak, siempre que esté disponible para un itinerario determinado. Además, puede configurar alertas para un plan de vuelo concreto y recibir notificaciones si el precio cambia. Puede configurar las actualizaciones para que se muestren a diario o semanalmente, tanto por pantalla como a través del correo electrónico, y seleccionar un umbral de precios a partir del cual recibirá las notificaciones.

La pestaña de alertas permite ver los precios actuales (tanto los mejores como los habituales) para una ruta concreta a lo largo de todo el mes, lo cual ofrece una mayor flexibilidad a la hora de seleccionar las fechas de su viaje. La aplicación permite además reservar hoteles y vehículos, especificando la ubicación. En el caso de los hoteles, me gusta la división que ofrece en su selección de hoteles recomendados (una mezcla interesante entre precio y cercanía), baratos, cercanos y elegantes.

La aplicación cuenta con enlaces para crear una cuenta gratuita optativa en su página Web y sincronizar los viajes planificados.

Nota: Por tan sólo 0,79 €, Kayak Pro (http://itunes.apple.com/es/app/kayak-pro-vuelos-hotels/id338227344?mt=8) ofrece una versión sin publicidad. La cuenta gratuita opcional permite la sincronización con Kayak.com.

GATEGURU

GRATUITA / Mobility Apps

`http://itunes.apple.com/es/app/gateguru-featuring-airport/id326862399?mt=8`

Información sobre terminales de aeropuertos

Las terminales de los aeropuertos parecen estar especialmente pensadas para confundir al viajero. Si pudiéramos ver con claridad lo terrible que resulta la espera entre vuelos, quizá volaríamos menos.

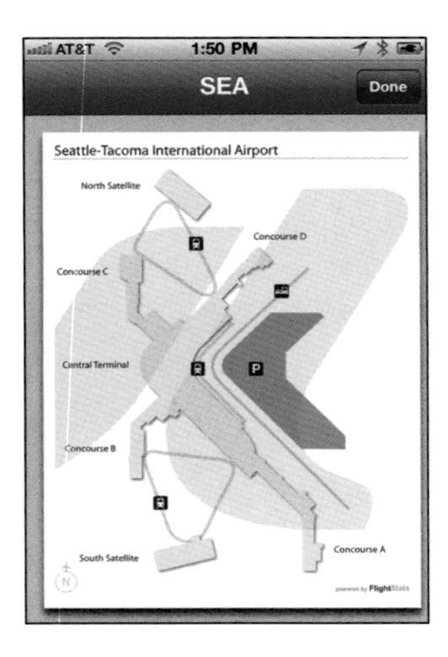

GateGuru nos ahorra parte de esta espera gracias a sus mapas y los detalles de interés de decenas de aeropuertos de todo el mundo. Éstos aparecen enumerados con la información dividida en terminales. Si no sabe en qué terminal se encuentra, pulse Entire Airport y, a continuación, pulse en Map, en la esquina superior derecha.

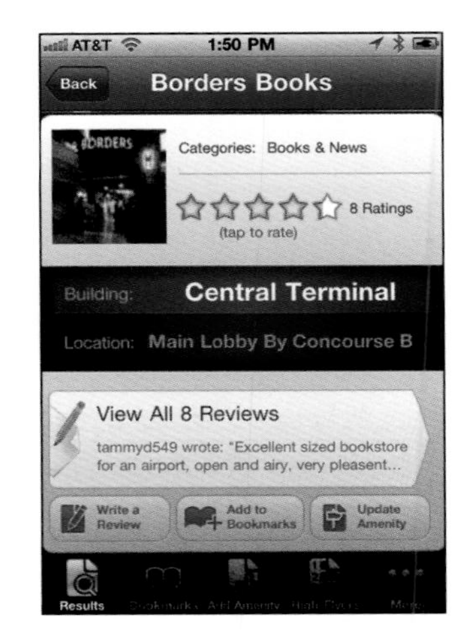

Al seleccionar una terminal concreta, verá los puntos de interés que se ofrecen, además de ofertas especiales de restaurantes y clubs. También podrá consultar un mapa detallado de la terminal. Los puntos de interés, tales como cajeros automáticos, restaurantes, kioscos de prensa, bares y otros, aparecen enumerados junto a las reseñas escritas por otros usuarios de GateGuru. La opinión de otros viajeros le resultará de utilidad a la hora de comer bien o encontrar un cajero automático que no cobre comisiones.

EASYTRAILS GPS

2,99 € / Zirak

http://itunes.apple.com/es/app/easytrails-gps-4/id325935402?mt=8

¿Cómo encontrar de nuevo un sitio en el que ya hemos estado

Si es aficionado a los paseos o a las rutas ciclistas, es posible que le interese guardar un historial de sus rutas preferidas con anotaciones sobre las mismas. Ya sea a pie o en bicicleta, conocer las características de una ruta antes de partir nos permite saber la distancia a recorrer o la inclinación, información muy valiosa a la hora de entrenar o mejorar nuestras rutas. EasyTrails GPS, que requiere de un dispositivo iOS con un receptor GPS, puede grabar la ruta a medida que la recorremos, ofreciendo información tanto grabada como en vivo. Gracias a la función de GPS, la página principal muestra la altitud, la velocidad y las coordenadas.

Pulse el botón Rec (grabar) para que la aplicación comience a guardar los puntos del recorrido. Pulse el botón de Pausa o Stop con el fin de parar la grabación. Pulse el botón con forma de papelera para detener la grabación y enviar la ruta a la papelera. La información de ruta se muestra a medida que vamos progresando, incluida la altitud, velocidad, distancia y tiempo transcurrido desde la salida, así como la velocidad media y nuestras coordenadas. Es muy útil a la hora de explorar una nueva ruta… ¡y decidir si no nos habremos pasado!

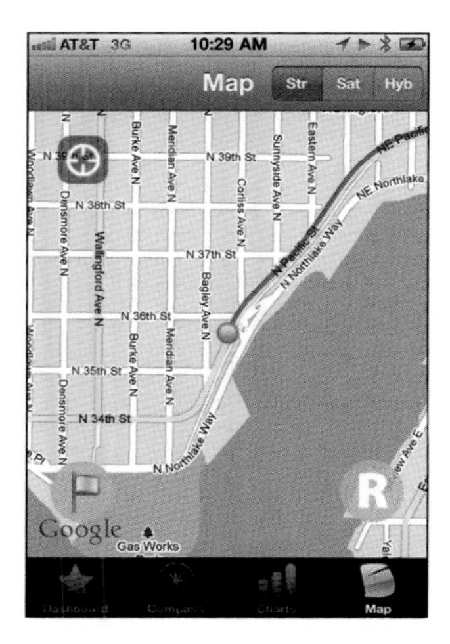

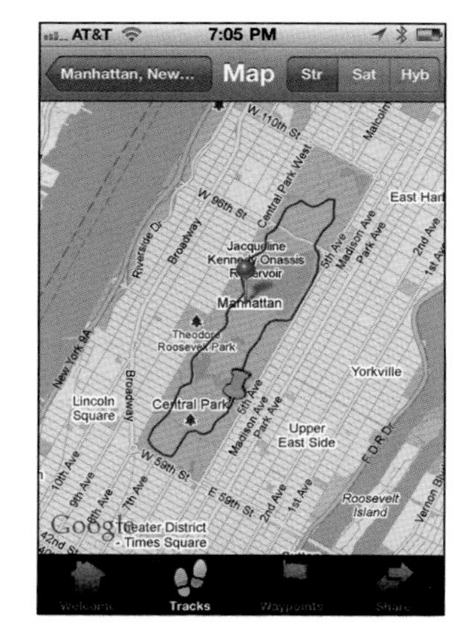

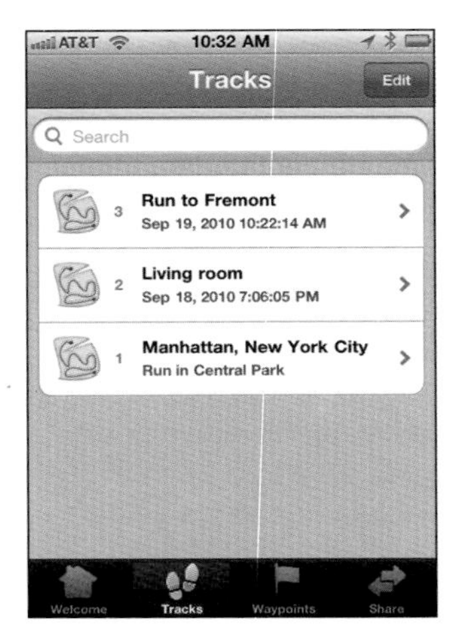

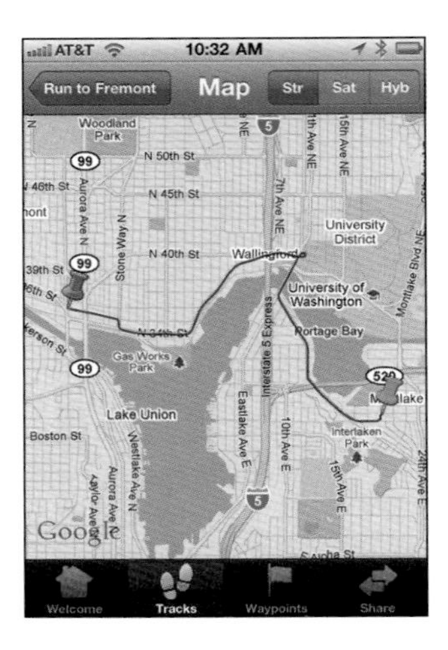

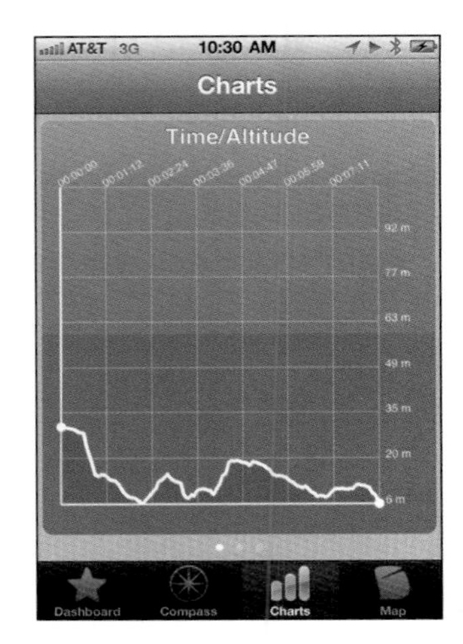

Los tres iconos de la parte inferior ofrecen vistas alternativas: una brújula señala la dirección correcta; las gráficas permiten comparar tiempo, distancia y altitud; la vista del mapa revela la ruta activa tal y como la hemos grabado.

Nota: Existe una versión reducida, EasyTrails GPS Lite (véase http://itunes.apple.com/es/app/easytrails-gps-lite/id325929832?mt=8) que permite seguir una única ruta durante 20 minutos. Las funciones restantes son idénticas a las de la aplicación original.

La vista Mapa tiene dos opciones de gran utilidad. Pulse el icono con forma de bandera para añadir un punto intermedio (un conjunto de coordenadas al que podrá vincular un nombre y una fotografía). Esta función le resultará útil a la hora de planificar una ruta. Pulse el botón R para consultar una ruta anteriormente trazada.

Cuando haya finalizado la ruta, pulse el botón de parada de la vista Dashboard, dé un nombre a la ruta, añada una descripción y pulse Save. La pestaña Tracks mostrará la ruta más reciente. Posteriormente, podrá revisar la ruta sobre un mapa y analizar las gráficas.

Como ciclista experimentado, doy gran valor a las gráficas de altitud que genera la aplicación. Normalmente, siempre me pregunto sobre la inclinación de una ruta conreta y me gusta esperar a ver lo dura que ha sido comparada con otras rutas similares. Con frecuencia, los perfiles de inclinación sólo se encuentran en las guías ciclistas. EasyTrails muestra la altitud tanto en tiempo como en distancia.

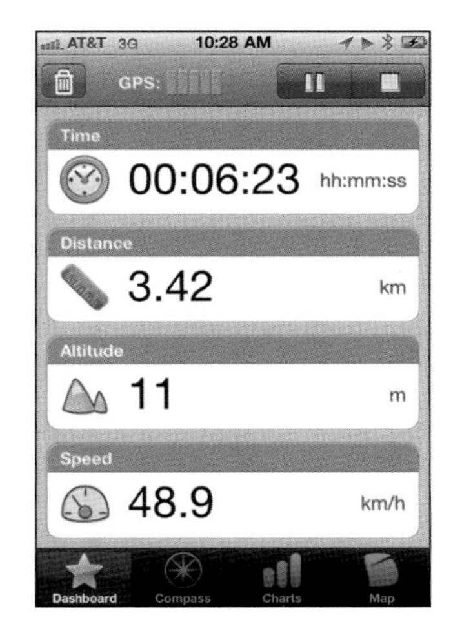

También los corredores disfrutarán de la gráfica de tiempo sobre distancia que ofrece la posibilidad de realizar un seguimiento de su velocidad media, así como las gráficas de inclinación para comprobar su rendimiento en terrenos escarpados. Puede exportar sus rutas a `EveryTrail.com`, enviarlas por correo electrónico en múltiples formatos (incluidos GPS, KML/KMZ y texto separado por comas) o bien acceder a su ruta a través de una red Wi-FI local utilizando un navegador Web. Existe una función adicional que no he visto en otras aplicaciones: no es necesario utilizar WebDAV; basta con iniciar el navegador. La aplicación se ejecuta en un servidor Web propio.

El programa incluye opciones de configuración en la aplicación de Ajustes de su dispositivo iOS. Allí podrá elegir las unidades de medida, los avisos de sonido (por ejemplo cuando se pierda la señal GPS o se encuentre cerca de uno de los puntos intermedios señalados en su ruta) y las configuraciones de seguridad para compartir las rutas a través de Wi-Fi.

FLIGHTTRACK PRO

7,99 € / Mobiata

`http://itunes.apple.com/es/app/id302325893?mt=8`

Para viajeros habituales que necesitan saber con exactitud de qué puerta sale su avión

FlightTrack Pro es una aplicación pensada para ayudar al viajero habitual o a sus familiares. El programa realiza un seguimiento de los vuelos seleccionados, tanto en curso como aquellos que aún no han salido del aeropuerto.

Además, permite descargar un listado con todos los vuelos que aparecen en las cuentas gratuitas o de pago de `Tripit.com` (la sincronización, no obstante, funciona en un solo sentido: los vuelos añadidos desde la propia aplicación no se cargan en `Tripit.com`). Para añadir un vuelo a la aplicación, pulse el signo + de la pantalla de bienvenida y seleccione los detalles. Para aprender el funcionamiento de la aplicación, seleccione cualquier vuelo.

Los vuelos activos muestran una pantalla de estado. Al pulsarla, muestra la hora de llegada estimada y la real, la información sobre las puertas de llegada y estadísticas sobre la probabilidad de que el vuelo llegue a su hora. Puede añadir notas sobre el vuelo, llamar a la aerolínea o encontrar vuelos alternativos.

Pulse el botón situado junto al nombre del aeropuerto. En él se mostrará la información más reciente sobre retrasos y un informe meteorológico.

Existe una actualización que puede adquirir en la versión para iPad desde la propia aplicación que muestra un panel de información done buscar un aeropuerto determinado.

Los vuelos añadidos en la aplicación pueden colocarse en un calendario. El programa actualizará automáticamente los detalles del vuelo a medida que se vayan modificando. Puede reenviar la información relativa al vuelo a través de SMS o correo electrónico, Twitter o Facebook.

12. Dónde comer

En su serie Hitchhiker's Guide to the Galaxy (Guía del autoestopista galáctico), Douglas Adam describió el mundo de la gastronomía y explicó la evolución de las sociedades desde las necesidades más básicas hasta el más puro deseo: "La fase inicial viene determinada por la pregunta ¿qué comer?; la segunda cuestión que se plantea es ¿por qué comemos?, y la tercera es… ¿dónde vamos a comer hoy?"

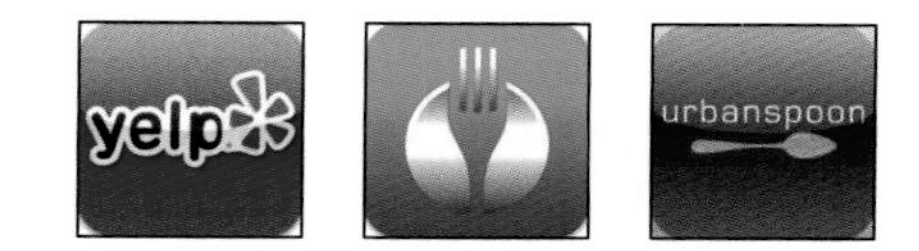

EL TENEDOR

GRATUITA / La Fourchette S. A.

http://itunes.apple.com/es/app/eltenedor.es/id424850908?mt=8#

Reserve mesa en su restaurante preferido

Esta aplicación nos permite localizar y reservar mesa en más de 2500 restaurantes de toda España. Además, podrá disfrutar de promociones de hasta un cincuenta por ciento de descuento en carta. El programa permite realizar búsquedas de lugares donde comer y ofertas por criterios de cercanía, ciudad o nombre del restaurante, entre otras opciones.

Una vez encontrado el local deseado, se ofrece una ficha completa con fotografías, platos, promociones y opiniones de otros usuarios. Para reservar, pulse el botón Reservar. En la página de Confirmación pulse Finalizar la reserva para reservar mesa. No es necesario realizar ningún pago previo ni utilizar una tarjeta de crédito. Por otro lado, El Tenedor nos envía alertas avisándonos de qué establecimientos de nuestra zona ofrecen alguna oferta especial.

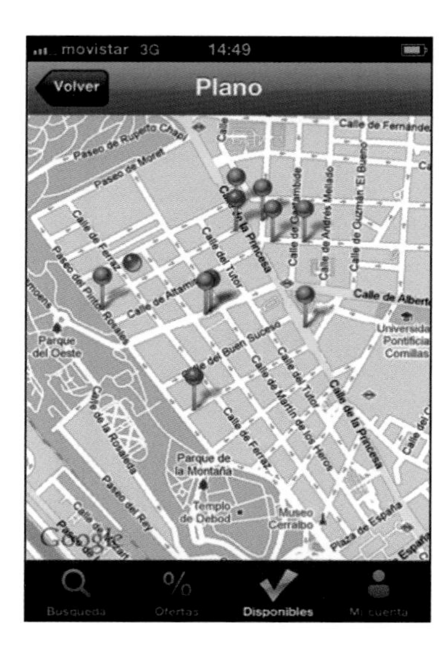

URBANSPOON

GRATUITA / Urbanspoon

`http://itunes.apple.com/es/app/urbanspoon/id284708449?mt=8`

¿Dónde comer? ¡Gire la ruleta!

Con tantos restaurantes para disfrutar de una buena comida, quizá no sea mala idea girar la ruleta para elegir destino. La ruleta de Urbanspoon ha sido imitada por muchos de sus competidores, pero la compañía fue la primera en aplicar este peculiar criterio a su aplicación. Las tres ruletas de la pestaña Shake muestran los barrios más cercanos, los tipos de cocina y los precios. Agite su dispositivo o pulse el botón Shake. Las ruletas girarán y le mostrarán su destino final. Puede configurar la opción de bloqueo de una o varias ruletas para limitar sus opciones.

Al bloquear el botón Rez se mostrarán únicamente aquellos establecimientos con reservas disponibles para esa misma noche. Pulse el lugar elegido o utilice cualquiera de las pestañas restantes para encontrar su restaurante ideal. Así, se mostrarán los detalles de su ubicación. Además, la página del restaurante muestra información diversa, como, por ejemplo, enlaces (a un mapa o un menú), fotografías subidas por los clientes, un número de teléfono o el listado de horas de reserva disponibles para todos aquellos locales vinculados al sistema Rez.

Uno de los elementos utilizados habitualmente en las páginas Web son los porcentajes que muestran la proporción de usuarios que han pulsado el botón I Like It (Me gusta) frente a los que han pulsado la opción I Don't (No me gusta), así como los votos totales. Estos datos se corresponden, con bastante exactitud, con las experiencias que he tenido en los restaurantes seleccionados por la aplicación.

Además de los porcentajes, se ofrecen reseñas detalladas que han aparecido en medios escritos y páginas Web, así como entradas de blogs que hacen referencia a los restaurantes y comentarios escritos en la Web de Urbanspoon o a través de la propia aplicación. Nuestros amigos también tienen un lugar destacado en este programa, ya que podrá vincular su cuenta de Facebook a Urbanspoon para compartir recomendaciones y ver lo que sus conocidos tienen que decir sobre su local elegido. El mapa Nearby muestra restaurantes ordenados en función de la distancia respecto a nuestra ubicación, si bien es posible filtrar los establecimientos por tipo de cocina y enumerarlos por nombre y clasificación. Pulse el botón Scope mientras sostiene su dispositivo en sentido horizontal con relación al suelo: se mostrará un mapa centrado en su ubicación actual con chinchetas que representan los establecimientos cercanos.

Sostenga su dispositivo en alto para pasará a la modalidad de vídeo. En unos instantes, podrá ver sus alrededores con círculos de diámetro variable superpuestos sobre los restaurantes de su entorno. Cuanto mayor sea el círculo, mayor será el porcentaje de votos favorables a dicho establecimiento. Pulse sobre uno de los círculos para obtener más información.

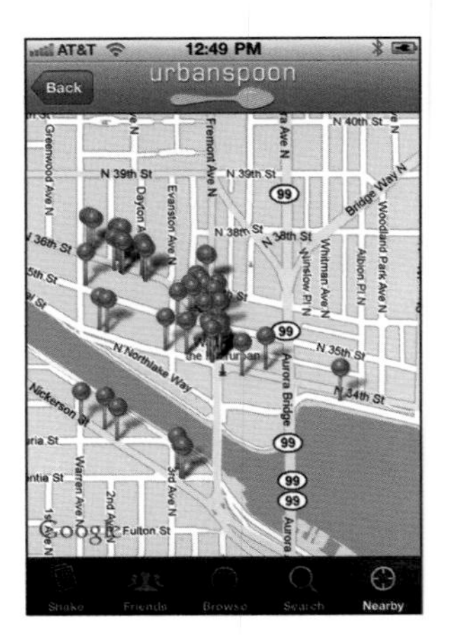

13. Notas e ideas

Cuando le llegue la inspiración, no pierda ni un segundo. Su dispositivo móvil es una herramienta ideal para tomar nota de esos momentos de genialidad que dan lugar a grandes ideas. En este capítulo se incluyen varias aplicaciones que ofrecen herramientas muy interesantes a la hora de tomar notas y apuntes.

EVERNOTE

GRATUITA / **Evernote**

http://itunes.apple.com/es/app/evernote/id281796108?mt=8

Capturas de pantalla, texto, imágenes y mucho más desde cualquier lugar

Evernote permite capturar todo tipo de información que pueda resultarnos de utilidad. El software de sobremesa de la compañía para Mac OS X o Windows permite escribir notas, capturar objetos en pantalla y guardar páginas Web.

Evernote es una aplicación que no pierde ni un ápice de su utilidad en dispositivos iOS, si bien por el momento no ofrece soporte para la plataforma Symbian de Nokia.

La versión para iOS de esta aplicación permite crear notas de texto, añadir comentarios a una fotografía, extraer una imagen de su biblioteca de imágenes o grabar una nota de voz.

Al crear cualquier elemento con Evernote en un dispositivo iOS, las coordenadas de nuestra ubicación quedan grabadas (con nuestro permiso). De este modo, las notas quedan colocadas en un mapa para su posterior

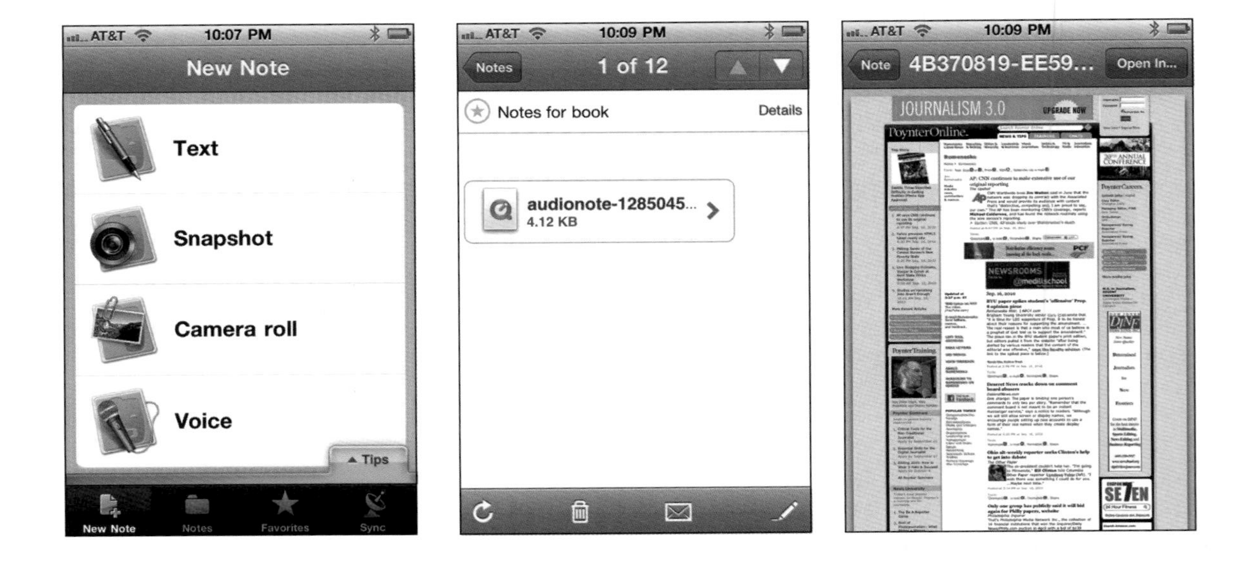

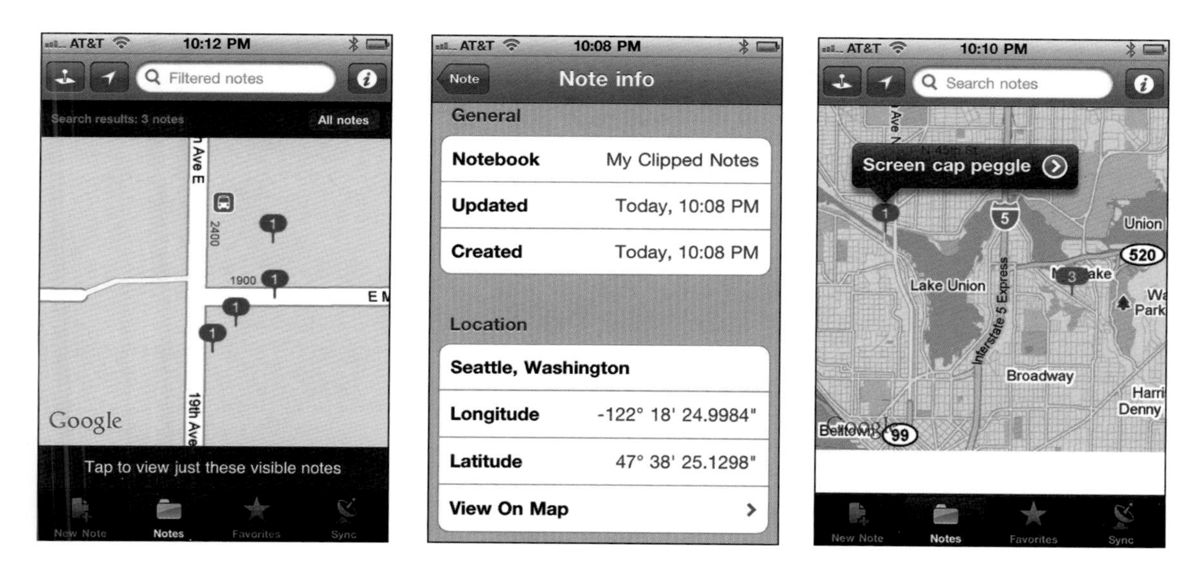

localización. La propia aplicación recomienda utilizar Evernote para recordar dónde hemos aparcado nuestro vehículo. Tome una imagen con la cámara de su iPhone y guárdela como nota. Más adelante, cuando haya olvidado dónde ha dejado el coche, podrá utilizar el cuadro de diálogo de la vista Notas para localizarlo.

Pulse en el campo de búsqueda y, a continuación, pulse en Búsqueda avanzada. Con Near Here podrá limitar las búsquedas a un radio de un kilómetro. ¡Ahí está su coche!

La combinación de notas y coordenadas permite crear comentarios geográficamente contextualizados cada vez que tomamos una fotografía, salimos de viaje o nos encontramos trabajando.

La aplicación permite la sincronización, a través de los servidores de la compañía, con todas las copias del mismo software existentes en otros dispositivos móviles o de sobremesa. Además, puede iniciar sesión en `Evernote.com` y utilizar la aplicación para Web, de excelente diseño, para acceder a ella cuando no tenga acceso a ninguno de sus dispositivos.

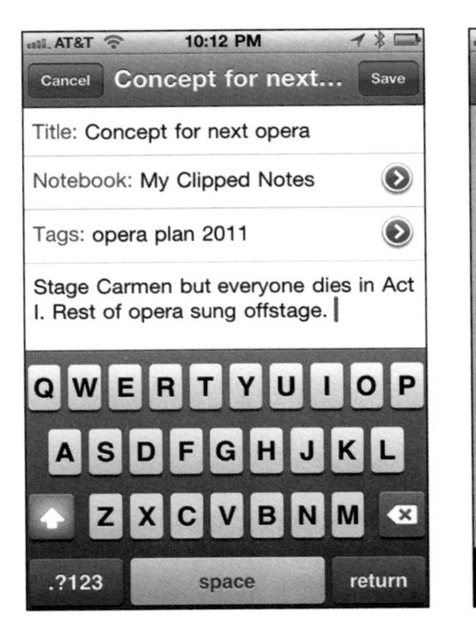

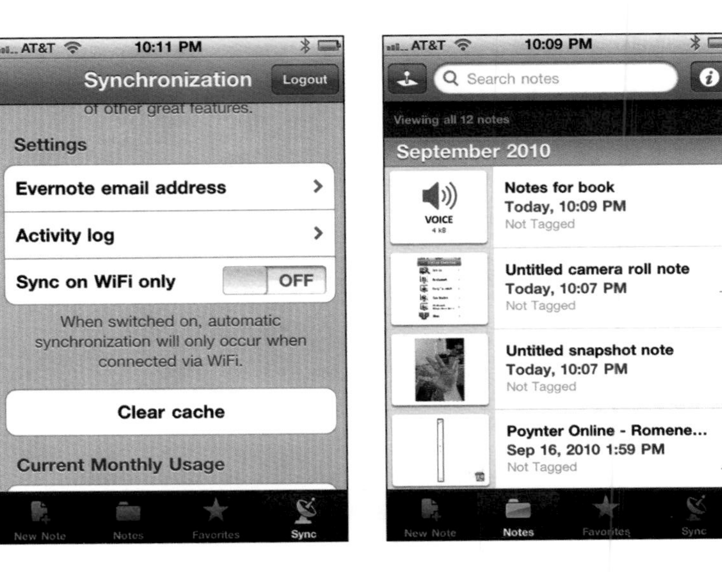

La flexibilidad y la sincronización de la aplicación son claves a la hora de convertir Evernote en una especie de cerebro de repuesto.

No es necesario planificar dónde queremos guardar nuestras notas, capturas de pantalla y fotografías; siempre estarán disponibles, vayamos donde vayamos y utilicemos el dispositivo que utilicemos.

Nota: Evernote requiere el uso de una cuenta (gratuita o de pago) para las labores de sincronización. La cuenta gratuita permite subir documentos hasta un máximo de 40 MB y admite una sincronización de alcance limitado; también incluye publicidad. La versión de pago admite una carga de datos superior (hasta 500 MB), elimina la publicidad y permite la búsqueda de archivos y la sincronización de cualquier tipo de archivos. Los usuarios de pago pueden almacenar sus cuadernos de notas para revisarlos cuando no dispongan de conexión.

CORKULOUS

3,99 € / Appigo

http://itunes.apple.com/es/app/corkulous/id367779315?mt=8

Márquelo con una chincheta

Corkulous es una imitación virtual de esos tablones de corcho donde podemos colgar fotografías, notas, listas o etiquetas. La idea pasa por ofrecer al usuario la misma libertad organizativa que nos ofrece un tablón de anuncios en el mundo real para colocar diferentes elementos y moverlos a nuestro antojo, sin necesidad de ir dejando por ahí desperdigados fragmentos de papel. Lo mejor de todo es que nunca se nos terminarán las chinchetas.

La aplicación ofrece un número reducido de opciones. Pulse en el archivador que aparece en la parte inferior de la pantalla para agregar etiquetas, post-it, listas de tareas pendientes, contactos de su libreta de direcciones y fotografías. También podrá añadir pequeños tablones de anuncios en miniatura. Pulse sobre uno de ellos y se abrirá un nuevo corcho. Puede crear corchos en el nivel superior de la aplicación, ya sea como tablones en blanco o a partir de las plantillas predeterminadas que se incluyen en la aplicación.

Para desplazar un elemento, púlselo. Aparecerán unas guías que le ayudarán a alinear los bordes con los elementos del tablero. No intente lograr un resultado perfecto; recuerde que no se trata más que de una simulación.

Pulse dos veces sobre un elemento para editar sus contenidos. En varios modelos de notas, podrá modificar el tipo de letra (se ofrecen cuatro tipografías) y aumentar el tamaño gracias a un regulador. Pulse dos veces sobre un contacto para enviarle un correo electrónico (se mostrarán todos los detalles del contacto) o cambie a Safari para visitar una página Web.

Los corchos pueden exportarse a través del correo electrónico a la biblioteca de imágenes, o bien utilizando la funcionalidad para compartir archivos de iTunes como archivo PDF, imagen o archivo con un formato especial de intercambio. Estos documentos pueden utilizarse con la aplicación en otros dispositivos. Al exportar los archivos a iTunes, puede optar por transferir la totalidad del tablero, la zona activa o una selección creada mediante el trazado de un rectángulo.

Truco: Pellizque y amplíe la pantalla para ver una parte del tablero.

OMNIGRAFFLE

39,99 € / Omni Group

http://itunes.apple.com/es/app/omnigraffle/id363225984?mt=8

Cómo crear presentaciones visualmente atractivas

OmniGraffle para iPad permite crear con absoluta libertad todo tipo de organigramas con ilustraciones perfectamente estructuradas. El programa no se limita a copiar lo que OmniGraffle para Mac OS X tiene que ofrecer, sino quela aplicación permite editar los archivos en cualquiera de los dos programas, independientemente de cuál haya sido la versión utilizada para crearlas.

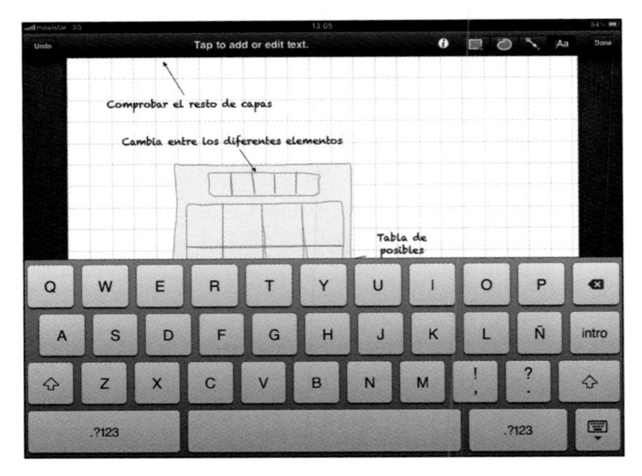

OmniGraffle está pensada para crear presentaciones basadas en ideas improvisadas e interconectadas entre sí.

Use la aplicación para crear organigramas, perfilar una secuencia de ideas o crear un boceto de una página Web.

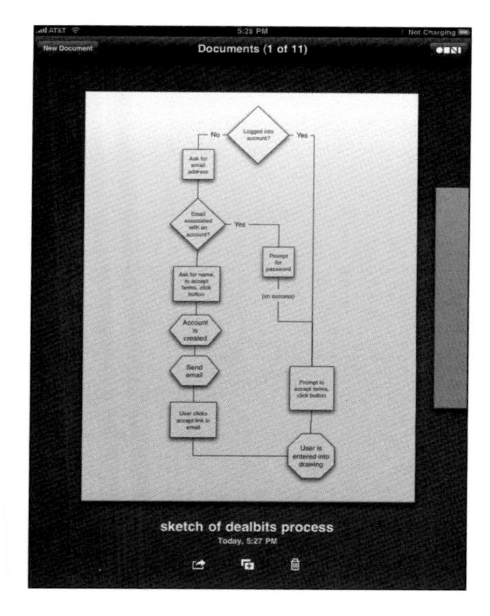

Mantenga pulsado el botón cuadrado para dibujar rectángulos, elipses y otras formas geométricas. Pulse la opción de línea en círculo para dibujar líneas abiertas o cerrar un espacio determinado, y colorear su interior.

OmniGraffle es muy útil a la hora de conectar ideas. Al seleccionar la herramienta de conexión, podrá dibujar una flecha inteligente que una las formas geométricas del ideograma entre sí. Desplace una de éstas y la conexión se mantendrá. La flecha cambiará de dirección según sea necesario. Diferentes objetos para modificar su tamaño, insertar texto en su interior o sobre las líneas, y desplazar las conexiones. Además, puede agregar objetos a partir de una extensa biblioteca de plantillas prefabricadas.

La biblioteca puede ampliarse utilizando la función de importación de plantillas de OmniGraffle. Todos los elementos del ideograma pueden seleccionarse individualmente en el menú de capas y objetos. Éste permite además la creación y control de capas adicionales. Asimismo, podrá importar y exportar sus documentos a través de la función para compartir archivos de iTunes; enviar los archivos a través del correo electrónico en su formato nativo, o bien como imágenes PDF o PNG. Sería ideal que la aplicación ofreciera soporte para Dropbox.

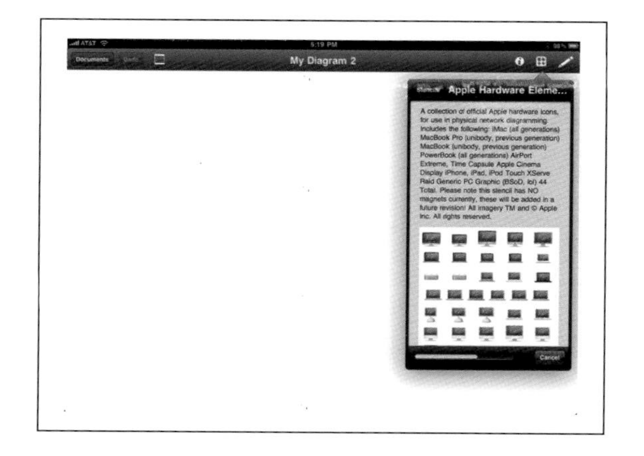

MINDNODE

4,99 € / Markus Müller

`http://itunes.apple.com/es/app/mindnode/id312220102?mt=8`

Organice sus ideas con diagramas en forma de árbol y conviértalas en listas de tareas pendientes

La mayoría de nosotros somos incapaces de pensar secuencialmente. Es habitual que las ideas revoloteen por nuestra cabeza de forma desordenada. Los esquemas son una de las técnicas más efectivas a la hora de crear ideas y vincularlas en forma de árbol.

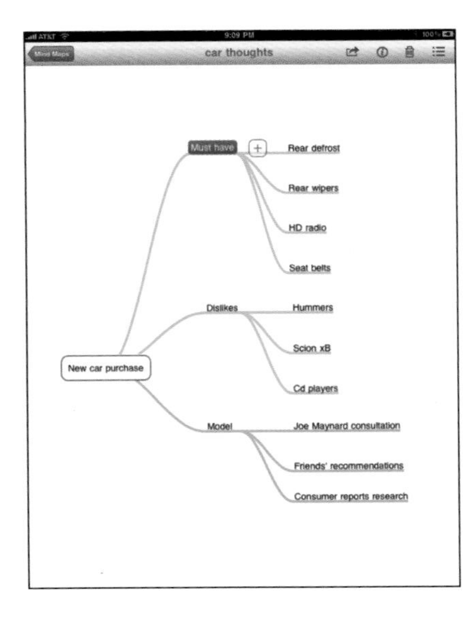

Para crear esquemas con MindNode, comenzaremos realizando un nodo superior que representa el concepto central, para, posteriormente, ir distribuyendo las ideas secundarias como si fueran ramas.

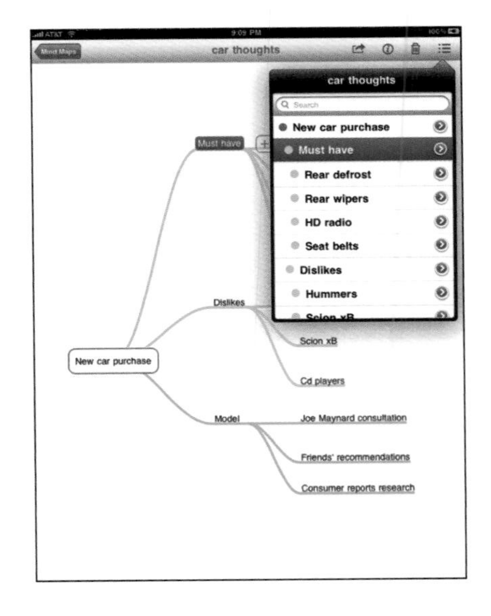

MindNode traslada este concepto a todos los dispositivos móviles ya que permite crear esquemas con una sencillez asombrosa. Pulse en el nodo principal y, a continuación, pulse el botón + para agregar una rama secundaria. Pulse cualquier nodo para seleccionarlo y arrástralo (así como a sus subsidiarios) hasta otra zona del árbol. El enfoque gráfico es ideal para poner en claro nuestras ideas, pero además MindNode nos permite ver nuestro mapa en forma de texto (pulse el botón de esquema de la esquina superior derecha). A medida que va creando su esquema, puede pellizcar y ampliar las diferentes zonas de la pantalla para comprobar los detalles. Pulse en un nodo y el icono de la papelera para borrar una rama concreta del ideograma. La aplicación funciona con un complemento para sobremesa, MindNode para Mac (con versiones disponibles tanto en el modo estándar como en el profesional). Los archivos pueden transferirse hacia y desde la copia de escritorio de MindNode. La modalidad de transferencia a través de una red Wi-Fi (ligeramente oculta) permite compartir archivos mediante una red local utilizando WebDAV.

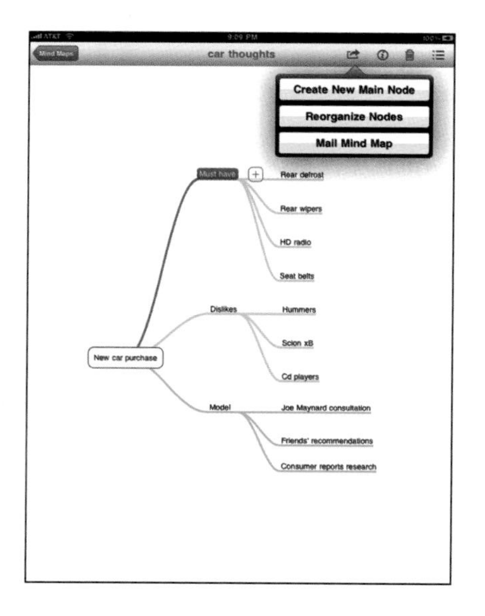

SIMPLENOTE

GRATUITA / Simperium

http://itunes.apple.com/es/app/simplenote/id289429962?mt=8

Lleve consigo sus notas y sincronícelas; guarde y comparta sus versiones anteriores

La naturaleza de SimpleNote va implícita en su propio nombre: estamos ante un programa y un sitio Web complementario de uso gratuito que nos ayuda a tomar notas y apuntes. Las notas se sincronizan entre la aplicación y el sitio Web a través de una cuenta (gratuita o de pago)

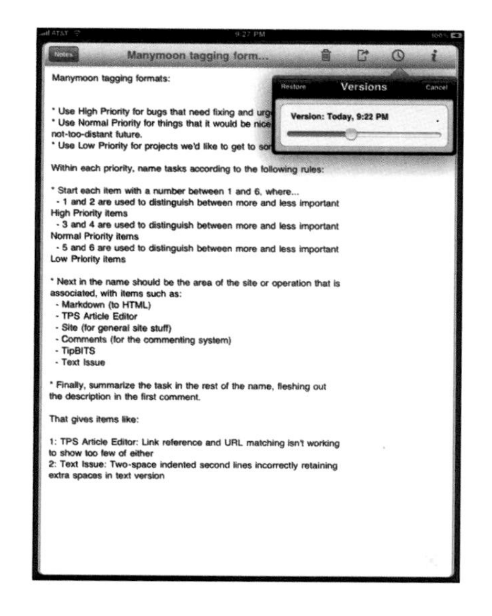

con absoluta sencillez. Los comenarios creados

en el sitio Web aparecen en la aplicación en cuestión de segundos, y viceversa. A las notas se les añaden etiquetas para el filtrado. Puede marcar una nota con una chincheta virtual para mantenerla en la parte superior de su listado de notas. También es posible publicarlas con un enlace para compartir desde la página Web del creador. Asimismo, podrá compartir sus notas con otros usuarios de SimpleNote o enviarlas por correo electrónico.

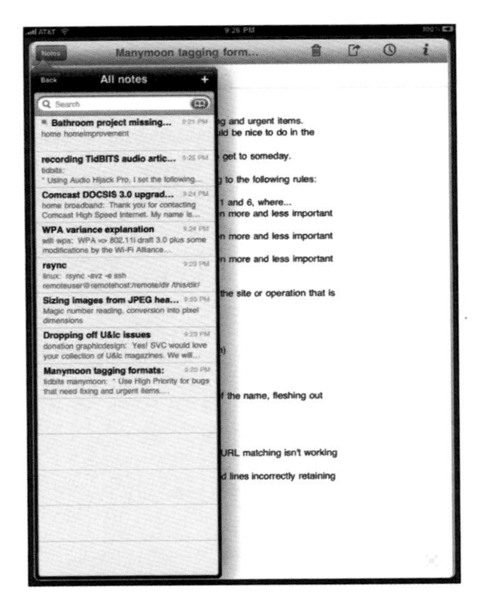

A la hora de redactar o editar sus notas, puede pulse el botón i ubicado en la esquina superior derecha de la pantalla para ver un recuento de palabras y caracteres.

El servicio almacena las versiones previas de sus notas (hasta diez en las cuentas gratuitas y treinta en la cuenta Premium). Pulse el icono con forma de reloj para revisar el historial de ediciones. Pulse Restore para regresar a la versión más antigua.

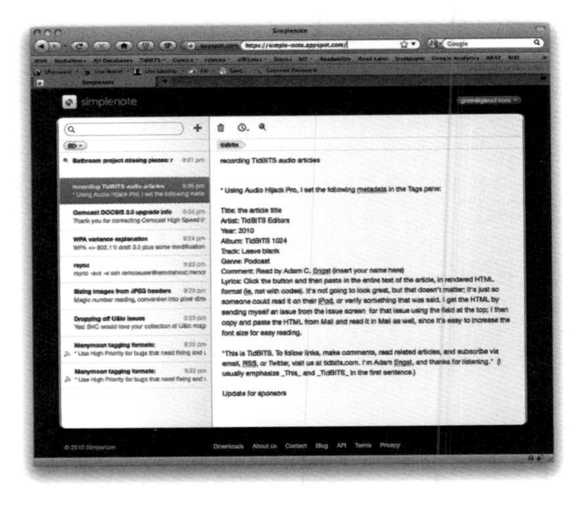

La opción de pago se presenta en forma de actualización que puede adquirir desde la propia aplicación. Esta versión ofrece feed RSS, elimina la publicidad y permite el uso ilimitado de programas de terceros que dependen de la función de almacenamiento de SimpleNote.

Nota: Existen dos actualizaciones para la aplicación: el servicio Premium y la actualización para eliminar la publicidad, que deberá pagar por separado.

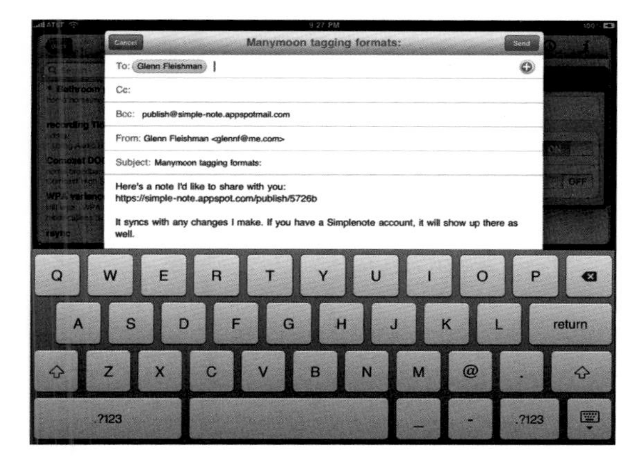

Advertencia: Es necesario registrar una cuenta (gratuita o de pago).

OUTLINER

3,99 € / CarbonFin

http://itunes.apple.com/es/app/outliner-for-ipad/id360659928?mt=8

Una forma estructurada de crear esquemas y listas de tareas pendientes

Aprendí a hacer esquemas en sexto de Primaria. Aún recuerdo la emoción que me embargó entonces. "¡Vaya! Así que es de esta forma cómo se escribe un libro!", pensé. Outliner, una aplicación de CarbonFin, es un programa excelente para ayudarnos a recopilar y ordenar nuestras ideas.

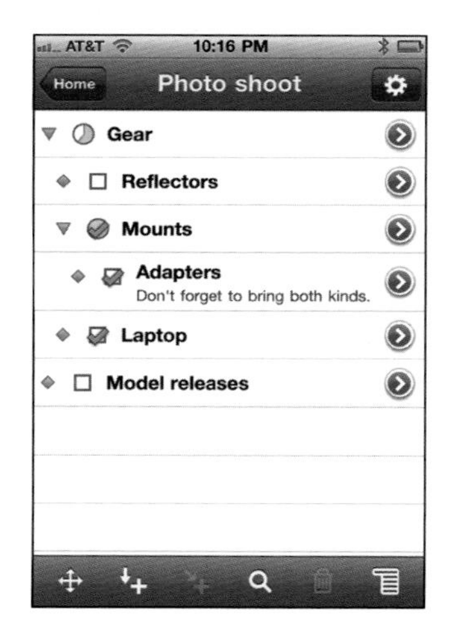

La aplicación permite crear tantos elementos como sea necesario, anidándolos a voluntad. Basta con pulsar el icono de reordenar (se muestra en forma de flechas cruzadas) y arrastrarlo por la pantalla hasta la posición deseada. El programa es lo suficientemente inteligente como para ofrecer los niveles de anidamiento necesarios a medida que vamos recolocando los distintos elementos que conforman nuestro esquema.

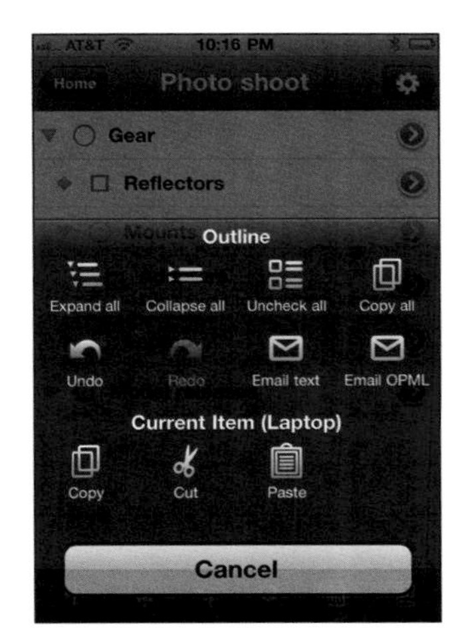

Para mover un elemento a un nivel jerárquico superior o inferior, selecciónelo y, a continuación, pulse el botón oportuno (en forma de flecha izquierda y flecha derecha) para modificar su ubicación en el esquema.

Cada uno de los elementos cuenta con un encabezado y una nota opcional, que puede alcanzar una longitud considerable. Gracias a esta flexibilidad a la hora de redactar, Outliner es mucho más que un mero listado de boliches.

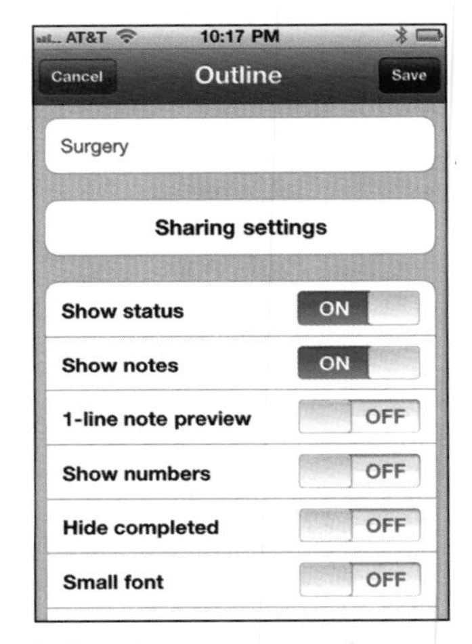

Cada uno de los elementos puede, o no, ser identificado como una tarea. Si es nombrado así, aparecerá una casilla de verificación junto al mismo. Para aquellos elementos con entradas jerárquicamente anidadas bajo el mismo, se mostrará una gráfica de progreso que muestra cuántas tareas se han completado. Una cuenta gratuita optativa permite la sincronización entre múltiples dispositivos, así como el acceso desde el sitio Web. El único defecto es que en la versión que hemos probado par este libro, no es posible reconfigurar la cuenta en la aplicación sin volver a instalar de nuevo el software.
El sitio Web permite además compartir nuestros esquemas con otros usuarios a través de una URL.

Puede enviar sus esquemas por correo electrónico (en formato texto o OPML) o bien acceder a los mismos desde el sitio Web.

14. Información

Información, por favor.

Gracias a la disponibilidad de Internet las 24 horas del día, podemos saber el nombre de ese actor desconocido que aparecía en una película de 1956 siempre que queramos. También es posible conocer los horarios de proyección de los últimos éxitos de la gran pantalla, comprar entradas, escanear códigos de barras de diferentes productos, realizar un seguimiento de nuestros pedidos por Internet y saber en qué se diferencian Islandia y Canadá.

IMDB CINE & TV

GRATUITA / IMDB

http://itunes.apple.com/es/app/imdb-cine-tv/id342792525?mt=8

¿No recuerda el nombre de esa actriz ni el título de la película que protagonizó?

IMDB (Internet Movie Database) se remonta a los orígenes de Internet. De hecho, acaba de celebrar su vigésimo aniversario. Inicialmente, este portal recopilaba información sobre el mundo del cine y más concretamente sobre las películas, desde los intérpretes hasta el equipo técnico, pasando por todo tipo de detalles de lo más peculiar. Después se añadieron programas de televisión. La aplicación de IMDB permite consultar casi todo el sistema en nuestros dispositivos móviles.

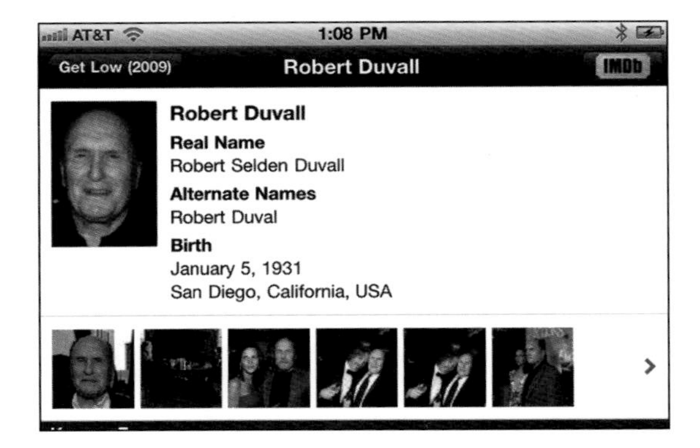

Puede realizar búsquedas de cualquier término en la página de bienvenida de la aplicación o utilizar los botones Películas, TV o People, y abrir los enlaces que conducen a las películas con más recaudación. También puede ver qué actores cumplen años en el día de hoy e, incluso, consultar los resúmenes de los programas cuya emisión se haya perdido (¡Cuidado! Los resúmenes desvelan la trama).

Las páginas Movie y TV muestran un resumen de la información que contiene el portal, una ficha técnica con un listado de actores y personal técnico, así como votos y reseñas tanto de los usuarios como de críticos profesionales. Las páginas de los actores muestran aquellas películas y series de televisión por las que más se les conoce. Pulse sobre un actor para consultar su filmografía.

Las páginas personales y de producción contienen, además, un enlace en la parte inferior que abrirá la página Web de IMDB.

com dentro de la propia aplicación. Si permite que este programa conozca su ubicación, podrá consultar los horarios de las películas en las salas de su zona.

Truco: En todas las páginas se mostrarán enlaces para comprar películas y series de televisión en DVD. IMDB fue adquirida hace años por Amazon.com, como queda de manifiesto en estos enlaces.

OTRACKING

0,79 € / Nicripsia Internet

http://itunes.apple.com/es/app/otracking/id440187344?mt=8

Novedosa y eficaz aplicación para el seguimiento de envíos con plataforma multilenguaje

Aunque es una aplicación reciente, destaca por su eficiencia. Con oTracking podremos realizar un seguimiento de todos nuestros envíos de Correos (España), USPS (EE. UU.), China Post (China), Hongkong Post (Hong Kong), Royal Mail (Reino Unido) y consultar su estado, cómodamente, desde su teléfono.

Olvídese de ir a la web de Correos o USPS, y escribir una y otra vez sus códigos de seguimiento o tracking; la aplicación los almacena por usted, para que los mire tantas veces como desee en cuestión de segundos. Todas las consultas serán en tiempo real. Además, la aplicación le mostrará un historial detallado sobre su petición en particular.

> **Nota:** La aplicación está en continua actualización para poder dar información sobre más proveedores de mensajería.

DELIVERY STATUS

3,99 € / Junecloud

```
http://itunes.apple.com/es/app/
delivery-status-touch-package/
id290986013?mt=8
```

Seguimiento del estado de sus paquetes

Se suponía que Internet iba a ayudarnos a reducir la cantidad de objetos físicos con los que nos veríamos obligados a lidiar en el día a día. Creo que no soy el único que tiene paquetes en tránsito de aquí para allá, compras realizadas en Amazon y otras tiendas de venta por Internet, devoluciones y reparaciones de todo tipo.

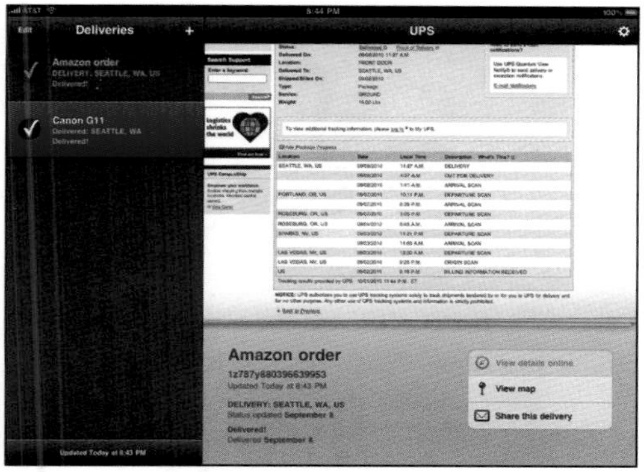

Estar al tanto de las entregas postales exige visitar varios sitios Web a la vez. Delivery Status agrupa todas nuestras entregas en una misma ubicación. Este programa permite conectar con diversos servicios postales y tiendas en línea (Adobe, Amazon, Apple y Google Checkout) para conocer la última ubicación conocida de nuestros envíos.

Con aquéllas, escriba su nombre de usuario y contraseña junto con el número del envío. La aplicación le mostrará los detalles de seguimiento. Para las compañías de transporte, introduzca el número de seguimiento y el programa consultará directamente el estado del envío en la página del proveedor. La ubicación exacta del paquete se mostrará sobre un mapa, si bien esta funcionalidad no reviste más interés que su atractivo visual. Si uno de los productos que acaba de adquirir en Apple se encuentra en Shengzhen, China, de poco le servirá verlo sobre un mapa. Pulse View Details Online y aparecerá una ventana del navegador Web mostrando el progreso del envío.

Delivery Status funciona con una cuenta gratuita opcional que permite sincronizar la información relativa a sus envíos entre su dispositivo y el portal Web. Existe un widget gratuito para Mac OS X que además puede ofrecerle los datos reales de entrega.

Advertencia: Tenga en cuenta que, por el momento, Delivery Status no ofrece soporte para servicios como Correos, SEUR o MRW España.

PARCEL

GRATUITA / Ivan Pavlov

http://itunes.apple.com/es/app/parcel/id375589283?mt=8

Una aplicación con un diseño excelente para seguir el estado de sus envíos

Parcel es una aplicación con un diseño sencillo que funciona con un menor número de compañías y servicios postales que Delivery Status.

Este programa muestra el historial completo de las transacciones a medida que los envíos van pasando de unas manos a otras, sin necesidad de realizar ninguna consulta adicional. Además, facilita información de varias empresas por defecto. Por otro lado, utiliza la aplicación de Ajustes para ofrecer otras compañías o eliminar aquéllas que no le interesen.

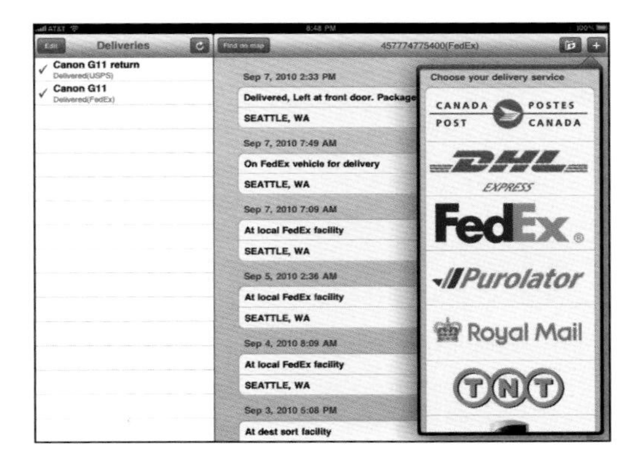

SERVICAIXA

GRATUITA / La Caixa

http://itunes.apple.com/es/app/id322090226?mt=8

Compre sus entradas para todo tipo de espectáculos

ServiCaixa móvil es la aplicación de La Caixa para la compra de entradas que permite acceder a la cartelera de cine y teatro de ServiCaixa, así como escoger el asiento exacto en aquellas sesiones que sean numeradas.

El usuario puede realizar búsquedas por película y recinto. En la sección Mis Entradas se incorpora un sistema que ofrece a los clientes entrar a los recintos adaptados sin necesidad de imprimir las entradas. Además, se facilitan diversas opciones de personalización, tales como establecer un cine como favorito o seleccionar la ubicación y fecha de las consultas.

Ahora podrá decidir que película desea ver y donde desde su dispositivo iOS en cualquier lugar, mientras cena o da un paseo. Una forma rápida para hacer planes espontáneos sino tenía pensado nada.

WOLFRAMALPHA

1,59 € / Wolfram Alpha

http://itunes.apple.com/es/app/wolframalpha/id334989259?mt=8

Toda la información al alcance de la mano

Pregúntele a WolframAlpha por el sentido de la vida. La respuesta correcta es 42. Ahora en serio. Esta aplicación ofrece respuestas perfectamente estructuradas para multitud de preguntas.

WolframAlpha procesa nuestras preguntas, o fragmentos de éstas, e intenta encontrar fuentes que coincidan con la cuestión formulada, incluyendo todas las comparaciones posibles.

Si, por ejemplo, escribimos Seattle vs. Bellingham, el sistema nos ofrecerá datos relativos a la extensión, población, tasa de paro y distancia entre ambos puntos. Si escribimos oro y plata, se nos mostrará la tabla periódica, además de todo tipo de información adicional relativa a ambos elementos.

La aplicación destaca especialmente en el terreno matemático, lo cual no es sorprendente si tenemos en cuenta que Wolfram es una compañía líder en la creación de software para la solución de ecuaciones matemáticas. Escriba una ecuación cualquiera y el programa le dará el resultado con una presentación exquisita.

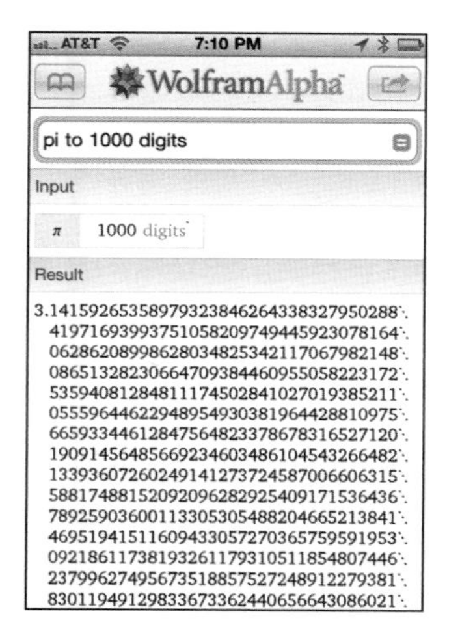

Existe la posibilidad de trabajar con ecuaciones diferenciales de gran dificultad. Si bien el uso de WolframAlpha es gratuito en su página Web, este último formato no es tan compacto como la aplicación, que facilita la lectura gracias a una presentación más agradable. No olvide que puede reenviar las repuestas a través del correo electrónico, Twitter y otros medios. Además, es posible consultar diversos tutoriales para aprender a utilizar el sistema.

WolframAlpha no contiene toda la información del universo, pero lo cierto es que supera a Google en su capacidad expositiva.

TED MOBILE

GRATUITA / Willflow

`http://itunes.apple.com/es/app/ted-mobile/id303299045?mt=8`

Encuentre la inspiración

Las conferencias TED, muy conocidas en el mundo anglosajón, son un espacio en el que personajes acomodados, famosos y expertos del mundo académico escuchan conferencias impartidas por gente aún más interesante e inteligente que ellos. Asistir a una conferencia principal puede resultar muy caro (aproximadamente, 5000 euros), pero los organizadores amplían el número de eventos y organizan otros paralelos sobre temas específicos, como, por ejemplo, la catástrofe ecológica en el Golfo de México.

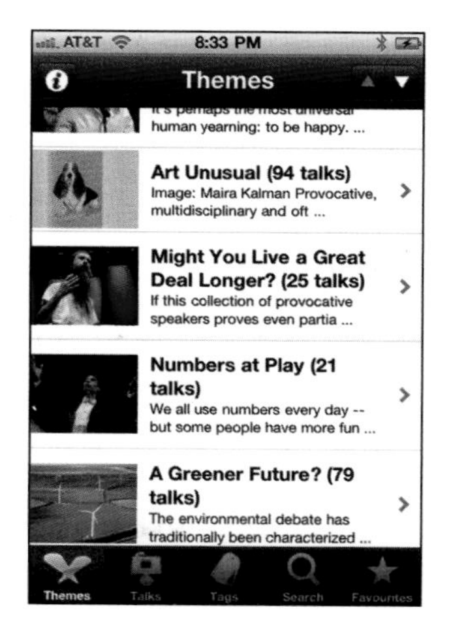

Para disfrutar de los conocimientos que se imparten en estas conferencias, no es necesario ser millonario ni viajar hasta la otra punta del globo, y todo ello gracias a la generosidad de los organizadores.

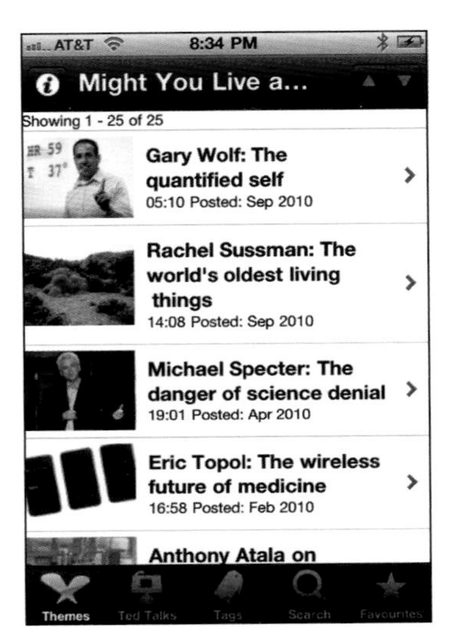

Todos los vídeos de las conferencias celebradas hasta el momento están disponibles de forma gratuita en Internet. Dado que la reproducción de vídeo para Web suele ofrecer ciertas dificultades en nuestros dispositivos móviles, la aplicación TED Mobile ha englobado todos sus vídeos en un formato que facilita la búsqueda, exploración y visualización de las conferencias.

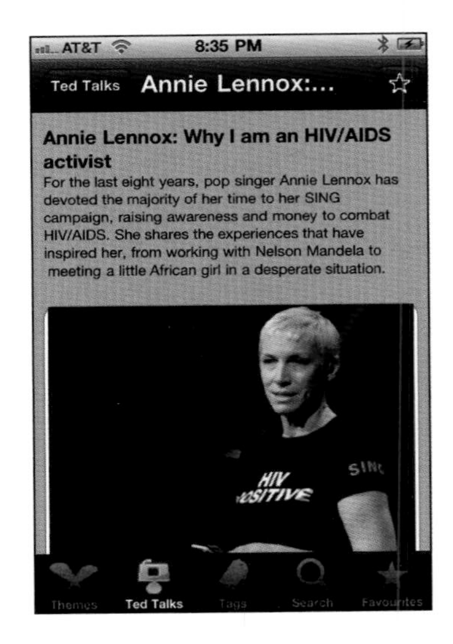

Éstas se organizan por temas y etiquetas. Se centran en áreas de alcance global, tales como las estrategias colaborativas o las alternativas al mundo tradicional de la empresa. Asimismo, se presta especial atención a eventos regionales, como TEDIndia. Por otro lado, las etiquetas organizan los contenidos en una docena de categorías, tales como humor o negocios.

El icono de Ted Talks muestra las conferencias más recientes por orden de subida. Además, podrá realizar búsquedas de presentaciones por nombre o descripción (pulse Search).

Pulse sobre cualquier conferencia para obtener más detalles sobre la misma. Pulse las conferencias marcadas con una estrella para verla en pantalla. TED Mobile es una fuente de inspiración que podrá llevar siempre en su bolsillo.

Truco: Después de pulsar una etiqueta o tema, pulse el icono de la parte inferior de la pantalla para regresar al listado principal.

REDLASER

GRATUITA / eBay

`http://itunes.apple.com/es/app/redlaser-barcode-scanner-qr/id312720263?mt=8`

Busque productos por código de barra

Un código de barras es una puerta a un universo plagado de información, pero, con frecuencia, resulta bastante tedioso pasar del patrón o de los números asociados al mismo a la información que contienen. RedLaser automatiza el proceso.

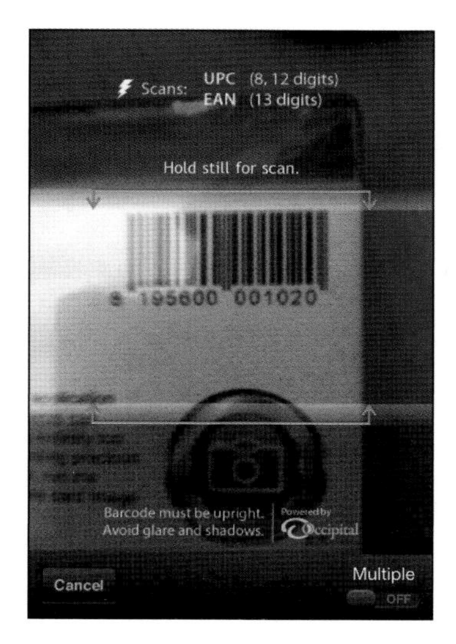

Busque cualquier producto con código de barras (un libro, una lata de comida o un programa de software). Pulse el icono con forma de relámpago y mantenga el objetivo de la cámara orientado hacia el código de barras. Las barras de alineamiento que aparecen en pantalla le ayudarán a orientar el código. Éstas se iluminarán en color verde cuando estén correctamente colocadas. La aplicación funciona incluso con el iPhone de primera generación.

Una vez extraídos los números del código de barras, RedLaser realizará una búsqueda en Google y otros sitios similares. Los resultados se muestran divididos por sitio e incluyen enlaces para la compra de los artículos. eBay compró esta aplicación a sus desarrolladores, por lo que resulta lógico que se muestren enlaces a eBay y `Half.com`, si bien es cierto que no tienen prioridad en el listado.

En el caso de los libros, la aplicación le mostrará coincidencias con las bibliotecas más cercanas, siempre que se le conceda permiso para identificar su ubicación.

Truco: Utilice RedLaser para escanear el código de barras de los libros y películas de sus amigos, o en librerías o bibliotecas para mantener un listado activo de títulos que le interesan y poder comparar precios en línea.

ANIMATED KNOTS

3,99 € / Grog

http://itunes.apple.com/es/app/animated-knots-by-grog/id376302649?mt=8

Una completa guía bolsillo de nudos

No subestime la importancia de un nudo. Este arte ha sido materia de estudio para todos los niños en campamentos, granjas y escuelas del mundo. Hoy en día, los nudos parecen algo anticuados, a pesar de su enorme utilidad en el hogar a la hora de construir algo, en el mundo del deporte y en las emergencias.

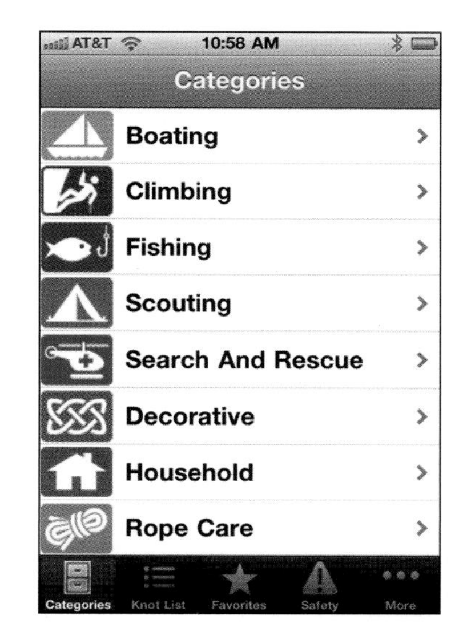

Animated Knots ofrece una vía fantástica para aquellas personas poco experimentadas en esta materia. Estamos ante una guía de bolsillo que incluye decenas de nudos comunes, organizados por categoría. Algunos de ellos se muestran por partida doble, siempre que resulten de utilidad en más de una situación.

Esta aplicación contiene instrucciones escritas y fotografías que muestran paso a paso cómo realizar un nudo correctamente. A medida que vamos completando los procesos, el texto correspondiente en la descripción aparece subrayado. Pulse el botón i para crear nudos cada vez más complejos. Acceda a los enlaces para obtener información adicional, ver los nudos por su nombre o añadir un nudo a su listado de favoritos.

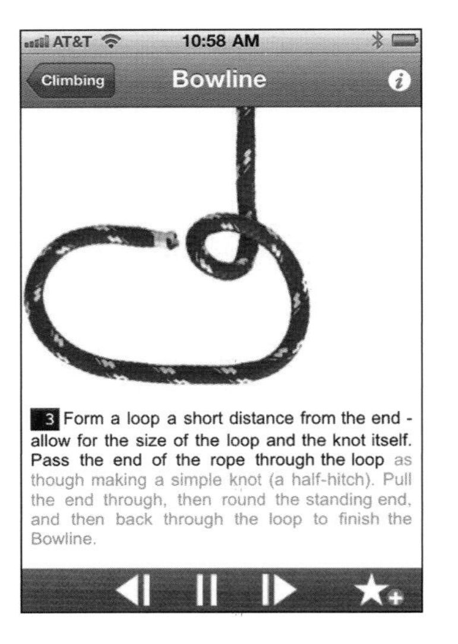

GUÍA DE NUDOS

1,59 € / Winkpass Creations

http://itunes.apple.com/es/app/guia-de-nudos/id293111210?mt=8

Un compendio de nudos sin animaciones

Por menos dinero, puede adquirir una aplicación que no contiene animaciones, pero ofrece cerca de cien modelos de nudos con instrucciones paso a paso, ilustradas con imágenes y texto. Es un programa menos cómodo que Animated Knots, ya que, es necesario ir pulsando sobre los nudos. Sin embargo, ofrece fotografías de mayor tamaño y resultará de interés a aquellos usuarios dispuestos a poner algo más de su parte.

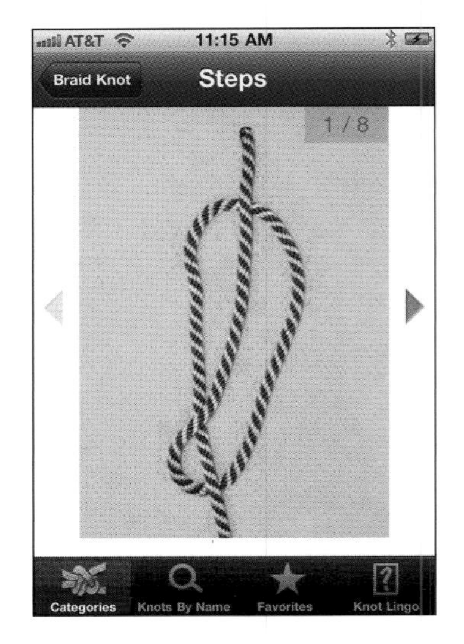

15. Noticias y deportes

Manténgase informado las 24 horas del días gracias a las aplicaciones incluidas en este capítulo, encargadas de filtrar el torrente de noticias que nos llega a diario desde diversas fuentes. Todas estos programas le ayudarán a entender el mundo que le rodea… y mantenerse al tanto de los últimos resultados de nuestras ligas deportivas.

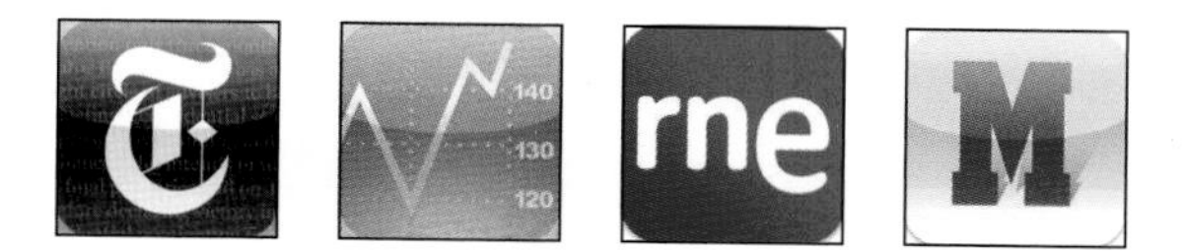

NYTIMES

GRATUITA / The New York Times

http://itunes.apple.com/es/app/nytimes/id284862083?mt=8

Todas las noticias, cero papel

Para los amantes del que es considerado como el mejor periódico del mundo, no hay mejor aplicación que ésta de The New York Times. La compañía aún no ha adaptado su página Web para una navegación óptima desde dispositivos móviles, pero el programa permite acceder fácilmente a los titulares más importantes del día.

El enfoque es muy sencillo: observará cuatro pestañas divididas en secciones en la parte inferior, además de un botón (More) para leer la versión digital del periódico.

La pestaña Latest muestra en pantalla varias columnas horizontales con las noticias más recientes. Además, las pestañas se van actualizando con las últimas noticias. Pulse el botón de recarga ubicado en la esquina superior derecha para renovar la página si le parece que la sección no está actualizada.

Pulse un artículo cualquiera para pasar a la vista de éste, que. por lo general. contiene una fotografía en la parte superior. Pulse a mitad de página para ocultar las barras de navegación superior e inferior, así, aumentará el área visible de la zona de lectura y se eliminarán los botones, que distraen nuestra atención. La aplicación funciona tanto en sentido vertical como horizontal, tanto para la lectura como a la hora de navegar.

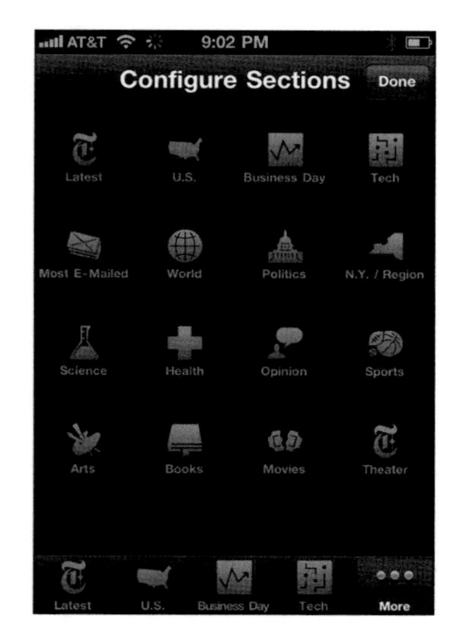

Las flechas izquierda y derecha ubicadas en la esquina superior derecha de la página del artículo nos permiten desplazarnos por los artículos de una sección; el botón de la esquina inferior izquierda hace que se envíe el artículo a través del correo electrónico, mensajería de texto o Twitter. Además, puede copiar el enlace desde el menú. Pulse Save para almacenar el artículo en su dispositivo.

Sería muy interesante que la aplicación pudiera vincularse directamente con Evernote, Instapaper y aplicaciones similares que permitan guardar enlaces y capturas de pantalla para su posterior lectura, tanto en la Web como en otros dispositivos. Personalmente, la publicidad no me resulta molesta, pero preferiría que existieran vías alternativas para recordar lo que quiero leer más adelante.

La posición de lectura en un artículo no queda grabada, así que al salir de la aplicación y volver al mismo punto, tendrá que navegar hasta el lugar en el que haya abandonado la lectura. La aplicación mejoraría considerablemente si fuera posible señalar dónde hemos dejado la lectura, como ocurre con las aplicaciones de Kindle o iBooks para libros electrónicos.

Si no le gustan las secciones predeterminadas que encontrará en la parte inferior de la pantalla de bienvenida, pulse More y explore las secciones restantes. Pulse Edit y arrastre nuevas secciones hasta la parte inferior de su pantalla para sustituir las existentes.

La opción More esconde, asimismo, dos enlaces adicionales: Search y Saved Articles. La función de búsqueda (Search) permite encontrar cualquier artículo en el periódico publicado en los últimos días. Al configurar el programa, es recomendable situar esta función en la página principal.

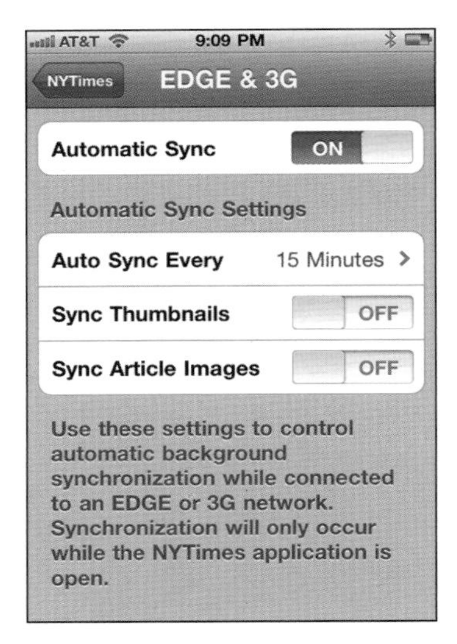

Disfrute de la aplicación gratuita mientras pueda. The New York Times ya ha anunciado que cobrará por utilizar sus aplicaciones móviles y por el acceso a su página Web muy pronto.

BLOOMBERG

GRATUITA / Bloomberg

http://itunes.apple.com/es/app/bloomberg/id281941097?mt=8

Análisis y noticias del mundo financiero

Bloomberg es el canal líder en el ámbito de la información económica y financiera. Su aplicación gratuita ofrece multitud de informes y datos en constante actualización, en un formato de fácil lectura. Consulte las cotizaciones, añada stocks y reciba las noticias económicas de últimas hora, además de todos los informes relacionados con aspectos concretos del mercado.

La aplicación incluye valores de cambio de moneda, bienes y bonos, así como una gran variedad de índices.

Los podcast se actualizan con frecuencia (algunos lo hacen a diario). La versión para iPad ofrece los mismos datos con un aspecto algo distinto y revela algo más de información a primera vista.

Los usuarios interesados en la industria financiera con terminales Bloomberg podrán conectar directamente con el sistema MSG y enviar y recibir mensajes.

RNE

GRATUITA / Corporación RTVE

http://itunes.apple.com/es/app/radio-nacional-de-espana/id320731278?mt=8

Todas las emisores de RNE a su alcance

La nueva aplicación de RNE para dispositivos móviles pone a su disposición todas las emisoras de Radio Nacional de España (RNE).

Podrá conectar con los programas en directo o escuchar los podcast. Gracias a la opción de despertador, puede programar el encendido de la aplicación con la emisora de RNE que elija, así como la función de apagado automático. Se incluyen Radio Nacional, Radio Exterior de España, Radio Clásica, Radio 3, Radio 4 y Radio 5 con boletines de noticias cada quince minutos, y mucho más.

MARCA.COM

GRATUITA / Marca.com

`http://itunes.apple.com/es/app/marca.com/id312407627?mt=8`

El mejor deporte

Ahora podrá disfrutar de toda la emoción del deporte con la nueva aplicación de `MARCA.com` para dispositivos móviles. Gracias a ésta podrá mantenerse informado con las mejores noticias del mundo del deporte (fútbol, Fórmula 1, motos, baloncesto, tenis, ciclismo, etc.).

La aplicación ofrece los resultados de cada jornada, la lista de goleadores, las clasificaciones de todas las competiciones en curso y los resultados completos en tiempo real, además de las mejores fotos del día y los mejores vídeos. Puede escuchar Radio MARCA en directo las 24 horas del día, consultar la portada del diario en papel, jugar a la Liga Fantástica MARCA y acceder a las diferentes promociones que ofrece el diario a través del Supercódigo MARCA. La aplicación es completamente personalizable: puede configurar la información de su equipo favorito o destacar aquellas secciones que más le interesen.

16. Escritura y pintura

La creatividad nos sorprende cuando menos lo esperamos. Por ello, es muy útil tener a mano un dispositivo móvil que nos permita expresarnos sin intermediarios gracias a las aplicaciones que presentamos en este capítulo; con ellas que podrá escribir y dibujar directamente sobre la pantalla y dar rienda suelta a su imaginación.

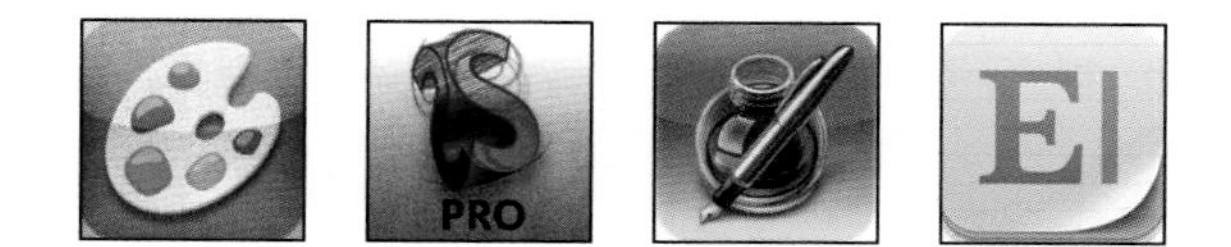

BRUSHES

3,99 € / Steve Prang

http://itunes.apple.com/es/app/id363590649?mt=8

Convierta su dispositivo móvil en un verdadero lienzo multimedia

Brushes es la aplicación estrella entre los artistas, que utilizan este programa de software para crear cuadros ricamente elaborados a través de la edición fotográfica y la superposición de capas. La aplicación permite seleccionar diversos pinceles, que en realidad se comportan como un objeto repetido que utilizaremos para crear líneas sólidas, puntos y otros efectos.

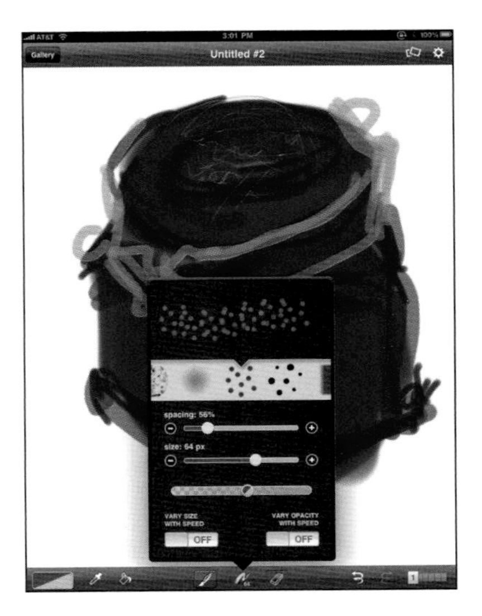

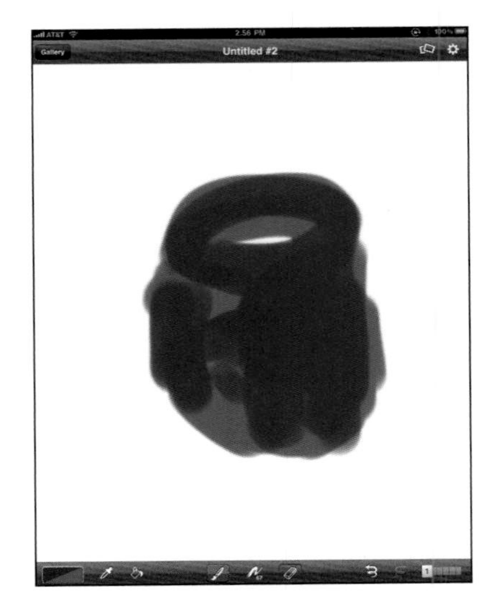

Los controles de transparencia de los colores ofrecen un ajuste muy preciso. Al pasar el pincel varias veces sobre la misma zona, se va añadiendo opacidad, como ocurre con las acuarelas. La opción de pinceles permite seleccionar la forma en la que la velocidad afecta a la anchura y opacidad del pincel. Utilice trazos más lentos para aplicar una capa de "pintura" más espesa y menos transparente.

Los controles que aparecen en pantalla para abrir las herramientas de edición están muy bien pensados: pulse dos veces en la esquina para deshacer una acción; pulse dos veces en la otra para modificar el peso del pincel o borrador.

El control de las capas es realmente excelente, ya que la aplicación nos ofrece la posibilidad de crear capas, modificar su orden y visualizarlas, así como acoplar una capa con la siguiente con una única pulsación.

También contamos con efectos de combinaciones similares a los existentes en Photoshop. La opacidad y los efectos variables permiten crear pinturas extraordinarias.

Si prefiere comenzar a trabajar a partir de una fotografía, pulse el icono de fotografía que aparece en la esquina superior derecha y seleccione una imagen de su biblioteca.

Puede modificar el tamaño de la imagen y rotarla antes de colocarla en pantalla. La opción de pinceles aporta una funcionalidad añadida: puede conectar la aplicación a un servidor de archivos de red para abrir documentos directamente desde un ordenador Mac o Windows gracias a WebDAV.

Nota: Existe una versión para iPhone e iPod touch (véase la dirección http://itunes.apple.com/es/app/brushes-iphone-edition/id288230264?mt=8).

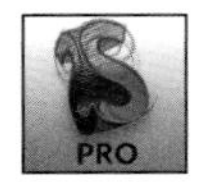

SKETCHBOOK PRO

3,99 € / AutoDesk

http://itunes.apple.com/es/app/sketchbook-pro-for-ipad/id364253478?mt=8

Vea el lado artístico de los creadores del mejor software para programas de diseño asistido por ordenador

AutoDesk apareció como el inesperado compañero para los programas de pintura y dibujo ya existentes. Fue una de las primeras aplicaciones en su versión para iPad. La compañía responsable de su creación es conocida por sus paquetes de software para diseño asistido por ordenador (CAD/CAM), utilizado por arquitectos, ingenieros industriales y fabricantes diversos, pese a lo cual SketchBook Pro es una aplicación libre de la mentalidad técnica que caracteriza a este tipo de programas.

Brushes, la aplicación presentada anteriormente, consigue que la tarea de dibujar virtualmente se aproxime más a la experiencia real de pintar un cuadro, pero ofrece muy pocas opciones y un número limitado de pinceles. Si prefiere trabajar con distintos tipos de medios, SketchBook Pro le lleva cierta ventaja.

La aplicación ofrece una selección de 75 pinceles, lápices, tipos de spray y formas geométricas irregulares. La vista previa de los pinceles los muestra y permite ver las variaciones a medida que se modifica el color, el radio y la opacidad.

Además, ofrece un sólido control de capas, con un deslizador de opacidad que permite crear dibujos con distintos niveles de capas. Puede ajustar la modalidad de combinación de las capas entre sí y reordenarlas arrastrándolas.

SketchBook Pro permite exportar sus creaciones como archivos de Photoshop con sus capas intactas, o bien acoplando éstas. Podrá agregar su trabajo a su biblioteca de imágenes del iPad, enviarlo por correo electrónico o copiarlo a través de iTunes. La aplicación permite, asimismo, importar fotografías en las capas.

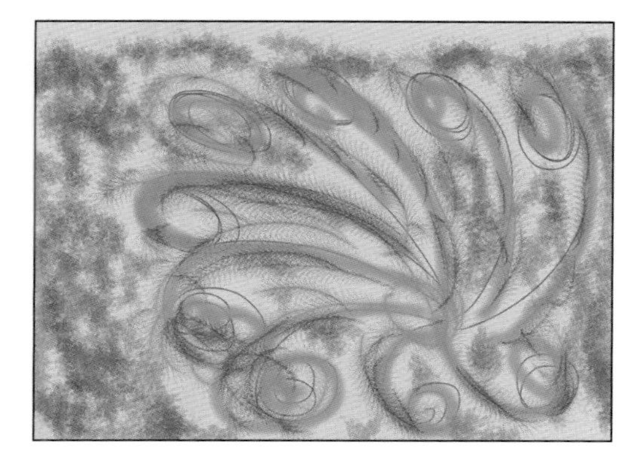

Nota: Existe una versión para iPhone e iPod touch (véase SketchBook Mobile, http://itunes.apple.com/es/app/sketchbook-mobile/id327375467?mt=8, disponible por 1,59 €). Asimismo, existe una versión gratuita con algunas limitaciones, llamada SketchBook Mobile Express.

PAGES

7,99 € / Apple

`http://itunes.apple.com/es/app/pages/id361309726?mt=8`

Un sofisticado diseño para iPad intercambiable con las funciones de un Mac

Pages es la aplicación estrella de Apple para iPad para demostrar que es un dispositivo tan apto para labores creativas como para el consumo. Otras aplicaciones ya presentadas a lo largo de este libro comparten con Pages el mismo objetivo. Sin embargo, éste representa una aplicación pensada para funcionar de forma intercambiable con la aplicación de Pages para Mac OS X, que forma parte de iWork.

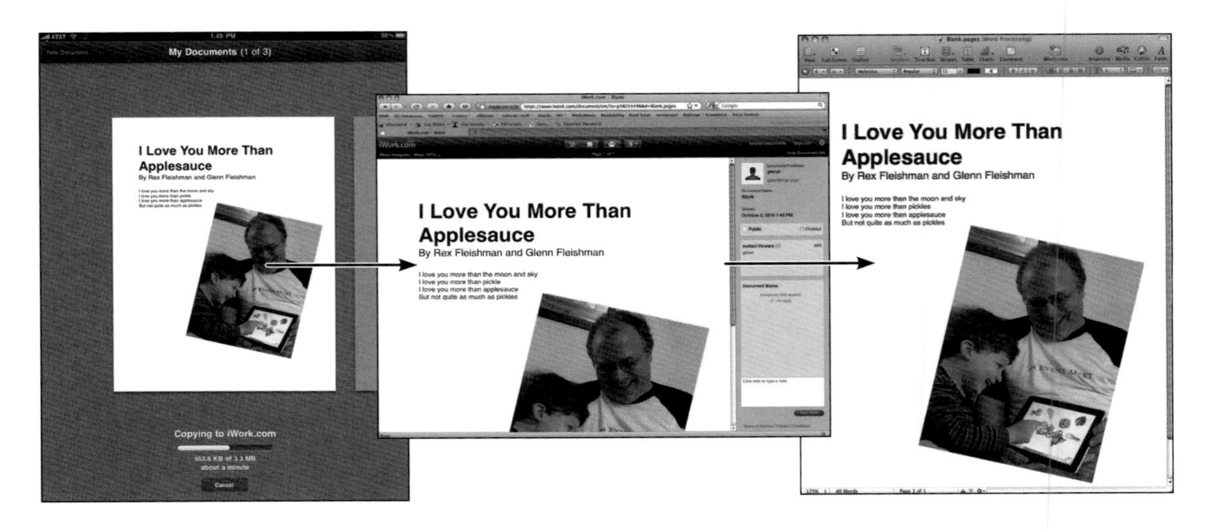

La aplicación suele funcionar correctamente, a pesar de presentar algunos problemas a la hora de iniciarla. La versión de Pages que hemos utilizado para este libro era lo bastante robusta como para permitir la transferencia de archivos en doble sentido y la creación de documentos complejos.

Pages crea tanto documentos como plantillas. Comenzamos a trabajar con una plantilla de texto que ya contiene elementos para una tarea concreta, como, por ejemplo, redactar una carta o crear un folleto publicitario. También podemos utilizar una plantilla en blanco para empezar de cero.

Para redactar un fragmento de texto, basta con pulsar el documento y comenzar a escribir. La combinación de barra de formato y regla de la parte superior incluye diversos estilos de encabezamiento y otras categorías de texto.

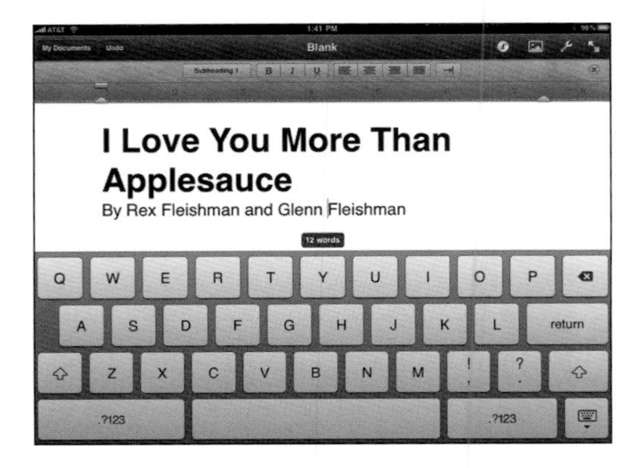

Además, podrá seleccionar el texto y añadir formatos (negrita y cursiva), alinear el texto (izquierda, justificado o derecha) y centrarlo.

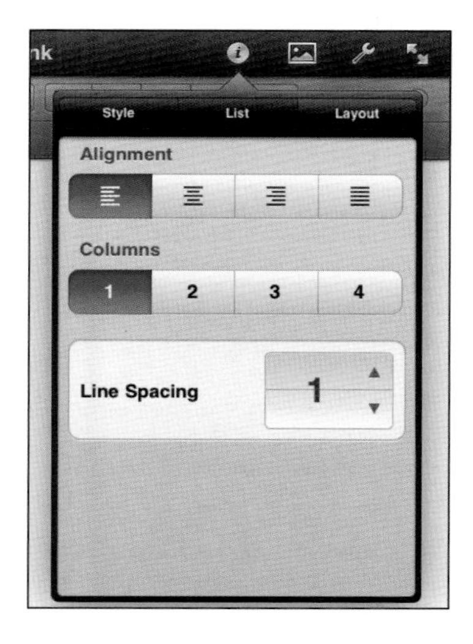

Bajo el botón i ubicado en la parte superior se encuentran más opciones de formato. Pulse el botón y la aplicación le mostrará las opciones de estilo y tipo de letra existentes, así como las pestañas List y Layout. Seleccione el texto y utilice la primera pestaña para usar boliches o formatos de enumeración. La segunda ofrece diversos controles de alineación, y, además, permite seleccionar el texto para crear varias columnas y aumentar o reducir el espaciado entre líneas.

Nota: Pages para Mac OS X forma parte de iWork. Apple ofrece la posibilidad de descargar la aplicación de forma gratuita durante un periodo de prueba.

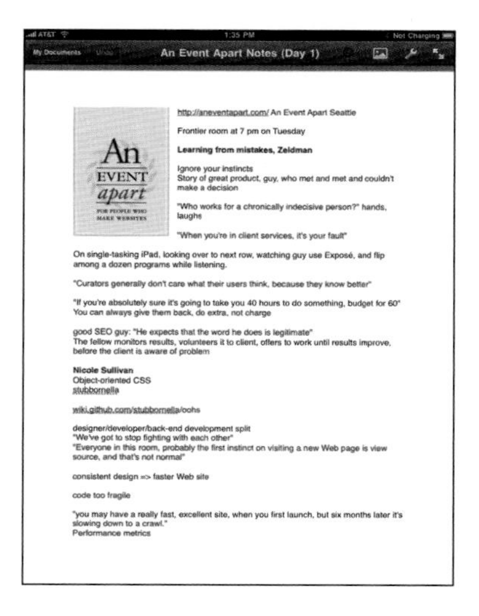

En cuando a la utilización de imágenes, pulse el icono de imágenes para incorporar fotografías de su biblioteca o para insertar tablas, gráficas y formas geométricas. Puede rotar, recortar y modificar el tamaño de las fotografías importadas.

Apple ha tomado prestada una página de su aplicación Numbers para mejorar la gestión de las gráficas y tablas. Pulse una tabla para insertarla en la página. Podrá editar las celdas y encabezamientos a través del menú i.

Tome una gráfica y pulse dos veces sobre la misma en la página para acceder a la hoja de cálculo subyacente, donde podrá introducir datos. Desde el menú i podrá controla el formato de los ejes X e Y, entre otros detalles. Al modificar los datos, se modificará también la gráfica. La combinación de opciones predeterminadas permite crear cualquier tipo de documento o, al menos, completar los primeros pasos. Para un control más detallado del texto, imágenes o resultados, puede enviar el documento a la versión para escritorio de Pages.

Pulse Mis documentos en la esquina inferior izquierda y seleccione un documento. Pulse el icono de avance para ver las opciones disponibles. Podrá enviar el documento por correo electrónico, copiarlo para poder acceder al mismo a través del acceso para File Sharing de iTunes, transferirlo a un servidor WebDAV o subirlo a MobileMe iDisk. Por cada opción podrá exportar el archivo como archivo nativo de Pages, archivo en formato `PDF` o como documento compatible de Word.

Además podrá exportar sus documentos a `iWork.com`, para lo cual se requiere una cuenta gratuita. iWorks nos permite compartir documentos con otros usuarios, pero es evidente que sigue siendo un programa mejorable.

Pages también importa archivos desde File Sharing de iTunes, iDisk o un servidor WebDAV.

ELEMENTS

3,99 € / Second Gear

`http://itunes.apple.com/es/app/elements-dropbox-powered-text/id382752422?mt=8`

Edite directamente sus documentos en Dropbox

Esta aplicación nace con la intención de convertirse en el procesador de texto más sencillo para dispositivos iOS; toda nuestra atención se centra en la escritura.

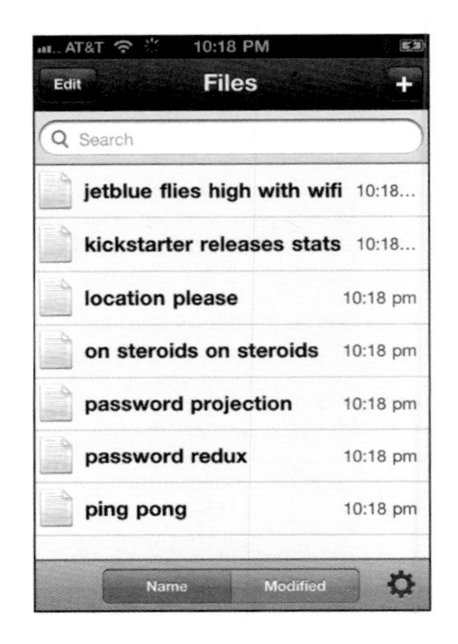

Los archivos se almacenan temporalmente en el dispositivo; Dropbox, un servicio de alojamiento de archivos en Internet, funciona como disco duro.

Puede seleccionar distintos tipos de letra, configurar el tamaño de ésta, el color y el fondo; ésas son todas las opciones disponibles y necesarias. Elements ofrece soporte para las macros de TextExpander con el fin de facilitar la escritura.

Los documentos se guardan al pulsar Done. Podrá enviar una copia del documento por correo electrónico. Los archivos se guardan en la carpeta Elements dentro de Dropbox. Puede copiar y agregar archivos directamente en la carpeta.

PLAIN TEXT

GRATUITA / Hog Bay Software

http://itunes.apple.com/es/app/plaintext-dropbox-text-editing/id391254385?mt=8

Una aplicación similar, aunque más sencilla

Plain Text contiene un número de funciones aún menor que Elements. También permite conectar con Dropbox y funciona con las macros de TextExpander. Sin embargo, Plan Text permite trabajar con cualquier carpeta de Dropbox que hayamos seleccionado al iniciar la sesión con nuestra cuenta.

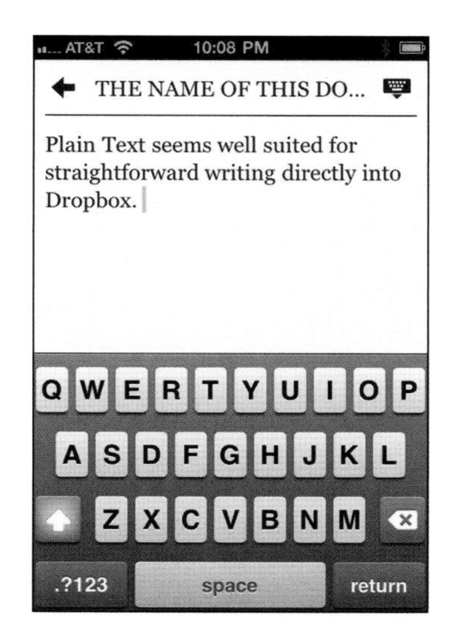

La aplicación permite asimismo copiar archivos desde y hacia iTunes Sharing gracias a la conexión USB.

Plain Text permite configurar la sincronización de los cambios con Dropbox. La opción por defecto sincroniza los cambios cada vez que se producen: cuando la aplicación se abre o se cierra, al editar un documento o al archivar un documento o carpeta.

La naturaleza austera de la aplicación facilita considerablemente la tarea de componer nuestros documentos sin distracciones.

Truco: Ambas aplicaciones permiten deshacer los cambios realizados. Basta con agitar el dispositivo para revertir el estado de nuestro documento a su versión anterior.

Nota: Elements exige una cuenta de Dropbox (gratuita o de pago). Plain Text permite utilizar cuentas de Dropbox.

17. Naturaleza

La excesiva atención que prestamos a nuestros dispositivos móviles puede hacer que nos perdamos las maravillas que nos ofrece el resto de la creación. Utilice las aplicaciones que presentamos en este capítulo para observar el firmamento y el mundo que le rodea con nuevos ojos.

THE ELEMENTS

10,99 € / Theodore Gray

`http://itunes.apple.com/es/app/the-elements-a-visual-exploration/id364147847?mt=8`

Antimonio, arsénico, aluminio, selenio… y cien elementos más

A los amantes de las ciencias les encanta la tabla periódica. Hay incluso quien la lleva consigo a todas partes, por si se da la circunstancia de tener que saber el peso atómico del molibdeno (respuesta correcta: 42).

¿Qué mejor manera de demostrar el carácter misterioso y caprichoso del universo que habitamos? La tabla periódica clasifica los elementos básicos e indivisibles de nuestra existencia (vamos a ignorar por unos instantes los quarks y los gluones) en función de su número de electrones y según el número de protones que conforman su núcleo (de menor a mayor).

Theodore Gray, uno de los fundadores del software matemático de Wolfram Reserch, ha empleado una enorme cantidad de tiempo, dinero y esfuerzo recopilando y documentando ejemplos de todos los elementos, algunos de los cuales únicamente pueden crearse en condiciones que requieren dosis gigantescas de energía. Además, tienen una efímera vida antes de desaparecer. Por todo ello, resulta muy difícil hacerse una idea de su aspecto.

Gray ha escrito libros sobre este tema, ha creado una página Web y ahora presenta esta gran aplicación, una de las primeras para iPad en el momento de su lanzamiento. El programa muestra la tabla periódica con fotografías, información sobre los elementos y enlaces a Wolfram Alpha que nos ofrecen más detalles adicionales.

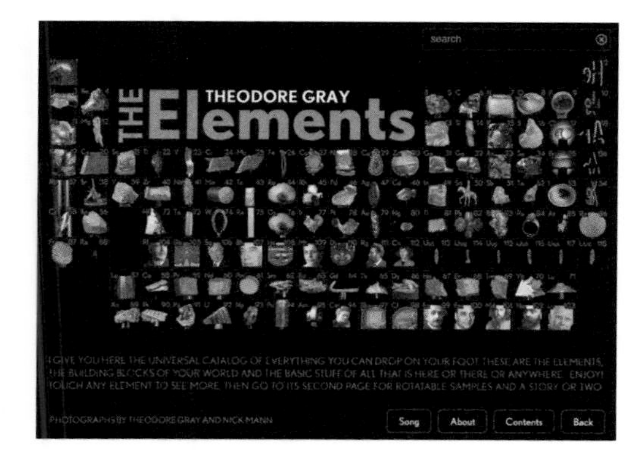

The Elements es una herramienta de aprendizaje maravillosa, ya que aporta un gran colorido y la posibilidad de interactuar en directo con lo que, de otro modo, se nos presentan como datos fríos y mecánicos.

Para cada elemento, veremos una muestra de gran tamaño de un objeto que contenga dicho elemento, tal y como puede encontrarse en la naturaleza o en forma de producto. Asimismo, podrá rotar el objeto tridimensionalmente sobre su eje para observarlo con más detenimiento.

Nota: Existe una versión disponible para iPhone e iPod touch.

La página principal ofrece un gran caudal de información sobre la posición del elemento en la tabla periódica, el radio atómico, la organización de los electrones, la estructura de cristal (en un modelo tridimensional rotatorio) con una descripción al respecto, así como estadísticas que definen al elemento en cuestión en relación con el resto del universo.

Las líneas de colores que cruzan la pantalla representan el espectro de emisiones atómicas, es decir, las longitudes de onda que se emiten al sobrecalentar un elemento determinado.

En la página de información de cada elemento, se ofrecen diversos ejemplos acompañados de un texto. Por otro lado, todas las imágenes pueden rotarse. Y si pulsa dos veces sobre una de ellas obtendrá una comparación que podrá utilizar con sus gafas estereográficas (Gray comercializa un modelo propio a la venta en su página Web).

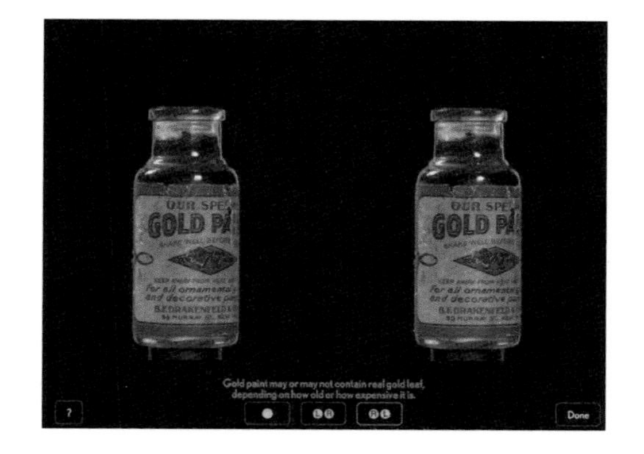

Esta aplicación me ha robado el corazón porque, entre otras cosas, comienza con una canción del cantante cómico y matemático de Harvard Tom Lehrer titulada The Elements (Los elementos), en la que se enumeran todos los elementos conocidos en 1959, acompañados de una melodía de Gilbert y Sullivan. A la canción le acompaña una animación de cada elemento cada vez que Lehrer pronuncia su nombre.

Los jóvenes de espíritu y los jóvenes aficionados a la ciencia disfrutarán horas y horas de esta magnífica aplicación que muestra de qué están hechas las cosas.

> **Nota:** El wolframio es otro de los nombres que recibe el tungsteno.

STAR WALK

2,39 € / Vito Technology

http://itunes.apple.com/es/app/star-walk-5-stars-astronomy/id295430577?mt=8

Una ventana mágica hacia las estrellas

¿Alguna vez se ha sentado a contemplar las estrellas en una noche clara y ha pensado en lo bueno que sería que las constelaciones y los astros vinieran etiquetados con su nombre? Star Walk es una aplicación que viene a satisfacer la curiosidad de observadores como yo, aficionados a las estrellas pero incapaces de identificar más allá de un puñado de ellas.

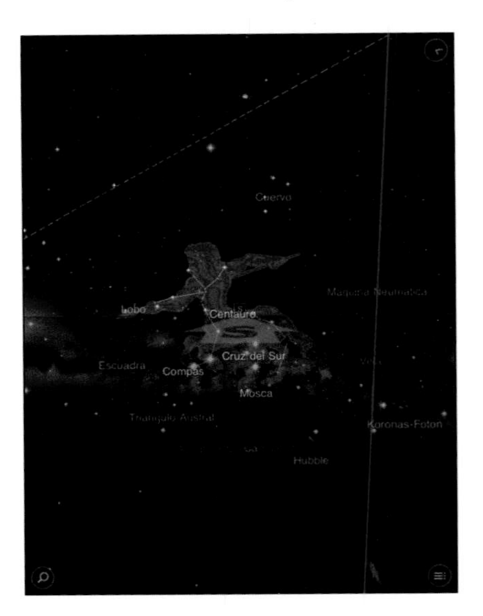

La aplicación utiliza un GPS y otros sensores de posicionamiento para ofrecernos una especie de "realidad aumentada", una visión del mundo en la que todo parece más grande, con más detalle. El posicionamiento automático precisa de un sensor con brújula, incluido por defecto en todos los modelos de iPad.

Eleve su dispositivo hacia el cielo para convertirlo en una ventana mágica. Las constelaciones se muestran de forma inmediata al detenernos un instante sobre una zona del firmamento. Pulse cualquier estrella, galaxia u otra zona, y, a continuación, pulse el botón de información para observar esos mismos elementos con más detalle.

Star Walk incluye una herramienta de avance y rebobinado muy interesante que permite avanzar y retroceder tanto en el tiempo como en el espacio. Pulse parte de una fecha (por ejemplo, el año), gire el dial y observe el movimiento de las estrellas. También puede desplazarse en fragmentos más cortos de tiempo.

La vista local permite observar diversos detalles sobre las fases de la Luna con los planetas en el firmamento, además de mostrar el amanecer y la puesta del Sol.

La aplicación ofrece un modo de visión tridimensional estereoscópica que precisa de unas gafas de plástico para observar el firmamento en el interior en noches nubladas.

Nota: Star Walk ofrece una versión para iPhone e iPod. Los modelos 3GS y 4 de iPhone incluyen la brújula necesaria para observar el firmamento nocturno.

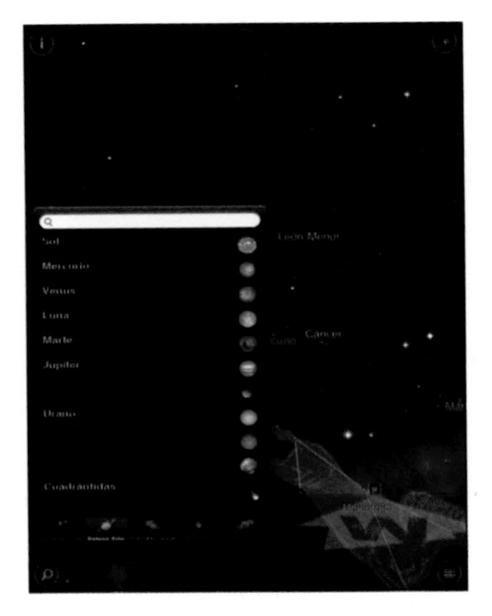

SOLAR WALK

2,39 € / Vito Technology

http://itunes.apple.com/es/app/id347546771?mt=8

Un modelo tridimensional del Sistema Solar

Solar Walk presenta los ocho planetas del sistema solar (lo sentimos, Plutón) en todo su esplendor mientras giran sobre sí mismos y alrededor del Sol.

Las órbitas se muestran en forma de líneas. En algunas vistas, los planetas aumentan de tamaño para una mejor visibilidad. Pulse uno para rotarlo y verlo a pantalla completa. Pulse un planeta o cualquiera de los satélites que orbitan alrededor de Marte y, a continuación, pulse el botón i; de esta manera, se mostrarán numerosos detalles sobre el cuerpo celeste seleccionado, incluidas las medidas de la composición de sus capas planetarias o las misiones exploratorias que lo han visitado.

Órbitas de los satélites terrestres artificiales más interesantes en tiempo real

El botón con forma de cohete permite hacer zoom sobre un planeta o satélite, una vez pulsado. Podrá rotar, asimismo, las órbitas para ver el lado iluminado y el oscuro del satélite en cuestión. Para "caminar" por el sistema solar pellizque la pantalla y amplíe o arrastre los elementos.

Al igual que ocurre en Star Walk, puede pulsar el cronómetro de la esquina superior derecha para utilizar el dial con zoom al tiempo que observa el movimiento de los planetas en relación con los demás. Esta función le ayudará a identificar el alineamiento de éstos y saber cuándo uno en concreto puede verse en el firmamento.

PLANETS

GRATUITA / Q Continuum

`http://itunes.apple.com/es/app/planets/id305793334?mt=8`

Una aplicación que engloba una cantidad extraordinaria de información planetaria

Los planetas orbitan alrededor del Sol. Para identificar su posición desde la Tierra, es necesario utilizar un almanaque, una página Web o tener unas excepcionales dotes de observación. La aplicación Planets nos permite identificar los siete planetas restantes que conforman nuestro sistema solar, además de ofrecer información sobre las constelaciones, el Sol y nuestro satélite, la Luna. En esta aplicación no aparece Plutón.

Las vistas de los planetas se dividen en varias pestañas. La pestaña Visibility muestra todos los planetas, la Luna y el Sol acompañados de la hora de su salida y su puesta por el horizonte, así como si son visibles o no a simple vista.

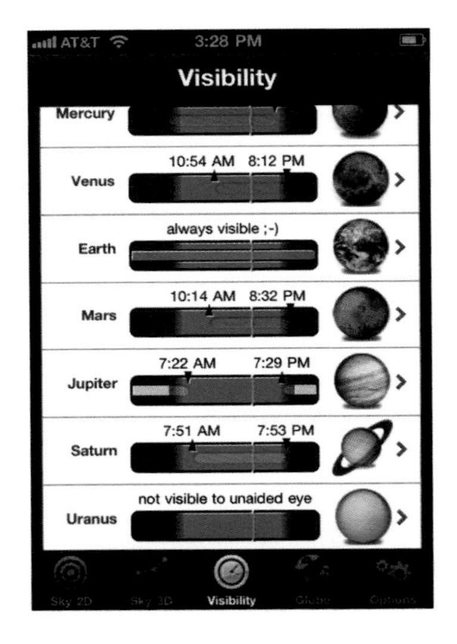

La pestaña Sky 2D muestra la posición actual de los planetas y el Sol en un plano. Durante el día, únicamente se muestra la posición del Sol. La pestaña Sky 3D puede orientarse para ver el horizonte y, además, muestra las constelaciones. Puede hacer zoom sobre la pantalla o pellizcar para ver la imagen con más detalle.

Para los usuarios expertos, el deslizador de etiquetas que aparece en la parte superior de la pantalla permite observar el cielo con datos telescópicos en las modalidades de rayos X, infrarrojos, radio, hidrógeno y microondas.

La pestaña Globe añade versiones tridimensionales y rotatorias a baja resolución de la Luna y los ocho planetas, con la opción de verlos girar o de hacer zoom pellizcando.

Truco: Las "estrellas" más brillantes que con frecuencia observamos en el firmamento son planetas.

NASA

GRATUITA / NASA

http://itunes.apple.com/es/app/nasa-app/id334325516?mt=8

Las misiones de la NASA en sus manos

A los aficionados a las misiones espaciales les resultará imposible mantenerse alejados de esta aplicación que ofrece información detallada sobre todos los proyectos activos de la agencia espacial norteamericana, la NASA.

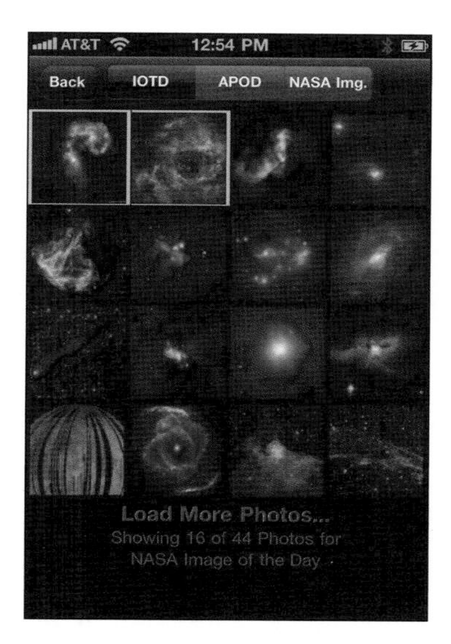

Este programa permite repasar los detalles de misiones como Voyager (baste recordar que las sondas Voyager 1 y Voyager 2 siguen aún en funcionamiento, a miles de millones de kilómetros de la Tierra) o saltar al presente y ver el último vídeo procedente del observatorio Chandra.

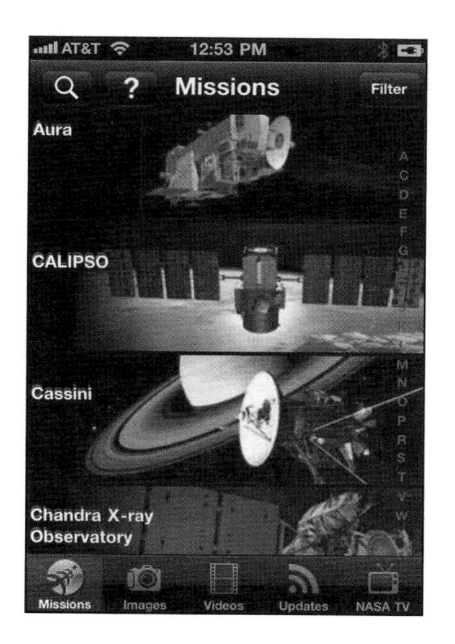

La página principal de la aplicación nos permite realizar búsquedas en las misiones de exploración. Pulse el botón de filtrado para restringir aquéllas que están en zonas específicas, como por ejemplo Marte o la Luna. Las pestañas de imágenes, vídeos, actualizaciones y NASA TV muestran la información más reciente.

Pulse sobre una misión determinada para conocer todos sus detalles. Se mostrarán noticias, imágenes y vídeos relacionados con el proyecto. La pestaña del despertador muestra la fecha y hora de lanzamiento, y la duración de la misión.

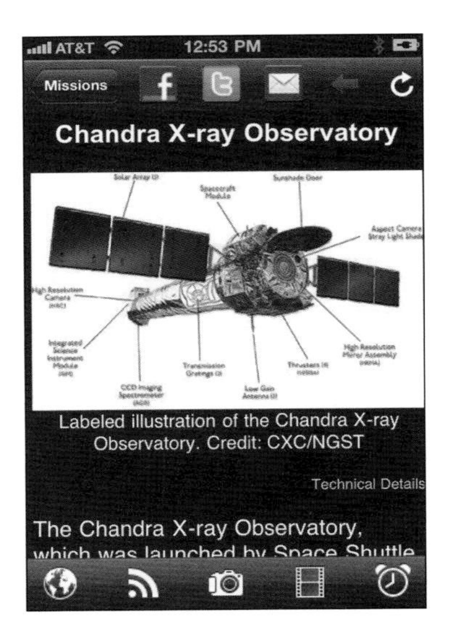

A la hora de ver las fotografías, puede compartirlas a través de Facebook, Twitter o su correo electrónico. También puede guardar las imágenes en su biblioteca o compartir los vídeos de la aplicación.

En el caso de aquellas misiones que orbitan alrededor de nuestro planeta, verá un icono con forma de globo terráqueo en la esquina inferior izquierda de la página de la misión correspondiente. Púlselo para ver la ruta y posición actual del satélite.

WEATHERBUG ELITE

0,79 € / WeatherBug

`http://itunes.apple.com/es/app/weatherbug-elite/id310647896?mt=8`

Mapas del tiempo, predicciones meteorológicas y mucho más

WeatherBug confía en las miles de estaciones meteorológicas dispersas por nuestro planeta para ofrece informes y predicciones meteorológicas. Las estaciones permiten observar las condiciones actuales gracias a imágenes grabadas desde una cámara Web, así como animaciones con fotografías tomadas en las últimas horas.

La aplicación está muy bien pensada tanto en sus versiones para iPhone e iPod touch como en su versión para iPad. Puede utilizar el programa de forma independiente para comprobar el estado del tiempo. Además, es muy útil porque permite añadir nuevas ubicaciones a las ya existentes. Escriba su ciudad, provincia o código postal para agregar una nueva localización a su lista.

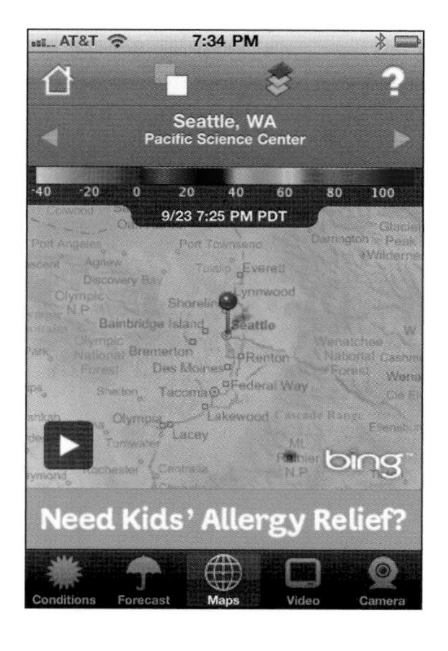

Por otro lado, podrá ver las condiciones climatológicas en tiempo real de una ubicación determinada, ver el informe del tiempo (por horas o para los próximos siete días) o ver mapas con información superpuesta (temperatura, radares y otras condiciones meteorológicas).

La versión para iPad de WeatherBug ofrece un visionado más cómodo de toda la información que la versión para móvil.

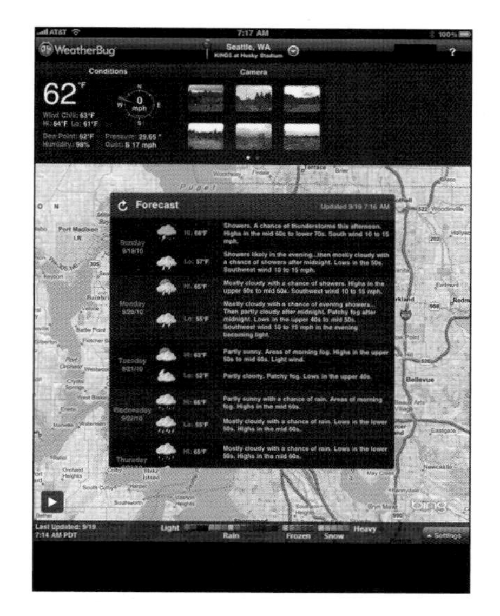

Nota: Existe una versión gratuita de WeatherBug para iPhone e iPod touch que incluye publicidad (véase http://itunes.apple.com/es/app/weatherbug/id281940292?mt=8).

ELTIEMPO.ES

GRATUITA / El Tiempo Previsto S.L.

`http://itunes.apple.com/es/app/eltiempo.es/id359367967?mt=8`

Mapas del tiempo, predicciones meteorológicas y mucho más

ElTiempo.es nos ofrece informes meteorológicos para los próximos 14 días en más de 200.000 localidades. Además, incluye mapas de precipitaciones, imágenes de satélite, mapas de predicción de las temperaturas, las presiones y la nubosidad para toda España, incluidas las islas.

La aplicación también facilita partes de esquí para toda España e información sobre el estado del tiempo en un total de 1.586 estaciones. Asimismo, habla sobre la meteorología costera y marítima, con mapas de las doce zonas costeras del país y predicción de olas, viento y temperatura del agua. Por último, la aplicación incluye avisos meteorológicos para España, incluidas las islas.

18. Acceso remoto

Siempre que necesito un archivo concreto, resulta que está en otra parte. ¿El mando a distancia? Nunca soy capaz de encontrarlo. Este capítulo presenta diversas aplicaciones que le ayudarán a salvar estos obstáculos y ofrecen la posibilidad de acceder de manera remota a sus archivos, ya sea el reproductor que se encuentra a unos metros de distancia o un ordenador que está en la otra punta del planeta en el que se alojan sus documentos.

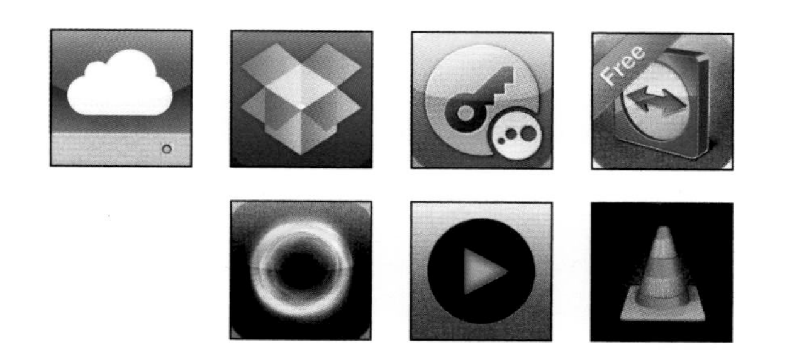

MOBILEME IDISK

GRATUITA / Apple

http://itunes.apple.com/es/app/mobileme-idisk/id320654497?mt=8

Consulte y comparta sus archivos almacenados en una unidad MobileMe iDisk

El servicio de suscripción MobileMe de Apple incluye diversas funcionalidades de gran utilidad para dispositivos iOS, incluido iDisk, un sistema de almacenamiento de archivos alojados en Internet. Puede utilizar este último como si de una unidad de disco de sobremesa se tratara o emplear el software WebDAV para acceder a éste desde cualquier plataforma.

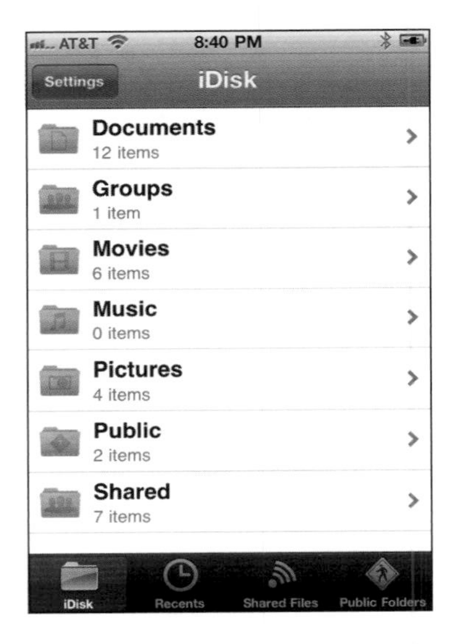

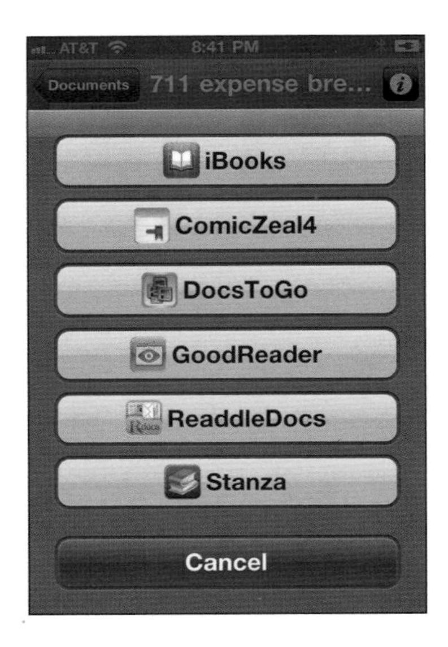

La aplicación gratuita MobileMe iDisk ofrece una sencilla vía de acceso a todo tipo de archivos desde un dispositivo iOS. Una vez iniciada la sesión con su nombre de usuario y contraseña, el listado de documentos de iDisk permite explorar las carpetas y seleccionar los documentos que desea visualizar. El listado aparece como vista principal en iPhone e iPod touch, y en el panel izquierdo en la vista horizontal del iPad.

Ya sea en dicho listado, a la hora de ver una imagen o cualquier otro documento, puede pulsar el icono SHARE para que otras personas puedan acceder al mismo y, además, incluir una fecha de caducidad optativa y una contraseña. Pulse el icono SHARED FILES en cualquier momento para ver qué documentos se comparten, marcar un documento como privado o renovar otro que esté caducado.

La aplicación ofrece además acceso a las carpetas públicas compartidas de otros usuarios desde sus cuentas de MobileMe.

Si bien es posible borrar documentos desde la propia aplicación, no es posible subirlos. Para ello, deberá utilizar alguna de las aplicaciones mencionadas en este libro con soporte para iDisk, entre las que cabe destacar GoodReader y Air Sharing.

Nota: Precisa de una cuenta de pago de MobileMe.

DROPBOX

GRATUITA / Dropbox

`http://itunes.apple.com/es/app/dropbox/id327630330?mt=8`

Integración plena con un sistema de sincronización de archivos multiplataforma

Dropbox se ha convertido en una especie de religión entre quienes nos vemos obligados a utilizar varios dispositivos y trabajamos con colegas repartidos a lo largo y ancho del mundo. Este servicio permite sincronizar los contenidos de una carpeta de nuestro escritorio (Mac OS X y Windows), así como gestionar multitud de carpetas anidadas.

Una vez hemos realizado un cambio en uno de los archivos de un ordenador, los fragmentos modificados se envían a todos los demás dispositivos con los que estemos sincronizados. Además, podrá compartir sus carpetas con sus colegas de trabajo, lo que convierte esta aplicación en la herramienta ideal para el trabajo en colaboración. Dropbox permite acceder a las carpetas y archivos almacenados por Dropbox en sus servidores.

Asimismo, podrá visualizar (pero no modificar ni borrar) los archivos y carpetas almacenados en su cuenta de Dropbox. No obstante, sí es posible crear carpetas y subir imágenes y vídeos. Al igual que ocurre con la mayor parte de aplicaciones para iOS, Dropbox puede mostrar cualquier tipo de texto, diseño de página, imagen o formato de vídeo para los que iOS ofrezca soporte.

Este programa permite ver imágenes en una carpeta como una galería de miniaturas. Además, podrá marcar los archivos como favoritos, con lo cual quedarán guardados localmente en lugar de almacenarse temporalmente en el caché. También podrá seleccionar el tamaño de éste y utilizar la aplicación para enviar enlaces a otros usuarios con el fin de que se descarguen archivos. Puede subir fotografías y vídeos desde su dispositivo, incluidas imágenes recién tomadas con su cámara, además de configurar distintas opciones de compresión de las imágenes. Dropbox permite subir archivos en formato de alta definición desde un iPhone 4 gracias a su ajuste HD. La aplicación es gratuita y puede utilizarla para almacenar hasta 2 GB de datos sin coste adicional. Deberá crear una cuenta en `Dropbox.com` o a través de la aplicación antes de empezar a utilizar el programa.

Dropbox funciona además como almacenamiento secundario para muchas otras aplicaciones que sí permiten subir y editar archivos guardados allí. La compañía ofrece un listado de aplicaciones en `https://www.dropbox.com/apps/list`.

LOGMEIN IGNITION

23,99 € / LogMeIn

`http://itunes.apple.com/es/app/logmein-ignition/id299616801?mt=8`

Una aplicación estelar para acceder de forma remota a un ordenador

LogMeIn Ignition forma parte de la familia de programas de acceso remoto y programas para compartir el escritorio de la compañía LogMeIn. Ignition convierte su dispositivo iOS en una ventana abierta a cualquier escritorio conectado a la misma red o a Internet. La aplicación permite controlar el ratón y el teclado, así como pellizcar, hacer zoom y ampliar la vista de la pantalla remota.

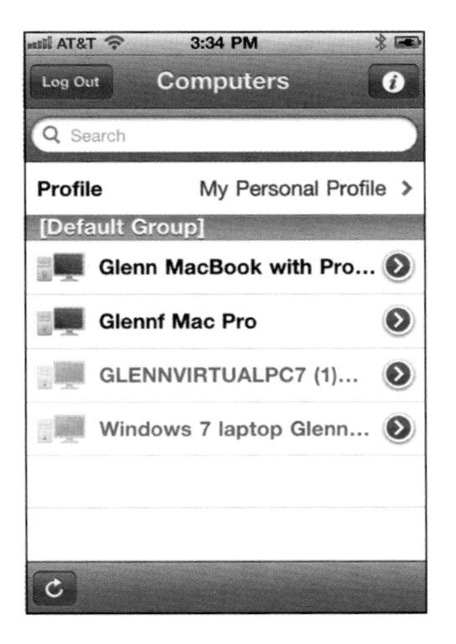

En primer lugar, deberá configurar uno o más ordenadores en el sitio Web de la compañía, creando una cuenta de usuario e instalando el software necesario. LogMeIn ofrece soporte tanto para Mac OS X como para Windows. Todos los ordenadores aparecen enumerados en un listado en el sitio Web, así como en la aplicación, una vez hemos iniciado sesión.

Pulse sobre uno de los ordenadores de la lista. LogMeIn creará una conexión segura cifrada entre el dispositivo iOS y el dispositivo en cuestión. Podrá desplazar el ratón, hacer clic y escribir. La fila de iconos especiales que se muestran debajo de la pantalla permiten utilizar los botones izquierdo y derecho del ratón, y utilizar teclas especiales. Si bien es posible almacenar la contraseña de su cuenta de LogMeIn en Ignition, es recomendable evitarlo para protegerse en caso de robo, de lo contrario, cualquier ladrón podría hacerse con el control remoto de sus equipos.

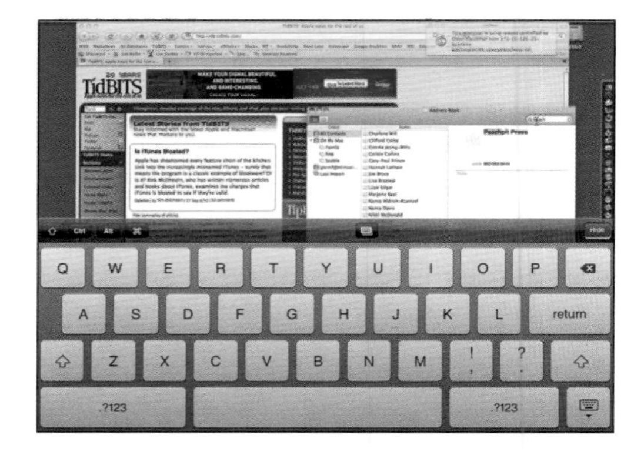

> **Nota:** Exige la creación de una cuenta con cualquier combinación de opciones de instalación gratuitas o de pago.

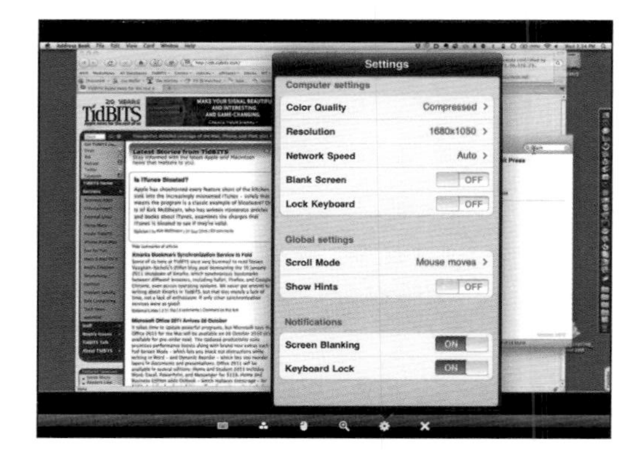

TEAMVIEWER

GRATUITA / TeamViewer

`http://itunes.apple.com/es/app/teamviewer/id357069581?mt=8`

Comparta su escritorio y presentaciones sin más preámbulos

La aplicación TeamViewer funciona con todo tipo de software para ordenadores de sobremesa en Mac OS X, Windows y otras plataformas con el objetivo de permitir al usuario el acceso remoto a su escritorio. El software de sobremesa de TeamViewer es útil tanto como servidor como para acceder de forma remota a un equipo; sin embargo, la aplicación únicamente permite el acceso remoto.

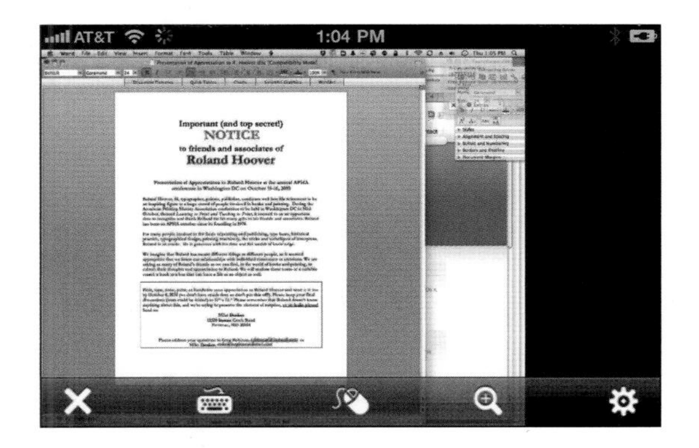

TeamViewer puede instalarse en su ordenador sin necesidad de configurar opciones adicionales, lo que lo diferencia de aplicaciones como LogMeIn Ignition, que exige configurar una cuenta de usuario para funcionar. Con TeamViewer puede crearse un usuario y, así, tener el equivalente a una lista de amigos.

Una vez que el programa esté activo en al menos un ordenador (con o sin cuenta de usuario) podrá conectarse al equipo en cuestión de forma remota.

Abra la aplicación para iniciar sesión. En la pestaña Connect, escriba el número de código y la contraseña del software de sobremesa. También puede utilizar su listado de conocidos (Partner List), donde podrá iniciar sesión en su cuenta de TeamViewer para ver y conectarse a aquellos equipos que forman parte de la red de sus conocidos. En dicho listado se incluyen aquellos dispositivos que haya agregado a su cuenta.

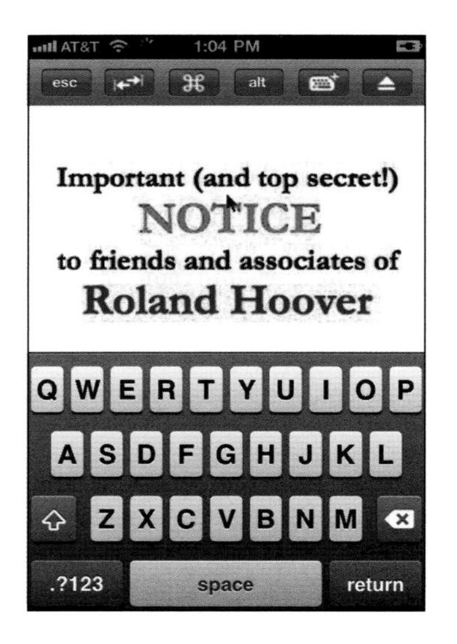

En cualquiera de los dos casos, una vez establecida la conexión, se mostrará el escritorio del equipo remoto. Al igual que ocurre con aplicaciones similares, podrá acceder a un teclado y un ratón virtual, así como a las teclas de funciones especiales. Agite su dispositivo para pasar de un monitor a otro si el dispositivo remoto está conectado a más de un monitor. Pellizque y amplíe para controlar el área de visión de su equipo.

La compañía no cobra por esta aplicación, pero esto es aplicable únicamente en la variante que TeamViewer denomina "uso no comercial". En realidad, la empresa se fía de su palabra. Las licencias corporativas son bastante caras: el precio se basa en el número de escritorios activos por usuario, sin limitaciones en cuanto a las múltiples modalidades de acceso remoto que puedan llegar a utilizarse.

Nota: TeamViewer Pro está disponible por 79,99 € (véase http://itunes.apple.com/es/app/teamviewer-pro/id357051966?mt=8). La versión para iPad ofrece una versión comercial de pago y una versión gratuita.

ITELEPORT (JAADU VNC)

19,99 € / iTeleport

http://itunes.apple.com/es/app/iteleport-jaadu-vnc-for-iphone/id286470485?mt=8

Acceda remotamente a un ordenador utilizando una conexión VNC estándar para compartir su escritorio e introducir datos

iTeleport ofrece acceso a una conexión VNC estándar (Conmutación en Red Virtual) para poder conectar de forma remota a la pantalla, teclado y ratón de otro equipo. El software VNC está incluido por defecto en Mac OS X y puede adquirirse sin coste adicional o en versiones comerciales para cualquier sistema informático, por minoritario que sea (incluimos aquí Mac OS X, Windows, Linux, Unix y muchos más).

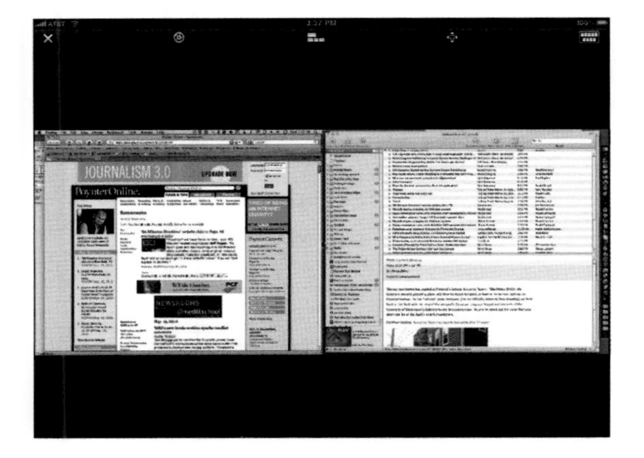

Este programa adopta un enfoque tan elegante como sencillo a la hora de establecer una conexión. Cuando un dispositivo iOS se encuentra en la misma red que ordenadores que utilizan Bonjour (un protocolo empleado principalmente por Apple) para mostrar si están disponibles o no, la aplicación los enumera en orden de conectividad. Pueden introducirse manualmente los ajustes de configuración de otros equipos, tanto locales como remotos.

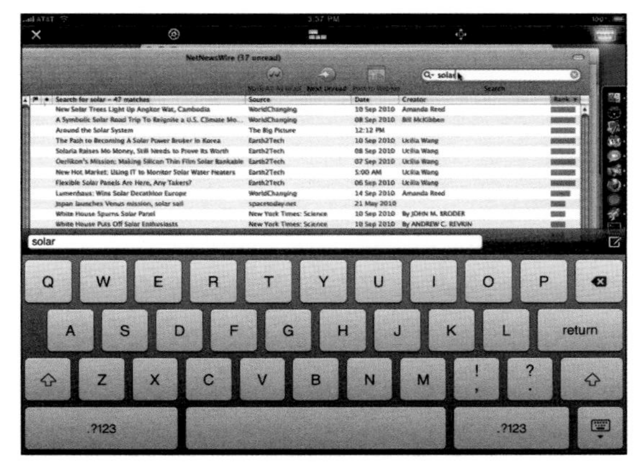

iTeleport incluye la opción de agregar cifrado por capas a sus sesiones para compartir un escritorio, función ésta de suma importancia, puesto que VNC carece de este tipo de soporte por defecto.

Esta aplicación utiliza SSH, disponible también en prácticamente todas las plataformas del mercado, para generar el cifrado, que, en esencia, crea un envoltorio irrompible que protege nuestra conexión.

La pantalla de nuestro dispositivo iOS controla el curso del equipo remoto. Los gestos habituales (pellizcar o expandir) aumentan o disminuyen el tamaño del escritorio remoto, posibilidad ésta que resulta especialmente útil cuando trabajamos con varios monitores. Si utiliza el software Screen Sharing de Apple, podrá compartir más de un monitor; con una conexión VNC estándar sólo podrá usar la pantalla que contenga la barra de menú en Mac OS X.

Pulse en un cajetín de texto y, a continuación, en el icono del teclado en iTeleport. Podrá escribir como si estuviera utilizando directamente el equipo remoto.

La compañía que ha creado esta aplicación, iTeleport, ofrece un software gratuito para Mac OS X y Windows que permite activar el acceso remoto. iTeleport cuenta con un sistema de registro centralizado que facilita la conexión entre ordenadores situados detrás de un cortafuegos y que, de otro modo, no sería posible el acceso. Asimismo, se utiliza una cuenta de Gmail como una especie de "tejido conectivo" en segundo plano.

REMOTE

GRATUITA / Apple

`http://itunes.apple.com/es/app/remote/id284417350?mt=8`

Una aplicación que convierte su dispositivo móvil en un control remoto para iTunes

Remote convierte iTunes en una herramienta audiovisual independiente que va más allá de un simple programa que se utiliza desde un ordenador. En lugar de usar un teclado, un ratón y un monitor para navegar por el programa, esta aplicación gratuita permite realizar búsquedas, seleccionar listas de reproducción y controlar la difusión de sus pistas preferidas.

En primer lugar, deberá sincronizar Remote con iTunes. Abra aquél en su dispositivo iOS. Pulse Ajustes y, a continuación, Add Library. Se mostrará una pantalla donde debe introducir una contraseña sobre una copia de iTunes instalada en la misma red Wi-Fi.

En el ordenador que vayamos a sincronizar con Remote, abra iTunes. Verá un icono diminuto en la barra lateral debajo de Dispositivos para acceder a Remote.

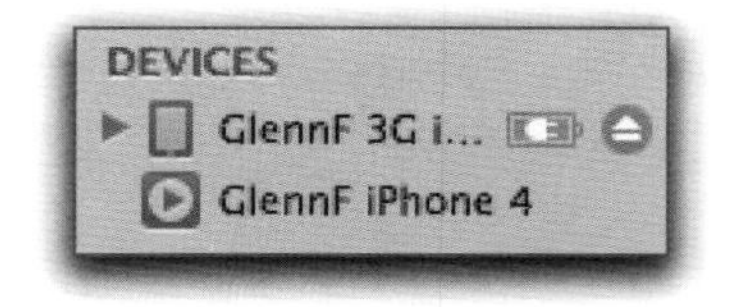

Haga clic en dicho icono y escriba el código de la pantalla de su dispositivo iOS. Así, los equipos quedarán sincronizados. Puede hacer lo mismo con sus bibliotecas, pero únicamente

puede utilizar una cada vez. Remote permite controlar la reproducción de todos sus archivos de iTunes. Éstos se organizan de forma similar a su aplicación para iPod, con categorías en la parte inferior. Pulse el botón Más y, a continuación, pulse Editar para modificar cualquiera de los cuatro botones que aparecen en la pantalla principal. Es recomendable llevar el botón de búsqueda a esa barra de iconos.

Podrá controlar la reproducción de sus archivos de audio y vídeo desde la propia aplicación e, incluso, ajustar el volumen de los dispositivos conectados a AirPlay (Apple TV y AirPort Express).

Recuerde que si mantiene Remote conectado en segundo plano, se consumirá más energía que si lo desconecta. Pero, al mismo tiempo, esta opción le permitirá mantener la aplicación disponible siempre que quiera "despertar" su dispositivo en hibernación, de lo contrario, se verá obligado a restablecer la conexión.

VLC REMOTE

3,99 € / Hobbyist Software

http://itunes.apple.com/es/app/vlc-remote/id297244048?mt=8

La herramienta ideal para usuarios de VLC

VLC es un reproductor de vídeo en formato universal, gratuito, fácil de usar y de código abierto. No obstante, la aplicación está pensada para equipos de sobremesa. Si utiliza su ordenador para transferir la señal de vídeo a un monitor o un televisor, los controles de reproducción pueden resultar algo frustrantes.

VLC Remote funciona conjuntamente con el software VLC y, para ello, utiliza un software para Mac o Windows que deberá instalar por separado. La aplicación permite iniciar, detener y continuar la reproducción de un archivo, ajustar el volumen y gestionar sus listas de reproducción. La aplicación ofrece además una serie de controles para proyectar de forma remota un DVD en su ordenador.

El software permite explorar el disco duro de su ordenador para seleccionar los archivos que quiere reproducir. Para los usuarios aficionados a ver vídeo multiformato, es una opción excelente.

19. Utilidades

Un dispositivo iOS es como una navaja suiza con mil y una ranuras vacías, listas para incorporar nuevas herramientas. En este capítulo, se incluyen aplicaciones útiles para ir de compras, realizar cálculos, encontrar cosas, despertarnos, recordar cosas, conectarnos y muchas, muchas más.

1PASSWORD PRO

11,99 € / Agile Web Solutions

http://itunes.apple.com/es/app/1password-pro/id319898689?mt=8

Mantenga sus contraseñas a salvo

¿Cómo recordar una buena contraseña formada por una combinación de letras y números que no coincida con ninguna palabra del diccionario? ¿Por qué tenemos que ser precisamente nosotros quienes inventemos nuestras contraseñas? 1Password ofrece una sencilla solución a ambas preguntas.

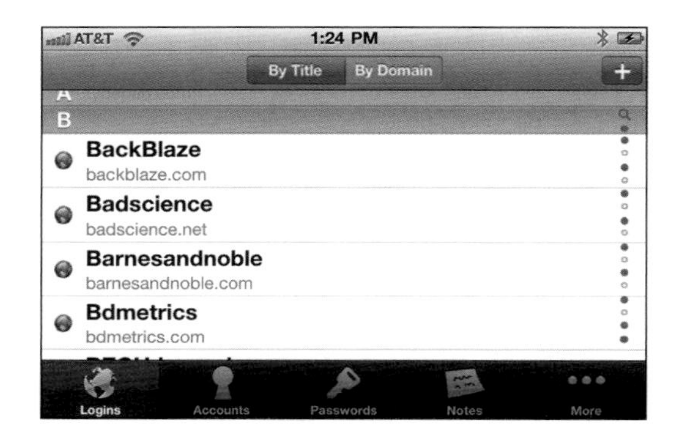

La aplicación funciona como un complemento al software de escritorio para Mac OS X y Windows, que puede adquirirse por separado en la modalidad de licencia individual o con una licencia familiar para un máximo de cinco usuarios. El software de sobremesa crea contraseñas y las almacena para utilizarlas a la hora de iniciar sesión en cualquier página Web. Al regresar a la misma página, el software rellenará (con nuestro permiso) los espacios correspondientes a nuestra contraseña.

La aplicación para iOS toma los datos y abre la página del explorador para iniciar sesión en la red, o nos permite copiar y pegar una contraseña en Mobile Safari y otros programas similares.

Puede utilizar 1Password independientemente del software de escritorio que emplee, pero resulta mucho más difícil grabar el inicio de sesión en una página para su uso posterior.

1Password permite la sincronización entre las versiones para escritorio y dispositivos iOS. La nueva versión aparecida a mediados de 2010 incluye soporte para Dropbox, de manera que todas las copias del software añaden los cambios en la misma carpeta y recogen automáticamente las modificaciones que se hayan producido.

Incluso si no utiliza Dropbox, podrá configurar una cuenta gratuita con un máximo de 2 GB de almacenamiento para aprovechar las ventajas de sincronización de 1Password.

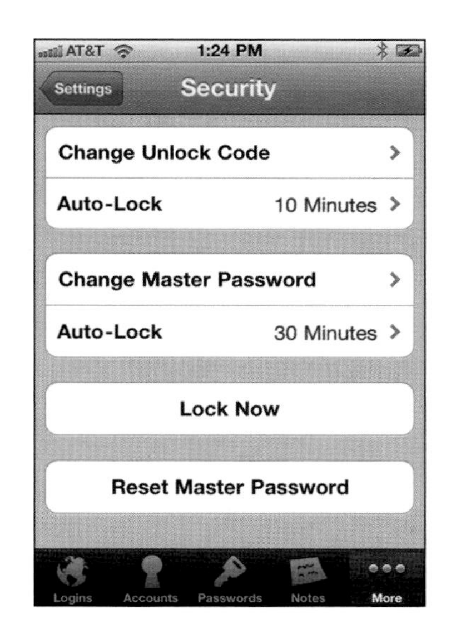

Nota: 1Password ofrece tres versiones diferentes: la versión Pro funciona en todo tipo de dispositivos iOS; por otro lado, existen dos versiones independientes para iPhone/iPod touch.

YOJIMBO

7,99 € / Bare Bones

`http://itunes.apple.com/es/app/yojimbo-for-ipad/id396307682?mt=8`

Su información a salvo mientras navega

La aplicación de Yojimbo para Mac OS X es el lugar donde almaceno todos mis archivos importantes. En realidad, funciona como una especie de cajón de sastre para todo tipo de documentos: notas de texto, archivos en formato PDF, enlaces a páginas Web, páginas Web archivadas (descargadas y convertidas en una página que se almacena en la base de datos de Yojimbo), números de serie y fotografías.

Siempre que realizo una compra por Internet en una página que incluye un enlace para imprimir el recibo o la factura, utilizo Yojimbo para imprimir el documento gracias a la funcionalidad de PDF incluida en el menú, que se muestra en el cuadro de diálogo. Si compro cualquier objeto identificado con un número de serie, el número se almacena directamente en la aplicación. El botón Encrypt me permite, además, proteger cualquier elemento gracias a su capacidad de cifrado. El programa para sobremesa de Yojimbo permite etiquetar los archivos con tantos rótulos personalizados como queramos. Podrá crear colecciones organizadas por etiquetas o por un filtro de búsqueda.

Asimismo, esta aplicación le ayuda a sincronizar su base de datos entre varios sistemas Mac OS X utilizando una única cuenta de pago de MobileMe. Nunca antes habíamos tenido la oportunidad de disfrutar de un sistema tan sencillo y seguro para transportar nuestros datos.

Yojimbo viene a cubrir un vacío importante. Además, se sincroniza automáticamente con Yojimbo 3.0 siempre que el programa se abra en la misma red Wi-Fi. Para ello, podrá pulsar el botón de recargar la página en la pestaña de exploración.

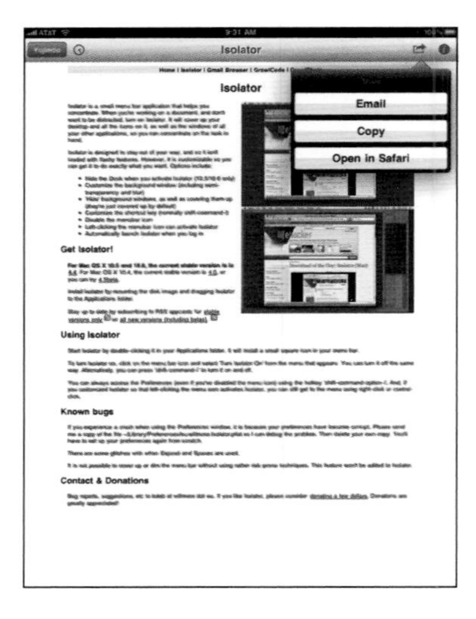

La aplicación permite el acceso a la biblioteca, colecciones y otros datos de forma directa. Los documentos cifrados se desbloquean utilizando la misma contraseña configurada en el software de sobremesa. Personalmente, nunca almaceno mi contraseña de Yojimbo en Mac OS X o iOS, puesto que con ello se eliminaría cualquier ventaja que pudiera ofrecer la función de cifrado de mis dispositivos en caso de robo.

En tanto que usuario frecuente de Yojimbo, reconozco que no me molesta demasiado la imposibilidad de crear archivos y modificar etiquetas en su versión 1.0. La utilidad de tener toda la información que almaceno en mi escritorio de sobremesa a mi disposición en todos mis dispositivos móviles suple sobradamente la ausencia de controles para agregar o modificar los elementos archivados.

Advertencia: Es preciso utilizar una copia de Yojimbo para Mac OS X.

DRAGON DICTATION

GRATUITA / Nuance Communications

`http://itunes.apple.com/es/app/dragon-dictation/id341446764?mt=8`

Dicte y la aplicación transformará sus palabras en texto legible

Dragon NaturallySpeaking y Dragon Dictate son los mejores programas de software jamás desarrollados en el ámbito de las aplicaciones de reconocimiento de voz, y siguen mejorando día a día. No obstante, los dispositivos móviles carecen de la potencia de procesamiento necesaria para convertir audio en texto con la exactitud exigida.

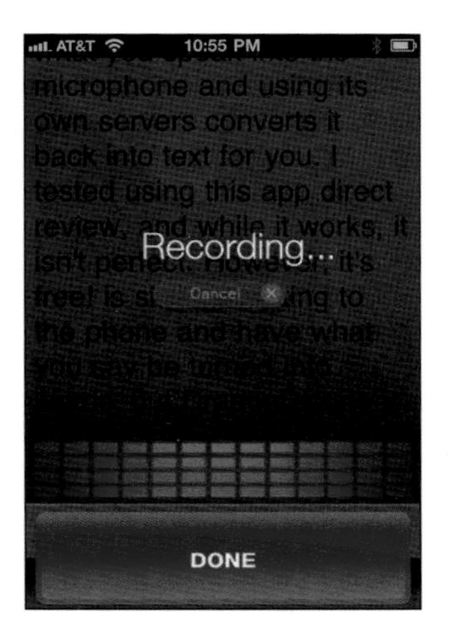

Es aquí donde Dragon Dictation entra en escena. Esta aplicación recoge nuestras palabras (es recomendable utilizar un micrófono con auriculares) y transmite el sonido a los servidores de Nuance, donde se realiza la conversión a texto.

La calidad de la conversión es bastante buena, si bien, con frecuencia, es necesario realizar correcciones. No es excesivamente molesto, siempre que la mayoría de las palabras que pronunciemos sean reconocidas. La aplicación permite borrar palabras enteras. También puede pulsar el icono del teclado para editar los errores.

Puede grabar hasta 60 segundos cada vez, pero transcurrido ese periodo de tiempo puede volver a dictar. Nuance recomienda grabar únicamente un par de frases cada vez.

La aplicación ofrece soporte para varios signos de puntuación y caracteres especiales, aunque no están documentados en el propio programa. También puede cargar la información de todos sus contactos, lo que facilita el reconocimiento de los nombres cada vez que los incluyamos en nuestro dictado.

Una vez la aplicación ha reconocido nuestra locución, podemos enviar un mensaje de texto, un correo electrónico, incluir el mensaje en Facebook, Twitter o copiarlo para su uso en otra aplicación.

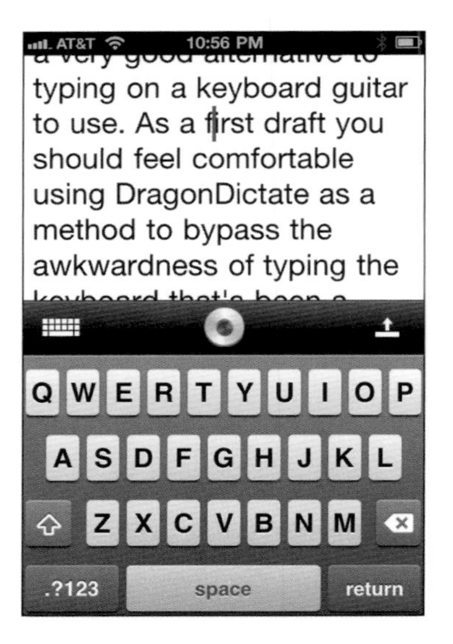

El lector se preguntará por qué esta maravillosa aplicación es gratuita. Lo cierto es que gracias a sus usuarios, Nuance consigue que miles de palabras pronunciadas por hablantes anónimos queden grabadas en sus servidores con el fin de mejorar su propio software de pago de reconocimiento de voz. De hecho, la aplicación funciona como una avanzadilla publicitaria del software para sobremesa de la compañía.

Nota: La versión básica de Dragon NaturallySpeaking está a la venta por un precio de 99 euros (véase la Web http://shop.nuance.es/store/nuanceeu/es_ES/pd/productID.223074400/pgm.23794900/Currency.EUR?resid=TlahGQoHAtQAACM5IskAAAA0&rests=1314300185219). Existe, asimismo, una versión para Mac.

AMAZON MOBILE

GRATUITA / Amazon.com

`http://itunes.apple.com/es/app/amazon-mobile/id335187483?mt=8`

El portal portátil el gigante del comercio electrónico

Amazon Mobile pone de manifiesto el enorme potencial de nuestros dispositivos móviles, ya que ofrece una vía sencilla para localizar productos, realizar pedidos y seguir el estado de nuestras compras.

La aplicación permite realizar búsquedas, que aparecen filtradas en un listado que incluye reseñas de otros usuarios, descripciones editoriales, fotografías y cualquier otra imagen asociada a un elemento determinado. Podrá comprobar las condiciones de todos los productos disponibles (nuevos y usados) tanto en libros como en otro tipo de productos.

Al iniciar sesión en su cuenta de `Amazon.com`, tendrá a su disposición los ajustes de compra con un clic. Además, podrá ir añadiendo productos a su carrito de la compra y escribir opiniones sobre los contenidos del mismo. Por último, la aplicación permite realizar directamente el pedido. ¿No es fantástico?

No obstante, esto no es lo que hace que el programa resulte más interesante que la propia página Web de Amazon. Preste atención a la pestaña Remembers, para cuyo funcionamiento es preciso contar con un dispositivo equipado con una cámara. Pulse el icono de la cámara y tome una fotografía de cualquier objeto que quiera comprar en Amazon: la cubierta de un libro, un reloj, un juguete... A continuación, pulse Use. La fotografía, además de quedar almacenada en la aplicación, se envía a un analista, mitad ordenador mitad humano, que identificará todos los objetos similares que pueden adquirirse en la tienda virtual de Amazon.

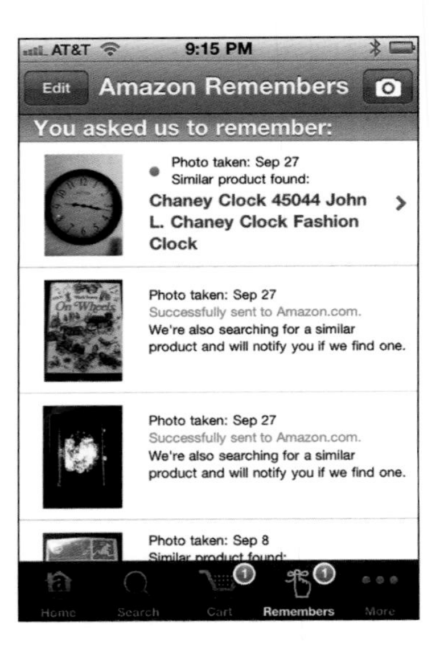

Como ejemplo, fotografié la tapa de un libro para niños de hace 30 años (sin el código de barras) y la aplicación me llevó a la página del libro en cuestión en apenas unos segundos. Y la imagen de mi reloj de pared dio idéntico resultado.

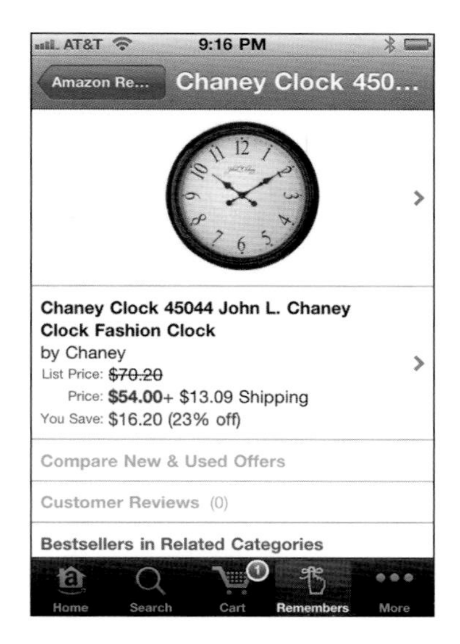

El peligro de la aplicación es que permite comprobar con demasiada facilidad los precios de cualquier objeto, con el riesgo consiguiente de encontrarnos montones de cajas de Amazon en nuestro portal.

Truco: Para evitar las compras compulsivas, es recomendable colocar los productos en el carrito de compra de la aplicación. Ésta permite, además, agregar productos a nuestra lista de deseos.

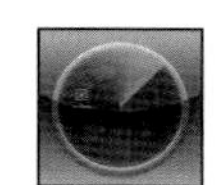

BUSCAR MI IPHONE

GRATUITA / Apple

http://itunes.apple.com/es/app/buscar-mi-iphone/id376101648?mt=8

Sepa dónde se encuentra su dispositivo móvil en todo momento

Imagine que no encuentra su teléfono móvil, o su iPad. Estaba ahí mismo hace apenas un minuto. Peor aún: imagine que alguien se lo arrebata de las manos. ¿Dónde estará? La aplicación Buscar Mi iPhone le ayudará a encontrar cualquier dispositivo iOS con una conexión de red activa.

El primer requisito es abrir una cuenta de MobileMe (que tiene un coste aproximado de 100 euros anuales) para activar Buscar Mi iPhone.

En segundo lugar, el servicio únicamente funciona si pulsamos Push o Fetch para activar la sincronización (Ajustes>Mail, Contactos, Calendario>Fetch New Data). La opción Push se utiliza para enviar nuevos datos a su dispositivo iOS siempre que esté disponible; Fetch recupera los correos electrónicos y otro tipo de información a intervalos regulares.

En tercer lugar, tendrá que activar el servicio en todos sus dispositivos (Ajustes>Correo, Contactos, Calendario>su cuenta MobileMe>Buscar Mi iPhone).

En cuarto lugar, únicamente podremos conocer la ubicación exacta de un dispositivo si está conectado a una red.

Dicho esto, el servicio y la aplicación son de un valor incalculable, ya que nos permite conocer rápidamente la última ubicación conocida del dispositivo. En el caso de ser un Apple con la opción Push habilitada, Buscar Mi iPhone podrá rastrear su ubicación actual con una precisión absoluta, sobre todo si es un iPhone o un iPad 3G. El posicionamiento Wi-Fi, no tan exacto, se utiliza para el iPod touch y para aquellos modelos de iPad con conexión Wi-Fi.

Abra la aplicación e inicie sesión en MobileMe. Se mostrará un listado con sus dispositivos encendidos en los que el servicio esté activado. Puede que transcurran algunos minutos hasta poder recuperar la ubicación de todos ellos, incluso si están conectados.

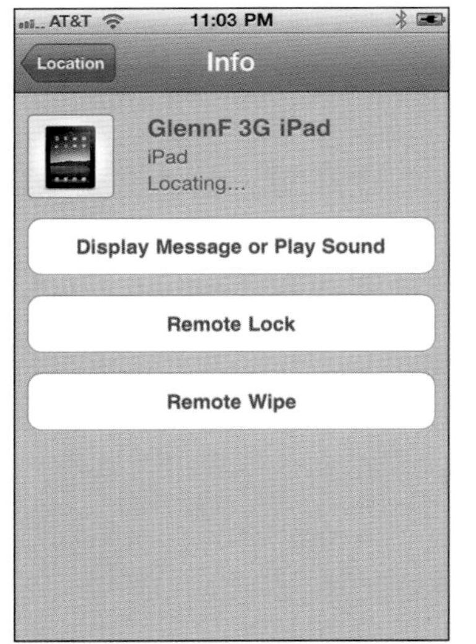

Esta última opción es la más radical. Si ha conectado recientemente su dispositivo iOS a iTunes, tendrá una copia de seguridad de todas sus aplicaciones, preferencias, correos y otros datos. Al borrar remotamente los contenidos del dispositivo, sólo desaparecerán aquellos datos que no se hayan sincronizado de forma remota. Los nuevos contactos o las modificaciones de la agenda, por ejemplo, se sincronizarán a través de MobileMe, siempre que tenga esta función activada.

Sin tener en cuenta si su aparato iOS está o no en funcionamiento, podrá enviar una orden para llevar a cabo tres acciones distintas a través de la aplicación: activar una alarma de sonido con un mensaje optativo, que funcionará independientemente de si el sonido del dispositivo está apagado; activar el código PIN para acceder al aparato, que lo bloqueará de forma inmediata, o borrar toda la información de aquél.

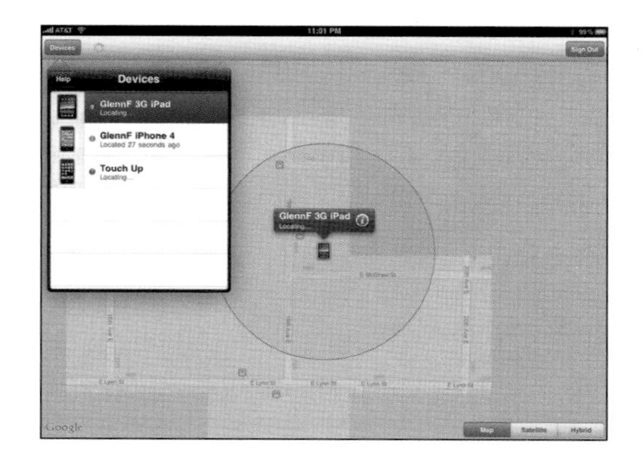

Nota: Buscar Mi iPhone exige la activación de una cuenta de pago de MobileMe. Tendrá que introducir la información relativa a la cuenta en todos los dispositivos que quiera rastrear con este servicio y configurarlo como activo.

El borrado de datos puede tardar unos minutos en cualquier dispositivo de 2009 o posterior. El hardware de los años 2007 y 2008 carece del chip de cifrado que permite el borrado directo y, en consecuencia, puede tardar horas en hacer que desaparezcan todos sus datos. Si un aparato está apagado o no está conectado a la red, la próxima vez que acceda a una red Wi-Fi o móvil responderá a cualquier orden que se haya enviado con anterioridad.

Si pierde o le roban su dispositivo, cabría pensar que las aplicaciones carecen de utilidad ¿no? Lo cierto es que puede acceder a Buscar Mi iPhone desde cualquier explorador Web, e instalarse en otro dispositivo móvil (por ejemplo, el móvil de un amigo). Sólo necesitará su nombre de usuario y contraseña de MobileMe para acceder a la aplicación, con la ventaja de que ésta no almacena la contraseña.

Truco: Las suscripciones de MobileMe resultan más económicas cuando se contratan a través de un tercero, ya que los proveedores en línea suelen ofrecer un descuento de un 20 o un 30 por ciento menos que el precio de Apple. Compare las suscripciones que ofrecen Amazon y otras compañías, y adquiera un número de serie para contratar una nueva suscripción o renovar el servicio.

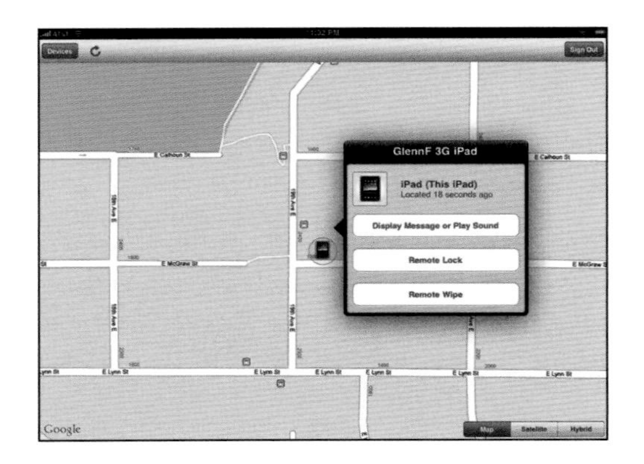

TEXTEXPANDER

3,99 € / Smile Software

http://itunes.apple.com/es/app/textexpander/id326180690?mt=8

Utilice la escritura predictiva para sus aplicaciones de texto

Text Expander convierte abreviaturas en texto. La aplicación es en realidad un subconjunto de lo que antaño se denominaban "macros", término procedente del entorno de los procesadores de texto. En primer lugar, identifique fragmentos de texto que utilice una y otra vez, como por ejemplo la fecha, su nombre y dirección, o, incluso, frases comunes (por ejemplo "Un saludo"). Escriba la información y, después, escriba una abreviatura asociada a la misma.

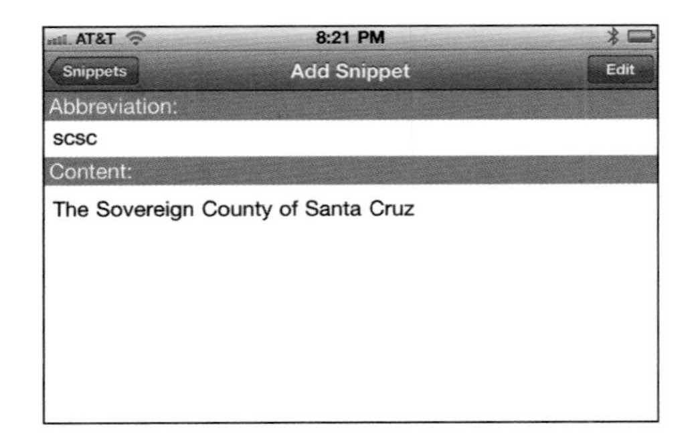

TextExpander incluye un espacio donde escribir "en sucio" y utilizar estas abreviaturas, para, posteriormente, copiar el

texto o reenviarlo. Sin embargo, la aplicación muestra su verdadera utilidad gracias a su integración con más de media docena de programas de texto que ofrecen soporte para TextExpander y sus abreviaturas.

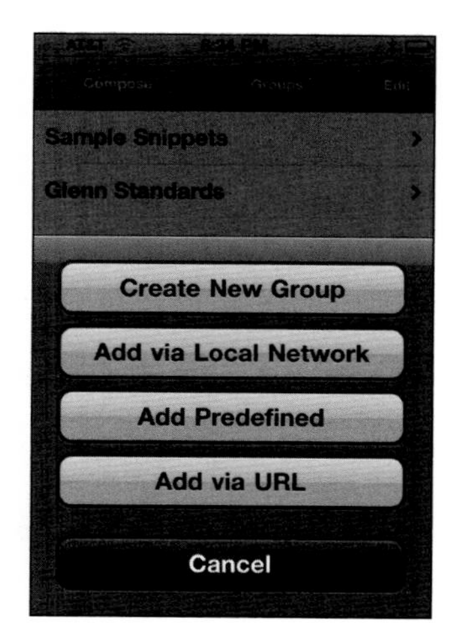

Escriba la abreviatura correspondiente en dichas aplicaciones y el texto completo aparecerá como por arte de magia.

TextExpander Group Requested
The user of device "GlennF iPhone 4" has requested the TextExpander group "Glenn Standards".
Deny Send

La compañía mantiene un listado activo de aplicaciones que ofrecen soporte para TextExpander. Entre las aplicaciones que ofrecen soporte para esta aplicación se encuentran por ejemplo Twitter, Elements y Simplenote.

Truco: Use las funciones especiales para insertar automáticamente fechas, años u otros elementos de texto. Consulte la página de preguntas frecuentes del fabricante para más información (véase http://www.smilesoftware.com/TextExpander/faq.html).

NIGHT STAND HD

1,59 € / Spoonjuice

http://itunes.apple.com/es/app/night-stand-hd-alarm-clock/id364657045?mt=8

¿Echa de menos su viejo despertador? Le presentamos a su sustituto ideal

Cinco minutos más, por favor. Sólo cinco minutos. Está bien, me levantaré porque no me queda más remedio, especialmente teniendo a mano el precioso y nostálgico reloj despertador de Night Stand HD. La aplicación es una simulación de un despertador antiguo con diversas opciones de diseño.

Podrá añadir diferentes alarmas y sincronizar un sonido concreto con cada una de ellas o una canción de la biblioteca de su iPod (como nota curiosa, cabe mencionar que uno de los tonos que se incluyen en la aplicación es Scream, que emite un aullido terrorífico con eco; creo que pasaré de esta opción). La alarma puede sonar una vez o configurarse para que se repita varios días a la semana.

Si ha elegido la opción de despertarse con una canción, podrá seleccionar, además, la duración de la alarma. La aplicación permite también mostrar su ubicación para enseñar el parte meteorológico del día.

Existe una opción muy graciosa que le obligará a despertarse si quiere apagar el despertador: es preciso resolver una ecuación matemática para que el reloj se apague.

Nota: Pruebe la versión gratuita (véase http://itunes.apple.com/es/app/night-stand-hd-lite-the-best/id387703285?mt=8). Incluye un menor número de opciones de diseño, alarmas y otras funciones.

AIR DISPLAY

7,99 € / Avatron Software

`http://itunes.apple.com/es/app/air-display/id368158927?mt=8`

¿Necesita otro monitor y no tiene ni espacio ni dinero? ¡Pruebe esta aplicación!

¿Por qué no trasladar el escritorio de su equipo de sobremesa a la pantalla de su dispositivo móvil? Air Display hace que esto sea posible. Esta inteligente aplicación "engaña" a nuestro ordenador y convierte su iPhone, iPod touch o iPad en un segundo monitor. Instale el software en su computador de sobremesa (en un sistema Mac OS X o Intel, o en la mayoría de las versiones de Windows XP, Vista o 7), reinicie el equipo y, a continuación, abra Air Display en iOS. Tanto su ordenador personal como el dispositivo iOS deben estar conectados a la misma red Wi-Fi para que la extensión funcione correctamente.

Air Display funciona como cualquier monitor conectado a su ordenador personal. Pulse el iPad o cualquier otro dispositivo para controlar el cursor o utilice el ratón del ordenador.

Recuerde que los dispositivos iOS no permiten actualizar la pantalla con rapidez, comparados con un monitor LCD estándar. Esta limitación, combinada con las propias del ancho de banda, hace que Air Display funcione más lentamente que su monitor principal. Por ello, es recomendable colocar en esta pantalla elementos no animados, como las paletas de un programa de diseño, software basado en texto o utilizarlo como cliente de Twitter.

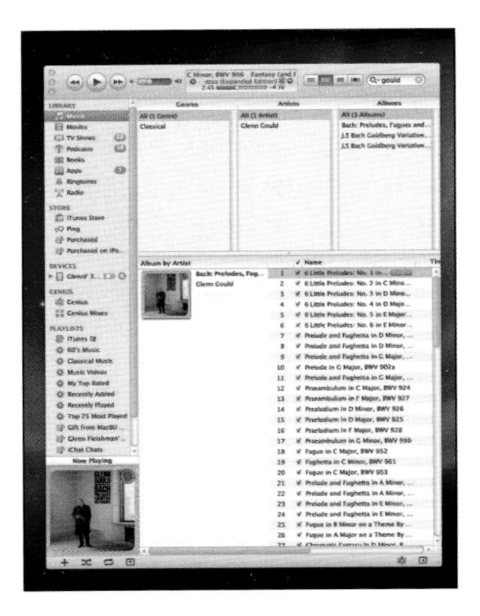

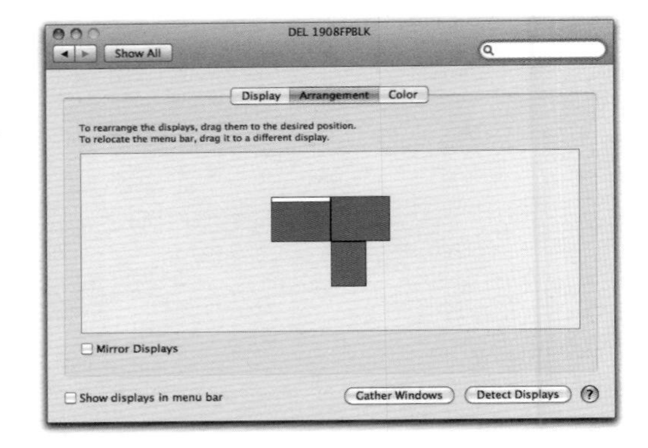

Air Display ofrece un rendimiento óptimo como acompañante de un ordenador portátil mientras estamos de viaje o en ocasiones en las que necesitamos espacio adicional pero no tenemos la posibilidad de trabajar con una pantalla LCD; también es una buena opción como complemento a Photoshop CS5, cuando estamos cansados de que las paletas flotantes ocupen prácticamente todo el espacio de la pantalla.

Truco: Utilice la pestaña Arrangement del cuadro de diálogo Display de Mac OS X para configurar correctamente la ubicación del monitor Air Display respecto a su monitor principal.

OPEN WI-FI SPOTS

1,59 € / Ombros Brands

`http://itunes.apple.com/es/app/open-wifi-spots-free-offline/id406731960?mt=8&ign-mpt=uo%3D4`

El mejor localizador de puntos Wi-Fi gratuitos

Open WiFi Spots Pro es el directorio más completo de puntos Wi-Fi gratuitos, continuamente actualizados por la propia comunidad de usuarios. El sistema interactivo permite identificar con rapidez puntos Wi-Fi a lo largo y ancho de Europa, Estados Unidos, Canadá y Australia.

La aplicación se ofrece en dos modalidades: la versión de pago, que incluye la posibilidad de consultar sin conexión su base de datos de puntos Wi-Fi, sin necesidad de tener que estar conectado a la red, y la gratuita, que exige estar conectado para acceder al directorio.

Para identificar los puntos Wi-Fi existentes en una localización determinada, utilice el mapa interactivo o realice una búsqueda en el directorio. Podrá seleccionar entre más de 40 categorías de puntos Wi-Fi gratuitos. La base de datos contiene más de 120.000 puntos. Todos incluyen descripciones detalladas, fotografías, comentarios de los usuarios y reseñas. Además, la aplicación facilita señalar los puntos Wi-Fi con un marcapáginas para volver siempre que queramos y permite a los usuarios sugerir modificaciones y realizar comentarios.

Todo el que quiera puede contribuir al crecimiento de la aplicación añadiendo sus propios puntos de interés en el directorio en línea, que podrá encontrar en www.openwifispots.com.

Nota: Existe una versión HD para iPad (véase http://itunes.apple.com/es/app/open-wifi-spots-hd-free-wi/id367269553?mt=8, con un coste de 2,39 €).

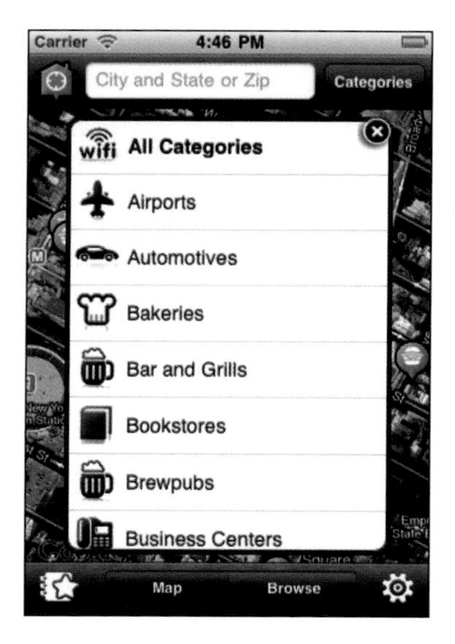

BOINGO MOBILE

GRATUITA / Boingo Wireless

http://itunes.apple.com/es/app/boingo-wi-finder/id297596317?mt=8

Conéctese a más de 125.000 puntos Wi-Fi

Boingo Mobile permite ampliar la utilidad de cualquier dispositivo iOS. Si bien es cierto que los proveedores de servicios de conexión ofrecen planes para dispositivos móviles que van desde los que son limitados hasta los de conexión ilimitada en redes Wi-Fi, lo cierto es que dicha oferta no incluye, en ningún caso, todos los puntos de conexión de pago de ningún país.

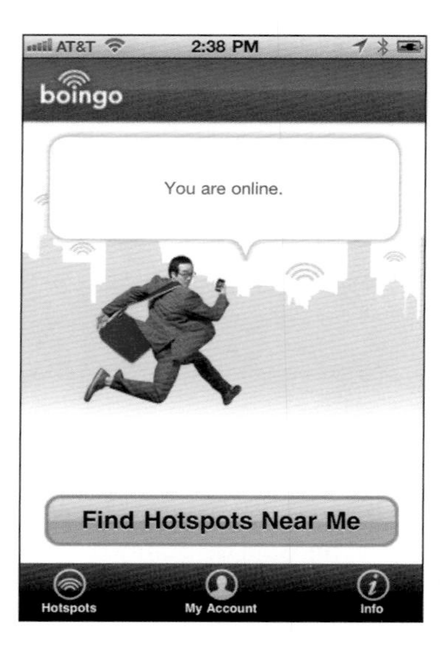

Los propietarios de un iPod touch o iPad (en su versión con sólo conexión Wi-Fi o en las unidades 3G sin un plan de transferencia de datos asociado al dispositivo) tendrán que utilizar una conexión Wi-Fi para acceder a Internet.

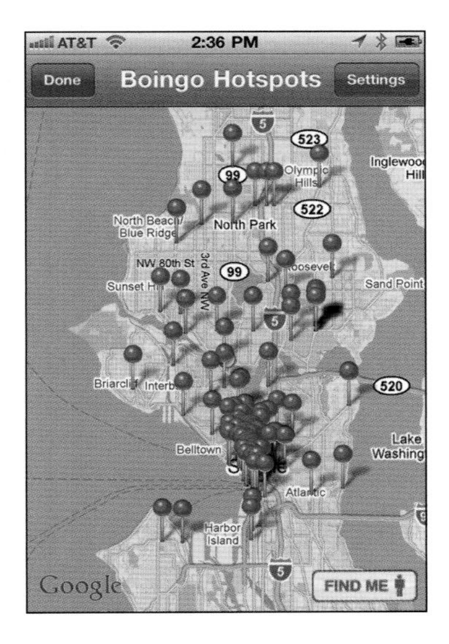

Para un usuario moderado, no es deseable tener que pagar una cuota extra para conectarse a una red Wi-Fi o por cada conexión adicional (que en un viaje normal puede incluir conexiones en aeropuertos, cafeterías, hoteles, etc.).

La suscripción mensual de Boingo Mobile, con un coste aproximado de seis euros mensuales, permite vincular un dispositivo móvil a más de 125.000 puntos de conexión Wi-Fi de todo el mundo. El servicio funciona con cualquier dispositivo iOS, con o sin conexión 3G.

Boingo es una buena opción si queremos evitar las abultadas facturas de las redes móviles. Apple no permite que una aplicación modifique sin más los ajustes de configuración de red, de manera que cuando se encuentre en un punto Wi-Fi tendrá que conectarse, en primer lugar, a la red para, posteriormente, abrir la aplicación de Boingo Mobile. Si el punto de acceso está conectado a la red de Boingo, se mostrará un botón de conexión. Púlselo para conectarse.

Este programa incluye, además, un mapa de puntos de acceso. Pulse sobre una de las chinchetas que aparecen en el mapa para ver el nombre y la dirección del mismo.

Boingo ofrece un programa de puntos (Boingo Wi-Fi Credits), una aplicación que permite adquirir créditos por separado para una hora de conexión en cualquier punto del mundo a través de su cuenta de iTunes. La primera hora de conexión es gratuita.

Advertencia: Es obligatorio contratar una cuenta para acceder al servicio. Puede adquirir un pase individual o comprar una suscripción por un periodo determinado.

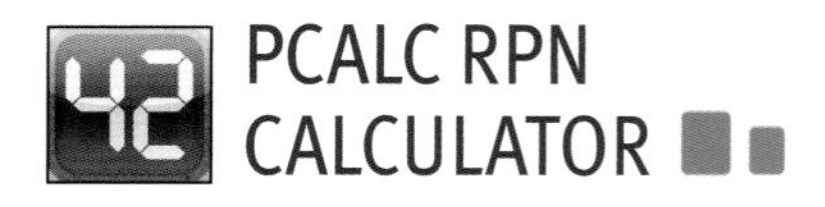

PCALC RPN CALCULATOR

7,99 € / TLA Systems

http://itunes.apple.com/es/app/pcalc-rpn-calculator/id284666222?mt=8

¿Pensaba que las calculadoras eran aburridas?

¡Anda ya! ¿7.99 euros por una calculadora? ¿En serio?

En serio. Y créame. Merece la pena si utiliza con frecuencia todas las funciones incluidas en las mejores calculadoras científicas.

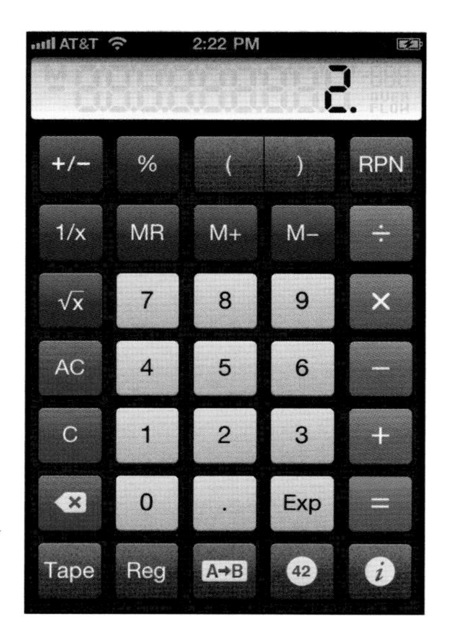

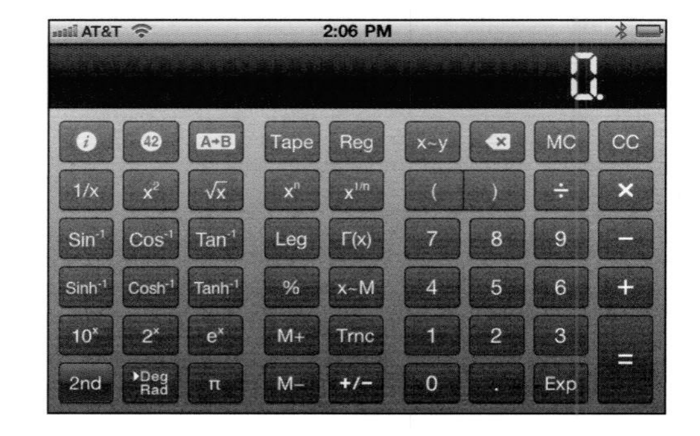

PCalc admite incluso la Notación Polaca Inversa (NPI), que reconocerán todos aquéllos que hicieron sus primeros pinitos en aquellas calculadoras HP de los setenta. Como calculadora básica, la aplicación es insuperable. Puede elegir diferentes diseños por defecto, tanto en orientación vertical como horizontal. Además, podrá seleccionar diferentes temas aplicables a ambas orientaciones de pantalla.

AT&T 2:08 PM
Constants — Atomic — Done

Electron Mass	9.1093826e-31 kg
Fine-Structure Constant	7.297352568e-3
Inverse Fine-Structure Constant	137.03599911
Neutron Mass	1.67492728e-27 kg
Proton Mass	1.67262171e-27 kg

M 10.

Para deshacer una operación, pase el dedo hacia la izquierda sobre la casilla de resultados. Repita la operación para retroceder aún más. Pase el dedo hacia abajo sobre el área de visualización para descubrir información adicional, como, por ejemplo, el contenido activo de la memoria. Pulse el botón i, pase el dedo hacia abajo y pulse Advanced Settings para seleccionar el contenido de los campos adicionales.

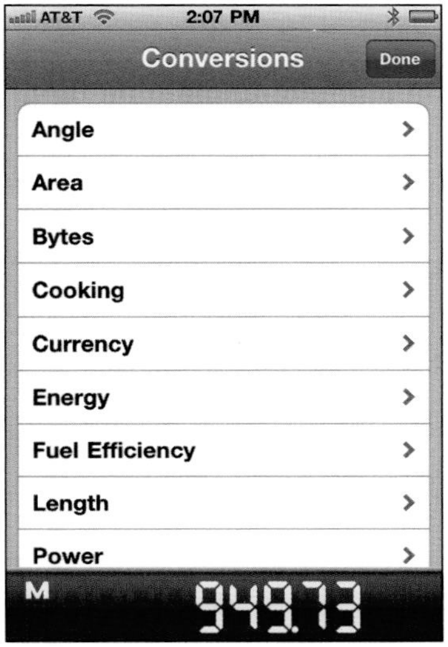

Esta aplicación permite ir más allá de las operaciones sencillas. Las teclas especialmente diseñadas para ello permiten realizar operaciones complejas. El botón 42, un guiño a Douglas Adams, muestra un listado de constantes enumeradas por tipo.

Pulse el botón A→B para utilizar las funciones de conversión disponibles. Podrá realizar operaciones de cálculo rutinarias, como conversiones de unidades de energía, longitud y peso.

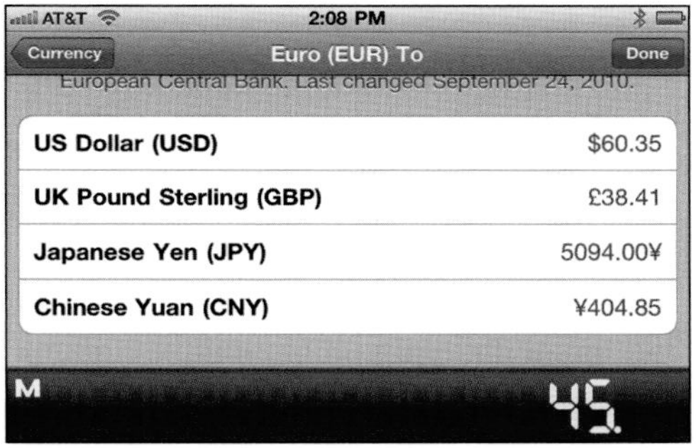

PCalc ofrece, además, la posibilidad de realizar operaciones de conversión de divisas gracias a las actualizaciones automáticas. Pulse la opción Update Currency Rates para actualizar la tabla de valores. Ésta mostrará, en primer lugar, las divisas más utilizadas para, posteriormente, enseñar las de uso menos frecuente.

El programa genera una copia de las operaciones realizadas que podrá copiar o enviar por correo electrónico.

CALCBOT

1,59 € / Tapbots

http://itunes.apple.com/es/app/id376694347?mt=8

El sustituto ideal para una calculadora cuando no necesita las funciones complejas de Pcalc

Calcbot es un interesante sustituto de la aplicación de cálculo de Apple. La pantalla principal muestra las funciones usuales de una calculadora, pero al iniciar una operación las diferencias se ponen de manifiesto. Los signos, como, por ejemplo, el de sumar y el de multiplicar, aparecen como parte de una secuencia debajo del total.

Deslice el dedo hacia abajo para ver una cinta virtual de todas las transacciones realizadas, las cuales podrá enviar por correo electrónico.

Vaya hacia la derecha para mostrar los operadores matemáticos avanzados, como senos, cosenos, raíces cuadradas, logaritmos y otros.

Para realizar cálculos con divisas, pulse el botón i, ubicado en la esquina inferior derecha, y active la opción Round for Currency. Se mostrará el símbolo del euro y las fracciones se redondearán con dos dígitos.

CALVETICA

GRATUITA / Wesley Taylor Design

`http://itunes.apple.com/es/app/calvetica-classic/id451926697?mt=8`

Un calendario con una atractiva presentación que permite ver y modificar citas

Calvetica no es una herramienta apta para cualquier usuario. Si es un enamorado de las interfaces austeras y la fuente Helvetica, esta aplicación le encantará.

Calvetica funciona como sustituta de la aplicación de Calendario incluida en todos los dispositivos iOS. Las citas que introduzcamos o modifiquemos en este programa, iCal o BusyCal en Mac, la aplicación Calendario o MobileMe, se sincronizan automáticamente entre sí.

Calvetica deja las cosas claras desde la pantalla de inicio: el año se muestra en un gran tamaño. Inmediatamente debajo, aparecen los doce meses y un calendario con tantos puntos por día como citas tengamos señaladas para esas fechas.Pulse una y vea las citas programadas para ese día. Pulse los iconos en forma de línea de la parte inferior para ver las citas, una franja horaria determinadas o todas las franjas horarias. Para crear una cita, pulse la línea en blanco junto a una franja horaria.

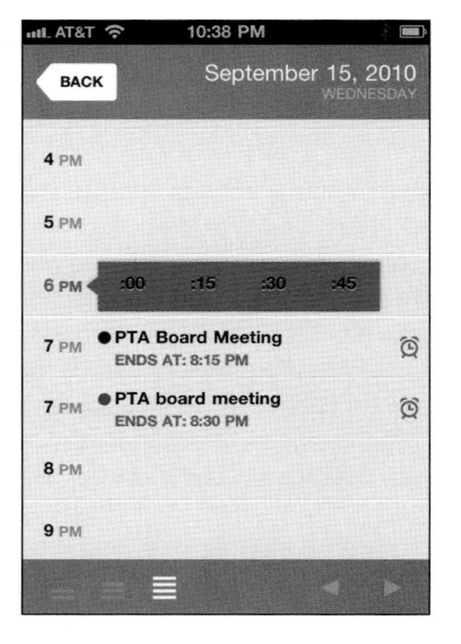

Si prefiere señalar una cita para una hora ya ocupada o poner sus citas con intervalos de diez minutos, utilice el menú desplegable con fondo rojo con intervalos de :00, :15, :30 y :45 minutos. Pulse el número y escriba la información.

Para editar una cita, púlsela. Si desea configurar la alarma o modificarla, pulse el icono con forma de despertador que aparece a la derecha de un evento determinado. Los relojes en negro están inactivos; los rojos señalan una alarma activa. Pase el dedo sobre una cita que no vaya a editar para cambiar la hora, ver una lupa para configurar detalles como la duración de la cita o activar una casilla de verificación que le permitirá seleccionar el calendario al que pertenece ese evento.

Calvetica utiliza diversos temas de inspiración suiza: el tipo de letra Helvetica (uno de los principales competidores en Suiza con Univers), sobre la que se ha llegado a rodar una película; el color rojo de la bandera suiza y la cruz blanca que aparece en el propio icono de la aplicación. Dado que durante mi juventud estudié con diseñadores suizos y formados en Suiza, puedo asegurar que Calvetica se aproxima con bastante exactitud a la estética adecuada, aunque mis maestros dirían que en esta aplicación se utilizan demasiados tipos de letra.

LINTERNA LED

GRATUITA / Santiago Lema

`http://itunes.apple.com/es/app/linterna-led/id384134949?mt=8`

Una linterna LED con una interfaz sencilla

Esta aplicación gratuita permite convertir su dispositivo en una linterna LED, pero a diferencia de la anterior, ofrece una interfaz considerablemente más sencilla. Para activar la linterna, pulse el botón LED y... ¡listo!

> **Advertencia:** Ambas aplicaciones exigen el uso de iPhone 4 o posterior.

Índice alfabético

D

E

F

G

I

K

L

M

N

O

P

R

T

U

V

W

Y

Z